日本政策投資銀行 **Business** Research

アートの創造性が地域をひらく

「創造県おおいた」の先進的戦略

日本政策投資銀行［編］

発行：ダイヤモンド・ビジネス企画　発売：ダイヤモンド社

はじめに

人口減少・少子化・高齢化が進むなか、わが国経済社会の長期的な発展を実現するには、商品・サービスの付加価値を高めることが不可欠である。そのためのキーワードは、創造性（クリエイティブ）と革新（イノベーション）といえよう。

これらはしばしば、科学の進歩や技術革新と同義とみなされがちだが、決してそればかりではない。地域において新たな価値を創出し、社会的・経済的課題の解決につなげるには、これまで看過されていた土地の産物・風景の魅力を、新たな角度から掘り下げ、磨き上げ、オンリーワンの地域資源として開花させる社会的（ソーシャル）イノベーションが求められる。

そのためには、科学技術の創造性に加えて、文化芸術に触れることで得られる未知の体験・感覚がたいせつだと思うのだ。創造性の健全な発露には、科学（サイエンス）に根ざす論理性・計画性と、文化芸術（アート）に由来する多様性（ダイバーシティ）やゆらぎの感覚の双方が、重要ではないだろうか。

実際、欧州では20世紀末に、文化芸術の持つ創造性を観光・産業振興や社会包摂などに領域横断的に活用して地域課題の解決に取り組む「創造都市」のムーブメントが起き、今日では世界的なトレンドになった。近年、わが国のさまざまな地域で芸術祭が催されるが、それらの多くにも創造都市的なコンセプトが埋め込まれている。アーティストならではの視線を通じて、住民に見えていなかった地域課題を「見える化」したり、アート作品と同時に地域の魅力を観光客に「見える化」することで、その後の地域づくりや、交流人口の拡大・多様化につながる可能性があるのだ。

本書では、国内外の芸術祭・創造都市を実地に視察した成果を報告すると同時に、そうした調査結果を参照しながら、大分県がどのように創造都市として発展を遂げつつあるかを紹介する。

大分県の特徴は、二種類の領域横断を敢行した点にある。第一は、政策的な領域横断である。芸術祭開催による観光・地域振興にとどまらず、産業振興や社会包摂、人材育成にクリエイティブな感性を活用している。第二は、地理的な領域横断である。大分市や別府市という県内の人口集中エリアだけでなく、内陸部や半島地域でも芸術祭開催や工芸振興が進んでいる。わが国の創造都市論では、都市圏以外の地域でもクリエイティブな地域再生が可能として、こうした取り組みを「創造農村」と呼ぶ。ゆえに大分県は、県下全域を創造都市＋創造農村として活性化させる「創造県おおいた」を戦略にかかげた。

このように大分県は、政策的・地理的な広がりの両面において、文化芸術の創造性を活用した地方創生のショーケースといえる。読者の皆さんが、地域課題のクリエイティブな解決の方策を探るうえで、参考書としてご活用いただければ幸いである。

2020年1月

日本政策投資銀行

本書の構成について

本書は、日本政策投資銀行のOB一人と、現役行員二人による著作である。三人の筆者のうち中心的な役割を果たした三浦宏樹は、日本政策投資銀行 大分事務所長を務めた後、現在は大分経済同友会 調査部長と大分県芸術文化スポーツ振興財団 参与を兼職している。共著者の佐野真紀子は日本政策投資銀行 大分事務所 副調査役、小手川武史は本店経営企画部所属 副調査役で、佐野は大分県の佐伯(さいき)市、小手川は臼杵(うすき)市の出身だ。三浦のみ東京生まれだが、2010年に大分へ赴任して以来、十年近くがたつ。要するに全員が、大分の魅力と課題をしっかと踏まえて本書を執筆したと自負するところである。

とはいえ本書の趣旨は、大分に特化した固有の取り組みを語ることでなく、他地域にも応用が利くものをめざすことにある。「創造都市」や「クリエイティブ産業」をはじめ、地域社会のさまざまな分野にアートが分け入っていくことで、いかなる化学反応が起きるのか？　私たちは、世界の多くの都市・地域が共通して経験しつつあるできごとについて、語ろうとしている。そうした体験を語る舞台として、ここ十年間にさまざまな挑戦が試みられた大分県は、実験室(ラボ)として最適だと考えた。

例えば、大分県別府市に本拠を置くアートNPOのBEPPU PROJECTは、2005年の創設以降、国内外のアーティストを、別府をはじめ県内各地へと招き入れ、アーティストの豊かな創造力・想像力で、私たちの目からポロポロとウロコを剝ぎ取ってくれる。このおかげで私たち大分県民は、大分に居ながらにして世界と出会うことができるのだ。

また、三浦と佐野が属する大分経済同友会は、ここ十年間にわたって国内外の諸都市・地域をめぐり、文化芸術の力を活かした都市再生・地方創生の先進事例をつぶさにみてきた。本書でもときどき大分を飛び出し、読者の皆さんを、世界各地をめぐるツアーへとお連れすることになるだろう。もちろん、先進地のケースをそのまま模倣すれば、大分が即座にすばらしい地域に生まれ変わるという簡単なものではない。先進事例をいわば“素材”としてしっかり咀嚼(そしゃく)し、大分の地域資源を新たな視点から眺め渡したうえで、大分ならではの取り組みに仕立て上げることが肝要と思う。読者の皆さんも、本書を自らの地域に応用するうえでぜひ、そうした創意工夫を加えていただきたい。

続いて、本書の章立てと、各章の概要を説明しておこう。

第1章「芸術祭と創造都市」では、現代社会でなぜ創造性が重要視されるようになったかという背景を明らかにしたい。創造性の発露として、全国各地で催されるようになった「芸術祭」の動向を眺めるとともに、芸術祭を通じた観光・地域振興と密接に関連する考え方として、文化芸術の創造性を活かしたまちづくり「創造都市」のコンセプトをご紹介しよう。そのうえで、このような芸術祭と創造都市をめざす挑戦がなぜ、そしてどのように大分県で始まったのかを、別府の芸術祭の取り組みと、県都大分の美術館整備を通じて報告する。

第2章「同時多発する大分県内の芸術祭」では、別府を起点とする創造都市の取り組みが、竹田(たけた)市や国東(くにさき)半島はじめ県内各地に飛び火していった経緯を眺めてみたい。そのうえで、こうした県内への波及がひとまず集大成を迎えた2015年夏にフォーカスする。大分県とJRグループが協力して実施した観光誘客キャンペーンの柱として、アートがどのような役割を担ったかをご覧いただこう。

第3章「『創造県おおいた』の始動」では、前章までに紹介した動きをさらに活発にするために、県内全域を対象にあらゆる政策にクリエイティブな発想を掛け合わせる戦略「創造県おおいた」が、どのようにして始まったかをご紹介する。そのなかでも特に、アートやデザインの持つ創造性を地域産業振興につなげるクリエイティブ産業の取り組み、アートの創造性を福祉分野などの社会包摂に活かす取り組み、クリエイティブ人材を育成する取り組みを、詳しくみていく。

第4章「『創造県おおいた』の将来展望」では、大分県が「創造県おおいた」の多様な取り組みを進める一方で、国の文化政策も同じ方向に大きく転換を遂げたことを、まず解説する。そのうえで、2015年に続く第二の集大成として、大分県が2018年に開催した国民文化祭／全国障害者芸術・文化祭の成果を報告し、現時点における「創造県おおいた」の到達点を総括するとともに、大分が今後めざすべき方向性について考えてみたい。

巻末で、補論として「アートプロジェクトの経営と評価」のあり方を解説する。このパートは、プログラム評価という学問領域を踏まえ、他のパートと比べて専門性が強いため、後回しにさせていただいた。

ちなみに、本書は基本的に書き下ろしだが、その内容は、これまで筆者らが執筆した調査報告書や提言書のエッセンスを凝縮したものとなっている。より詳しい内容については、巻末に掲載した主要参考文献のうち、主に日本政策投資銀行や大分経済同友会、アーツ・コンソーシアム大分の文献を参照されたい。また、本書執筆に際しては、多くの関係者にヒアリングや資料提供でお世話になったが、本書で人名をあげる場合、敬称は省略させていただいた。掲載した図表・写真については、キャプションに出典を明記したもの以外は、筆者が作成・撮影した。

それぞれの章の執筆分担は次の通りである。

三 浦 宏 樹　はじめに、本書の構成について、第1章、第2章 1・2・5
第3章 1・2・5、第4章、おわりに、補論
佐野真紀子　第2章 3・4、第3章 4
小手川武史　第3章 3　※大分経済同友会の視察パートは三浦が執筆

このため、文中に頻出する「筆者」は、それぞれの章で異なっていることをお含みおきいただきたい。

ご一読いただければわかるように、本書で取り上げる大分の多様な実践を紹介する私たちは、単なる傍観者・評論家のポジションにはいない。もちろん基本的な立ち位置としては、実践の場から一歩退いた観察者・研究者として定点観測を続けてきた。

しかし、例えば三浦は、日本政策投資銀行や大分経済同友会、大分県芸術文化スポーツ振興財団の立場から、いくつかのプロジェクトで政策提言・立案を行ったり、芸術祭の実行委員を務めたり、評価専門家として事業評価をサポートするという役割を担ってきた。

佐野は以前より、文化芸術を活かした地域活性化について調査研究を続けてきた。近年は、文化芸術をはじめとする諸分野で、自治体の委員会・講演会に参画して委員やコーディネーターを務めている。本書では、そうした蓄積に加え、一市民の立場から大分市内の芸術祭に自発的（ボランタリー）に関わった体験にもとづき「おおいたトイレンナーレ」や「府内五番街まちなかJAZZ」について報告をしている。

小手川は、大分県臼杵市にある老舗の調味料メーカー、フンドーキン醤油の経営者一族の出身である。幕末に創業された同社の歴史や、その新たな挑戦なども踏まえて、大分の食文化振興の取り組みについて執筆した。

以上のように、筆者らは多かれ少なかれ、大分県内で行われてきた諸事業の当事者である。執筆も、主に自ら見聞した事物を踏まえているため、取りこぼした県内の動きもあるだろう。しかしその分、さまざまなかたちで筆者らが関わったアートの現場を踏まえた実践的報告になっていると思う。

こうした性格の本書が想定すべき読者層は、いったいどんな方々だろうか？

正直なところ、特定の職種や分野をあげるのは難しい。紹介する取り組み自体が、月並みな言い方になってしまうが、産学官民の多様な連携によって実現している。ジャンルとしても、文化芸術を中心に語っているようでいて、文化芸術プロパーの話はあまりしていない。アートが地域づくり・まちづくり・観光振興・産業振興・社会包摂・人材育成など、従来は無関係と思われていたフィールドと化学反応を起こすことのおもしろさを語ろうとしている。

例えば、地方創生にアートやクリエイティブな視点が必要だと考えている人。それらをさまざまな政策やプロジェクトに持ち込むことで、世の中の縦割りを打破して横串を刺すことができるのではないかと考えている人。地域社会と関わることが、自らの作家としてのポテンシャルを開花することにつながると考えているアーティスト。地域経済を活性化するには、コスト削減だけではなく、商品やサービスの新たな価値を創出することが鍵で、そのためには感性を重視する必要があると考える経済人。……本書を読んでいただきたいのは、そうした人々である。

目次

第1章

芸術祭と創造都市

1 創造性のたいせつさ

本節では、創造性（Creativity）が経済社会の発展を考えるうえで、なぜ重視されるようになってきたかを、さまざまな文献を博捜した結果を踏まえて押さえておきたい。本書中、特に理論的なパートのため、ひとまず具体的なケースを知りたい読者は、次節（23ページ以降）から読み始めることをお勧めする。なお、文中に出てくる文献の刊行年・出版社などは巻末（248ページ〜）を参照されたい。

ビジネスマン向けの美術書ブーム

近年、ビジネスマンがアートを学ぶことの意義を説いた書籍が数多く刊行されている。筆者はすべての本を網羅的に読んだわけではないが、おおむね二種類に大別できるように感じている。

一つ目は、文化芸術はビジネスマンに必須の教養だというスタンスである。ライフネット生命保険の創業者で、現在は立命館アジア太平洋大学の学長を務める出口治明が読売新聞に寄稿した文章（2018年7月7日付「追伸 平成へ」）は、その代表的な立場を示している。彼はかつてロンドンを訪れたとき、日本と欧米のトップビジネスマンは、話す内容が違うと感じたそうだ。日本のトップは、経済状況や金融政策、あとはゴルフやお酒の話なのに対して、欧米のトップは哲学や文学・思想・歴史・美術に造詣が深い。日本人経営者が外国人と話すときに政治や宗教や思想の話題はタブーで、ゴルフやワインの話がよいというのはデタラメで、彼ら自身が話についていけないだけだと出口は語る。

二つ目のスタンスは、文化芸術は単なる一般教養の域を超え、これからのビジネスに必須の知見だというものだ。この立場を代表するのが、山口周の『世界のエリートはなぜ「美意識」を鍛えるのか？』だろう。彼は、グローバル企業が近年、世界的に著名なアートスクールに幹部候補を送り込むケースが増えたと述べている。これまでのような分析・論理・理性に軸足を置いた経営、いわば「サイエンス重視の意思決定」だけでは、今日のように複雑で不安定な世界でビジネスの舵取りをすることができず、アートへの感性が必要になるというのだ。

筆者は、双方の立場に共感しつつも、以下では後者の視点を中心に論じていきたい。

第四次産業革命とシンギュラリティ

第四次産業革命の進展により、これまで人間が行ってきた仕事の多くが、機械、特に人工知能（Artificial Intelligence＝AI）を搭載したコンピュータやロボットによって代替されるとの指摘が近年、数多くなされている。ここでは、近年における第四次産業革命の展開にともない、文化芸術にどのような影響が生じるかを、主に経済面から考えてみたい。結論を先取りすれば、わが国が今後の経済社会変化に適応していくうえでは、文化芸術への投資を重点化していくことが必須だと思う。

AIに関して昨今、「技術的特異点（シンギュラリティ）」という言葉が囁（ささや）かれることが多い。シンギュラリティとは、AIが自律的に、つまり人間の手をまったく借りずに、自分自身よりも能力の高いAIをつくることができるようになった時点を指す。こうして生まれた汎用人工知能は急速に進化を遂げ、人類に代わって文明の主役を担い始めるという。発明家・未来学者のレイ・カーツワイルのように、2045年頃にシンギュラリティが到来すると考える論者もいれば、そんなものは眉唾（まゆつば）として否定する見解も多い。西垣通『ビッグデータと人工知能』やジャン＝ガブリエル・ガナシア『虚妄のAI神話』は、後者の立場からシンギュラリティ批判を行っている。西垣は、その根拠を「脳は独立した論理的存在ではなく、生きた身体と不可分であり、個々の身体は刻々変化していく生態系全体のなかに組み込まれている」ことに求める。人間の脳の働きは、視覚・聴覚・嗅覚・味覚・触覚という五感と、手足という身体諸器官の動作と切り離すことはできないという。

『AI vs. 教科書が読めない子どもたち』がベストセラーとなった新井紀子も、シンギュラリティは到来しないと断言している。彼女は、AI・ロボット技術によって未来社会がどう変化するかを科学的に明らかにするため「ロボットは東大に入れるか（東ロボくん）」プロジェクトを主導したことで知られている。わが国の学際的な知識・先端技術を集積し、これまで蓄積されたAIの技術精度を高め、AIによる東大入試突破をめざすプロジェクトだ。その結果、日本の大学の70％で合格可能性80％以上を達成した。しかし、それにもかかわらず、東ロボくんが東大に合格する日は来ないという。AIは計算機であり、数学の言葉（論理・確率・統計）に置き換えられないことは計算不能だからだ。数学には「意味」を記述する方法がないため、人間の知的活動のすべてを数式で表現することはできない。ゆえに新井は、人間と同じような知能を持ったAIは登場しないと断じた。このプロジェクトは、数理論理学の専門家である新井が、延べ100人以上の研究者の参加を得て実施したもので、説得力に富むと感じた。

とはいえ文系の筆者に、シンギュラリティの当否を客観的に判断することなどできようはずもない。ただ心証的には、シンギュラリティは到来しないという見解に傾いている。というか、シンギュラリティを前提にした瞬間に、社会がどう変貌するかまったく予想がつかず、そうしたなかで文化や地域の振興について語るべき言葉がないというのが正直なところだ。よって以下では、シンギュラリティはやって来ないと仮定して、話を進めたい。

テクノロジー失業の可能性

シンギュラリティが訪れないからといって、人間が行ってきた仕事の多くがAIに代替されないとは限らない。マイケル・A・オズボーンとカール・ベネディクト・フレイの共著論文「雇用の未来」は、今後10～20年で、米国の総雇用者の約47%の仕事が自動化されるリスクが高いと指摘し、大きな話題を呼んだ。野村総合研究所が両者と共同研究を行った結果、日本でも10～20年後に、労働人口の約49%が現在就いている職業を、やはりコンピュータで代替することが可能であるとの推計結果を導いた。

こうしたAIの普及によって、労働者が失職する技術的（テクノロジー）失業が大量発生すると警鐘を鳴らす研究者がいる。話題になった本として、エリック・ブリニョルフソンとアンドリュー・マカフィーの共著『機械との競争』『ザ・セカンド・マシン・エイジ』、マーティン・フォード『テクノロジーが雇用の75%を奪う』『ロボットの脅威』、井上智洋『人工知能と経済の未来』『純粋機械化経済』などをあげることができよう。

こうした見解に対して増田寛也、冨山和彦『地方消滅 創生戦略篇』は、欧米はともかく日本は、人口減少により労働力不足が進むので失業は発生せず、むしろAIを積極的に活用すべきと述べている。

さらに吉川洋は『人口と日本経済』で経済学の立場から、特定分野での仕事が機械に代替されても、新たな仕事が生まれるので問題はないという見解を述べている。過去の産業革命の経験に照らしてみるに、おそらくこの見解が正しいのだろう。とはいえ、悲観論・楽観論ともに、これまで人間しかできなかった専門的な仕事が機械に代替されるので、労働者が時代に即した新たなスキルを身につけることが必須であるとの認識では一致している。

新井紀子の立場も、AIの進化が限定的だからといって、雇用の未来に楽観的かというと真逆である。AIが7割の大学に合格できるということは、人間の仕事の7割をAIで代替可能ということだからだ。彼女は、基礎的読解力を調査するリーディングスキルテストを開発し、小中高校や企業ですでに延べ18万人以上に調査を行った。その結果、数学のできない人は、数学の知識の有無以前に、問題文を理解できていないとの結論を導いた。丸暗記に頼ってテストを乗り切っても、テストが何を問うているかという意味を十分に読解できない学生は、AIに似ている。すなわちAIで代替可能な人材であり、教科書を読むことができる基礎的読解力を身につけさせることが急務であると提言している。

現状を放置すると、企業は人手不足で頭を抱えているのに、社会には失業者があふれる事態が起きると新井は憂える。新しい産業が興っても、その担い手となる、AIにできない仕事ができる人材が不足するため、新産業は経済成長のエンジンにならない。他方、AIで仕事を失った人は、誰でもできる低賃金の仕事に再就職するか、失業するかの二者択一を迫られる。こうした最悪のシナリオを回避するためには、AIを使いこなして生産性の高い仕事ができる人材や、AIでは代替できないスキルを持った人材を育成することが重要なのだ。

こうした問題意識は、アンドリュー・スコットとの共著『LIFE SHIFT』が話題となったリンダ・グラットンとも共通する。同書は、2007年に日本で生まれた子どもの平均寿命は107歳だと指摘し、超長寿社会の新しいロールモデルを構築する取り組みが必要と訴えた。グラットンによれば、教育→仕事→引退という3ステージの人生から、マルチステージの人生に転換し、複数回の移行期を経験するなかで、つねに新たなスキルや人間関係を構築していくことが求められるという。

同書が契機となって発足した日本政府の「人生100年時代構想会議」（議長：安倍総理大臣）に招かれたグラットンは、会議席上のレクチャーで、仕事（tasks）を次のように簡潔に分類している（図表1-1）。仕事には、定型的（routine）な仕事と、非定型的（non-routine）なものがある。両者はさらに、頭を使う（analytical）仕事と、体を使う（manual）仕事にそれぞれ分けられる。この分類は、仕事の貴賤を問うものではなく、あくまでAIによる代替可能性を考えるための整理として認識すべきだろう。また、会議資料では「頭を使う」「体を使う」と仮訳されたが、体を使う仕事だからといって頭を使わなくてよいはずがない。頭を駆使してデスク上で完結する分析的な仕事と、頭で考えた作業工程を自らの体を用いて再現する仕事があると理解するのが適切だと思う。

さて、定型的で体を使う仕事は、わが国でこれまでもロボット導入が進められてきた分野だ。今後、定型的で頭を使う仕事も、AIに相当程度が代替されていくだろう。人間に残されるのは、非定型的で体を使う仕事と、非定型的で頭を使う仕事である。グラットンは、前者はAIに代替されないとみている。後者はAIとの補完性が高い、すなわち人間とAIが協働することで生産性が向上する分野だとしている。ちなみにわが国の場合、外国人労働者受け入れの規制緩和が進んでいる。これによって労働供給がもっとも増えるのは、前者の非定型的で体を使う仕事と推測される。ということは、今後のスキル獲得が重点的に求められるのは、後者の非定型的で頭を使う仕事であると考えられよう。

グラットンは非定型的な仕事に役立つスキルとして、①アクティブ・ラーニング、②アクティブ・リスニング、③クリティカル・シンキング、④人間関係力、⑤他人にものを教える力、⑥創造性、を列挙している。①②③はおそらく、新井が重視する基礎的読解力の延長線上に位置する。これらは、④⑤とともに他者とのコミュニケーション能力や、組織を経営するマネジメントの能力と大きく関わる。そして、⑥の創造性もまた、非定型的で頭を使う仕事にとって欠くことのできない能力である。

こうした認識は、研究者の論文にとどまらず、わが国の政府部内にあっても議論がなされてきた。筆者が調べたかぎり、内閣府・総務省・厚生労働省・経済産業省など、各府省において有識者を交えた議論がなされていた。いずれの報告書も、これまで専門的で人間にしかできないと思われていた仕事であっても、ある程度パターン化できるものであれば、機械に代替しうると指摘している。これに対して、人間に残される仕事の特徴として、総務省はクリエイティビティ、マネジメント、ホスピタリティをあげる。内閣府・厚生労働省・経済産業省による整理も、おおむね同様である。経営（マネジメント）とおもてなし（ホスピタリティ）が、人間相互間の高度なコミュニケーション能力を必要とする仕事であるのに対し、創造性（クリエイティビティ）はアイデアを生み出す仕事であるという。グラットンの整理とおおむね重なり合う指摘だ。

創造性とは何か

とはいえ、マネジメントやホスピタリティに比べてクリエイティビティの概念は

図表1-1　雇用の未来

人手不足を代替する要因と、これから磨くべきスキル

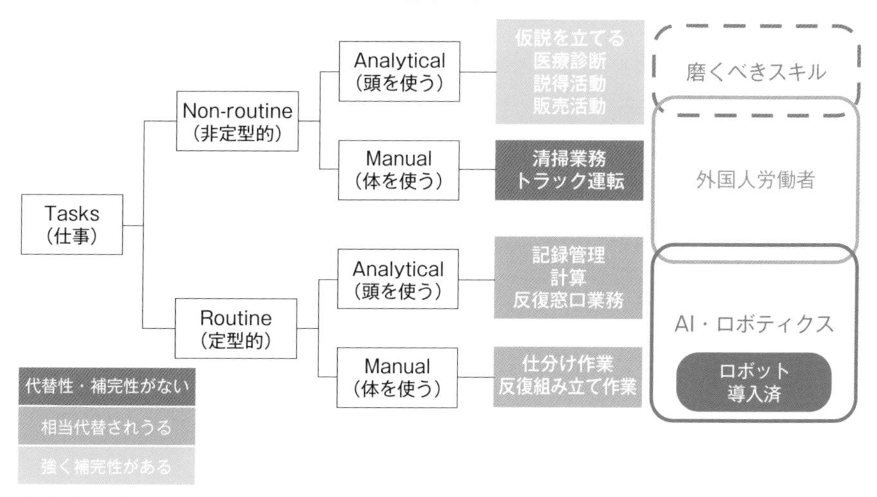

出典：第1回「人生100年時代構想会議」リンダ・グラットン議員提出資料に筆者加筆

抽象的で曖昧だ。そこで以下では、イタリア生まれのデザイナー&アーティストであるブルーノ・ムナーリの言葉を導きの糸にしたい。彼は著作『ファンタジア』で、創造力やその類概念を簡潔に整理している。それらの根源にあるのはファンタジアであり、ムナーリはこれを「これまでに存在しないものすべて。実現不可能でもいい」と定義した。邦訳者は原語そのままのファンタジアを用いたが、筆者なりに訳すなら「空想力」または「妄想力」だろうか。これに対して発明（Invention）は「これまでに存在しないものすべて。ただし、きわめて実用的で美的問題は含まない」という。そして創造力（Creativity）は「これまでに存在しないものすべて。ただし、本質的かつ世界共通の方法で実現可能なもの」。想像力（Imagination）については「ファンタジア、発明、創造力は考えるもの。想像力は視るもの」とされる。要するに、想像力は視覚化がポイントになっている。まさに「像（Image）を想う力」だ。

ムナーリによれば「ファンタジアとは、これまでになかった新しいことを考えださせる人間の能力」である。架空のもの、新しいもの、これまでになかったものを自由に考えて構わず、その考えが本当に新しいかどうかは、ファンタジアの領分ではないとしている。そのうえで、ファンタジアの新規性をたしかめたいなら、理性を介入させる必要があると指摘する。ファンタジアが絶対的な新しさを獲得するには、社会にとっての何らかの革新性（innovative）を持つ必要がある。すなわち、イノベーションをもたらすファンタジアを「創造力」と呼ぶことができよう。

ただ、創造力といっても、無から有を生み出すわけではない。異質な存在同士を新たな視点から結合させるのがポイントだ。それは、文化人類学者のクロード・レヴィ＝ストロースが『野生の思考』で提起したブリコラージュ（Bricolage）に通じている。ブリコラージュは一般に「器用仕事」と訳される。ブリコレ（bricoler）という動詞は、古くは球技・ビリヤード・狩猟・馬術に用いられ、ボールが跳ね返るとか、犬が迷うとか、馬が障害物を避けてコースから外れるというように、いずれも非本来的な偶発運動を指した。今日でもブリコルール（Bricoleur＝器用人）といえば、玄人とは違って、ありあわせの道具材料を用いて自分の手でものをつくる人のことをいう。エンジニアは、全体計画に即して設計され、機能や用途が一義的に定まった「部品」を用いて機械を組み立てる。これに対してブリコルールは「もちあわせ」、すなわち、手元にある限られた雑多でまとまりのない道具と材料を用いる。彼は、今までに集めた道具・材料の全体と一種の対話を交わして、感性的なものと理性的なものを切り離さず、与えられた問題に対してこれらの資材が出しうる解答のすべてを並べ出し、採用すべき組み合わせを選ぶのだ。このような野生の思考をレヴィ＝ストロースは、未開社会の思考ではなく、私たちの世界にもある現代的思考であるとし、近代科学と共存しうると説いた。こうした考え方は、アーティストの発揮する創造性と至近距離で共鳴していよう。あるいは、イノベーションの本質を「新結合」と看破した経済学者シュンペーターの発想も、ブリコラージュと近しいと感じる。

ブリコラージュ的な創造は、身体感覚、身体知とも縁が深い。西垣通が、人間の脳の働きと五感や身体諸器官の動作との不可分を説いたことはすでに紹介した。工学者の諏訪正樹も「クリエイティブは、物理的な身体を持っているからこそ可能であり、決して、どこかで聞きかじった知識や情報を駆使するだけで（つまり概念的な操作だけで）成し遂げられることではない」と論じ、クリエイティブの本質は身体知であると結論づけている。

以上のような学問的な指摘にとどまらず、現代におけるイノベーション創出に不可欠とされる「デザイン思考」も、身体知に深く根ざしている。デザイン思考では、新しい商品・サービスを頭の中だけで考えるのではなく、手や身体を動かして簡素な試作品を幾度も繰り返し制作するプロトタイピングが重視されるのだ。石膏（せっこう）デッサンやバイエルピアノ教則本といった芸術の基礎的な習得プロセスが単なる反復作業にとどまらず、創造性の発揮に向けたとば口になるのも、こうした身体知の次元と無関係ではあるまい。人間関係構築や身体知は、マネジメントやホスピタリティのスキルにも不可欠だ。要するに、これらのスキルは、創造性と密接につながっている。人間の手に残る仕事を考えるうえでは、こうした広義の「創造性」がキーワードになる。

しかし創造性は、例えば職業訓練施設で簡単に身につけることができる類いのスキルだろうか。例えば、デザイン思考を自在に運用するためには、「手に職をつける」的な技能訓練にとどまらず、自らの価値観やライフスタイルの刷新も求められるのではないか。このため、理論的には技術革新にともない新たな仕事は生まれるものの、それらに労働者が適応する調整過程には、長期を要するという懸念がある。さらに、こうしたプロセスに順応できるかどうかで、人々の間の経済格差が広がる懸念もある。人間の生きがいの源泉でもある創造性が、格差拡大の端緒になるという不幸な事態が生じる可能性があるのだ。

創造性に関する国際比較

ゆえに、大勢の人々が等しく創造性を育む機会を持つことが、わが国経済社会の安定的発展には最優先となるが、どうやらこの創造性の醸成について、日本の経済社会は世界から大きく遅れているという懸念がある。

アドビシステムズによる調査「教室でのZ世代」は、日本・米国・英国・オーストラリア・ドイツの中高生と、その教師を対象にインターネットでアンケート調査をした。この調査からは、創造性が将来の成功に重要という認識は国内外で共有されているが、自分たち／生徒たちを創造的だと考える生徒／教師の割合は圧倒的に日本が低いという衝撃的な結果が出た。自らを創造的と考える生徒の割合は、海外が44％（米英豪独4か国の数値の単純平均）に対して、日本は8％である。生徒たちを創造的と考える教師の割合にいたっては、海外の28％に対して、日本はわずか2％にすぎない。こうした状況を放置すれば、わが国経済社会の長期的な発展に大幅にブレーキがかかる懸念がある。

そこで、創造性を育むための教育投資を重点化する必要がある。もっともここで、創造性を育むのは文化芸術に限らないという指摘があると思う。科学や数学という学問も、きわめて創造的なはずだ。とはいえ、発明発見に代表される理系の創造性が十全に発揮されるのは、それぞれの分野の最先端においての話。こと教育課程では、これらの学問は唯一絶対の正解を探求することをめざしている。ここで重要なのが、前述した創造性とファンタジアの区別だ。教育課程で真にイノベーティブな創造性が発揮されることは、理系文系を問わずめったにない。ただ、創造性のポテンシャルを育むうえでは、その基盤となるファンタジアの能力が不可欠である。サイエンスが依拠する論理力と同時に、空想と妄想の術であるファンタジアを鍛えることが、創造性を向上させるうえで鍵となる。そのための絶好の場が、一人ひとりの多様な表現活動を称揚（しょうよう）する文化芸術の教育ではないだろうか。

そしてファンタジアを学ぶ場として重要なのは、学校教育だけではない。山口周は、世界中のエリートが美意識を鍛える理由を、次の三つにまとめている。

第一に、多くの人が分析や論理のスキルを身につけた結果、「正解の汎用品化（コモディティ）」が起き、差別化ができなくなった。また、VUCA（「Volatility＝不安定」「Uncertainty＝不確実」「Complexity＝複雑」「Ambiguity＝曖昧」の頭文字）な現代世界においていたずらに論理的であろうとすると、かえって経営における問題解決能力の麻痺をもたらす。このように、論理的・理性的な情報処理スキルの限界が露呈しつつある。

第二に、かつて全人口の一握りの人たちのものであった「自己実現の追求」が、世界規模で市場化しつつある。このような市場で戦うには、機能的優位性や価格競争力を形成する論理力よりも、人の承認欲求や自己実現欲求を刺激する感性・美意識が重要になる。

第三に、社会のさまざまな領域で、システムの変化にルールの制定が追いつかない状況が発生している。そのような世界でクオリティの高い意思決定を継続的にするには、明文化されたルールや法律だけをよりどころとするのではなく、内在的に真・善・美を判断するための美意識が求められる。

以上のように、学校教育に限らず職業教育の分野で、特にマネジメントを学ぶうえで、かつてないほどに文化への重点投資が求められている。もちろん、創造性は経済的価値の面から有用なだけでなく、人が人らしく生きるうえで不可欠な価値である。文化芸術は何かの目的のために苦心して学ぶべきものではなく、本来、それ自体が楽しい営みであるべきだ。

大分からの事例報告

現代の経済社会では、創造性の発揮が重視されることが多くなった。しかし、こうした議論に際しての実例紹介はまだまだ少ないと感じる。代表例としてスティーブ・ジョブズの名はしばしば取り上げられるが、わが国、とりわけ地方圏からすればジョブズを例示されても、自分たちが何に取り組めばよいのか実感がわかない。また、国内各地でさまざまな芸術祭が開かれ、芸術祭バブルの観を呈している。こうしたなか、アートを地域振興の道具として利用することに批判的な意見も寄せられている。

大分県では2000年代半ばから、アートの持つ創造性を活かしたさまざまな取り組みが始まった。これらの動きの起点に、温泉観光都市・別府を舞台にした芸術祭がある。3年に一度のトリエンナーレ方式でスタートした芸術祭だが、地域の課題は単発のイベント開催では解決せず、息の長い持続可能（サステナブル）な取り組みが求められる。そのため別府では、この芸術祭に、毎年開催される市民文化祭が寄り添い、その後、芸術祭自体も毎年催されるように変わっていった。県内の他地域でも、その土地の個性を活かした芸術祭が実施され、さらに、アートの創造性は産業経済・社会包摂・人材育成など多分野へ広がりをみせている。

本書では、創造力を地域活性化のエンジンとするこうした取り組みが、大分でなぜ始まったのか、今日どのように展開しているのかを説明する。あわせて、国内外の先進事例の紹介を行っている。本書から得られる教訓・提言は、大分県内のみならず、全国各地で参考になるものと考えている。

2 流行する芸術祭

国内のさまざまな地域で近年、「芸術祭」が開催されるようになった。それらの多くは、美術館というハコの中に収まりきらず、都市や田園そのものを舞台にする。芸術祭は、わが国の地域社会が抱える課題の発見・解決に向けた創造性の発露といえよう。ここでは全国の芸術祭の動向を眺めるとともに、芸術祭を通じた観光・地域振興と密接に関連する考え方として、文化芸術の創造性を活かしたまちづくり「創造都市」のコンセプトをご紹介する。

花開く芸術祭

わが国における文化芸術事業の特徴として、国内各地における芸術祭の開催をあげることができる。起点をどこに置くかは意見が分かれるが、現在も続く著名な芸術祭がスタートした21世紀以降を中心に、今日の芸術祭ブームの動向や意義、課題を説明したい。

2000年に新潟県越後妻有（えちごつまり）地域で「大地の芸術祭 越後妻有アートトリエンナーレ」が、2001年に横浜市で「横浜トリエンナーレ」がスタートした。トリエンナーレは3年に一度開かれる芸術祭のことで、2年に一度の場合はビエンナーレと呼ばれる。例えば、2007年に神戸市で始まった「神戸ビエンナーレ」がそれだ。

2009年には、大分県別府市の別府現代芸術フェスティバル「混浴温泉世界」、新潟市の「水と土の芸術祭」がスタートした。双方ともトリエンナーレ方式である。この年には、六本木を舞台に一夜限りのアートの祭典を毎年開催する「六本木アートナイト」も始まっている。2010年には、瀬戸内の島々を中心とする「瀬戸内国際芸術祭」、名古屋市内を主な会場とする「あいちトリエンナーレ」がスタートした。いずれもトリエンナーレである。札幌市でも2014年に「札幌国際芸術祭」が始まり、トリエンナーレとして継続した。

混浴温泉世界は次節に譲り、ここでは、中山間や離島などの条件不利地域を会場とする大地の芸術祭、瀬戸内国際芸術祭、大都市を会場とする横浜トリエンナーレ、あいちトリエンナーレ、札幌国際芸術祭を紹介したい（図表1-2）。ただし、その前に、文中で頻出する「創造都市（Creative City）」というキーワードについて説明を加えておこう。

創造都市とは何か

チャールズ・ランドリーは、欧州で製造業の衰退、財政危機が進む中、文化芸術の創造力を活かして活性化を図ろうとする諸都市の経験に着目して創造都市のコンセプトを提唱した。創造都市論のわが国の第一人者である佐々木雅幸は『創造都市への挑戦』で次のように述べている。

図表1-2　わが国の主な芸術祭の概要

名　称	大地の芸術祭 越後妻有アートトリエンナーレ	横浜トリエンナーレ	瀬戸内国際芸術祭	あいちトリエンナーレ	札幌国際芸術祭
主　催	大地の芸術祭 実行委員会	横浜市、（公財）横浜市芸術文化振興財団、NHK、朝日新聞社、横浜トリエンナーレ組織委員会	瀬戸内国際芸術祭 実行委員会	あいちトリエンナーレ 実行委員会	札幌国際芸術祭実行委員会、札幌市
開始年度	2000	2001	2010	2010	2014
開催方式	トリエンナーレ	トリエンナーレ	トリエンナーレ	トリエンナーレ	トリエンナーレ
最新報告書	大地の芸術祭 越後妻有アートトリエンナーレ2018総括報告書	ヨコハマトリエンナーレ2017「島と星座とガラパゴス」記録集	瀬戸内国際芸術祭2016総括報告	虹のキャラヴァンサライ あいちトリエンナーレ2016開催報告書	札幌国際芸術祭2017開催報告書
会　期	7.29～9.17 （51日間）	2017.8.4～11.5 （88日間）	春：3.20～4.17 （29日間） 夏：7.18～9.4 （49日間） 秋：10.8～11.6 （30日間）	8.11～10.23 （74日間）	8.6～10.1 （57日間）
作家数（組）	335	38+1プロジェクト	226	85	151
来場者数（万人）	55	26	104	60	38
総事業費（億円）	7［15］ （2016～18年度計）	10 （2015～17年度計）	12 （2014～16年度計）	14 （2014～16年度計）	6 （2015～17年度計）
経済波及効果（億円）	65	35	139	63	49
パブリシティ効果（億円）	38	50	n/a	34	4

（注）大地の芸術祭の総事業費の［　］内の数字は、実行委員会以外の会計を含んだ全体事業費
あいちトリエンナーレの作家数は、現代美術国際展の参加アーティスト数（映像プログラム、舞台芸術などを含まない）

創造都市とは人間の創造活動の自由な発揮にもとづいて、文化と産業における創造性に富み、同時に、脱大量生産の革新的で柔軟な都市経済システムを備えた都市である。そして、この創造都市は、21世紀に人類が直面するグローバルな環境問題やローカルな地域社会の課題に対して、創造的問題解決を行えるような「創造の場」に富んだ都市でもあるという。

また、文化庁の定義によれば、創造都市とは、文化芸術の持つ創造性を地域振興、観光・産業振興などに領域横断的に活用し、地域課題の解決に取り組む地方自治体を指す。

ユネスコも2004年に、世界の文化都市を認定する「ユネスコ創造都市ネットワーク」という制度を創設した。文学・映画・音楽・工芸（クラフト&フォークアート）・デザイン・メディアアート・食文化（ガストロノミー）の7分野から、世界でも特色のある都市を認定して、加盟都市間の相互連携を図る仕組みだ。

また、都市経済学者のリチャード・フロリダは「創造的階層（Creative Class)」という言葉を編み出した。過去百年間のアメリカ社会における農業人口の減少、製造業人口の頭打ち、サービス業人口の増加を分析したうえで、サービス業の中でもとりわけ創造的な仕事に就いている人口の伸びが顕著であることを指摘し、創造的階層と名づけたのだ。そして、彼らが好んで居住する都市ほど高い経済成長を遂げていることを定量的に検証した。フロリダによれば、経済成長に必要とされるのは3Tである。技術（Technology)、人材（Talent)、寛容性（Tolerance）の頭文字をつないだ言葉だ。経済成長に技術と人材が必要なことは常識の範囲内だが、フロリダの慧眼（けいがん）は、異質な文化を許容する寛容性こそがイノベーションを活性化し、地域の創造力を高めると強調した点にあった。

かつてはハイテク産業による地域づくりが時代の潮流であったが、21世紀を境に文化芸術と地域の発展という視点が着目されるようになり、こうした創造都市の考え方は国内外で注目を集めるようになった……といったところで、創造都市については後ほど立ち返るとして、以下ではわが国を代表する芸術祭の動向を説明していく。

大地の芸術祭 越後妻有アートトリエンナーレ

越後妻有地域は、新潟県の南部に位置する十日町市・津南町の2市町（合併前は6市町村）を総称する、人口6万人の中山間地域である。地域の総面積は760㎢で、東京23区がすっぽり入るほど広大である。年間の降雪量が約15mという日本有数の豪雪地帯で、1964年新潟地震以降も大地震が多発している。そのような過酷な環境であるがゆえ、「この土地には何もない」が地域の人たちの口癖で、長年、親が子どもに「都会に出て二度と帰ってくるな」と言い含め送り出してきた。山間部の集落は過疎化・少子高齢化が進み、地場産業も低迷していた。

「大地の芸術祭 越後妻有アートトリエンナーレ」のテーマは、「こうした過酷で不可避な運命をどう受け容れてもらうか」という重い問いかけである。しかし、何もない土地だというが、そこに暮らす人々の心は豊かで、棚田の田園風景は美しく、食べ物も美味しいという事実がわかってきた。都会に比べて非効率かもしれないが、それでも越後妻有にはすばらしい生き方があり、それを表現する方法としてアートを活用することが決まった。これが大地の芸術祭の始まりだという。

新潟県は、地域の広域連携と活性化をめざし1994年に独自施策として「ニューにいがた里創プラン」をスタートした。このとき越後妻有地域がかかげた「越後妻有アートネックレス整備事業」のメイン事業になったのが、大地の芸術祭である。これは、現代アートを通じた広域連携の地域づくりだ。各市町のエリアの魅力を、現代アートの創造性により引き出し、各地の独自性を活かすとともに、統一感のある地域イメージを生み出して外部に発信する。芸術祭の主催者は、大地の芸術祭実行委員会で、実行委員長を十日町市長、副実行委員長を津南町長が務める。総合ディレクターは、初回から連続して北川フラムが務める。2006年からは、ベネッセコーポレーション（現ベネッセホールディングス）の福武總一郎社長（当時）が総合プロデューサーに加わった。

2000年の第1回以降、3年ごとに開催され、2018年に開催された第7回では、44の国・地域から335組のアーティストが参加した。越後妻有の自然景観をキャンバスとして活用する壮大さや作品の質などの面で高い評価を受け、国際的な現代アートフェスティバルに成長している。越後妻有の象徴といえる棚田や田畑などの自然景観自体がアート作品となり、また、空き家や商店街などさまざまな場所をアートと融合させることで、379点の作品がエリアに展示された。うち210点は、過去に制作された恒久設置作品である。

最初は地域住民に理解してもらえず苦労したという。しかし、外から訪れた鑑賞者は作品をめぐりながら、同時に、当地の豊かな自然や地域資源に感激する。大勢の人々が訪れ、作品や集落を認めてくれたことで、住民の当惑は歓びに変わった。ボランティアや訪問者と交流し、もう少しがんばろうと前向きになった。そして4回目の芸術祭の頃から、地域の高齢者が、作品や自分たちについて語り始めたという。

このような社会的効果とともに経済的効果も生まれた。2018年には55万人が訪れ、新潟県内への経済波及効果は65億円と試算される。しかし、こうした短期的効果以上に筆者が注目したいのは、中長期的な効果である。例えば、2011年から新潟県下で広域的に始まった「にいがた朝ごはんプロジェクト」がそれだ。その土地だからこそ楽しめるアートが芸術祭の魅力であることを参考に、越後妻有の各旅館が、そこでしか味わえない朝ごはんを提供するプロジェクトを始めたのだ。芸術祭をヒントに、従来の食を創意工夫して新たな価値を加えて商品化した。大分経済同友会が、大地の芸術祭2012を視察した際、プロジェクトにいち早く取り組んだ松之山温泉でうかがったエピソードだ。実はこのときが、筆者の大地の芸術祭初体験であった。

2012年の芸術祭でいちばん印象に残ったのは、ミエレル・レーダーマン・ユケレス作のスノーワーカーズ・バレエ2012「雪上舞踏会」（写真1-1）。豪雪地帯では道路の除雪作業は重要な仕事だが、深夜作業で日頃は目立たない存在だ。そんな縁の下の力持ちである除雪車で、何とシェークスピアの『ロミオとジュリエット』をモチーフにしたバレエを興行し

写真1-1　大地の芸術祭2012
ミエレル・レーダーマン・ユケレス
スノーワーカーズ・バレエ2012「雪上舞踏会」

た。除雪車の機能美、巧みなドライビング、コミカルな表現に筆者らは一驚した。この日、除雪車と作業員はまさにヒーローだった。豪雪地帯で人々の暮らしを支える除雪作業の意味合いを、アートの力で「見える化」した好例といえる。

2015年は、同友会とは別口の視察に参加したが、2018年は純粋に個人で視察したため、オフィシャルツアーを利用した。このときのバス乗客の約2割は外国人だった。主催者による公式ツアー利用者へのアンケート結果でも、外国人の割合が前回の3%から22%へと急上昇したと報告されており、筆者の体験と合致している。観光客ばかりでなく、「こへび隊」と呼ばれるボランティアも、当初は首都圏の学生が多かったが、2018年は半数近くが外国人だったという。

横浜トリエンナーレ

人口約370万人の大都市である横浜市は港町としての長い歴史を持つ。こうした歴史によって培われた歴史的建造物や港周辺の風景といった地域資源を、文化芸術が持つ創造性を活用して、都市の新たな魅力創出と持続可能（サステナブル）な発展につなげるべく、横浜市は2004年に文化芸術都市創造事業本部を設置した。行政の強いリーダーシップのもとで「文化芸術創造都市－クリエイティブシティ・ヨコハマ」をかかげ、アーティストの移住促進や、クリエイティブ産業のクラスターの形成、ウォーターフロントを整備するとともに、市民主導の創造都市づくりの推進をめざした。その実現のために、ハード面では臨海部の整備や、企業との協働により歴史的建造物・倉庫をリノベーションして、「ヨコハマ・クリエイティブシティ・センター」や「BankART1929」など文化芸術施設を整備し、アーティストに作品制作・発表の場を提供してきた。ソフト面では東京藝術大学大学院映像研究科の誘致や、若手アーティスト育成のための事業を実施するなど、行政と企業、NPOなどの団体が連携しながらさまざまなプロジェクトを展開している。

国際現代美術展「横浜トリエンナーレ」の開催により、市民らが文化芸術を身近に感じられる環境づくりもあわせて進んだ。横浜トリエンナーレは今日、創造都市横浜のシンボルとなっているが、元をたどれば国家プロジェクトとして出発した経緯がある。1997年に外務省が「国際美術展の定期開催方針」を出し、国際交流基金が主導するなかで、横浜開催が決まったのだ。第1回トリエンナーレは2001年なので、2004年の文化芸術創造都市宣言に先行している。第2回を1年遅れの2005年に催した後、芸術祭は、2017年の第6回まで3年ごとに開催された。主催者は、国際交流基金・横浜市・NHK・朝日新聞社・横浜トリエンナーレ組織委員会で、ディレクターやキュレーターの体制は毎回異なっている。

2011年に国の事業仕分けにともない、国際交流基金が主催者から降りたが、残る横浜市・NHK・朝日新聞社・組織委員会が主催して継続を図った。総合ディレクターを横浜美術館の逢坂恵理子館長が、アーティスティック・ディレクターを三木あき子が務めた。またこの回以降、横浜美術館がメイン会場となり、ネーミングも片仮名表記の「ヨコハマトリエンナーレ」に改められている。2014年には、横浜美術館を運営する横浜市芸術文化振興財団が主催者に加わった。アーティスティック・ディレクターを森村泰昌が務め、逢坂は組織委員会の委員長に就いている。2017年は、逢坂恵理子、三木あき子、柏木智雄の三人がコ・ディレクターを務めた。

筆者が横浜トリエンナーレを体験したのは、2008年の第3回が初めてで、以降は毎回視察している。いちばん印象に残るのは、大分経済同友会の仲間と参加したヨコハマトリエンナーレ2014（写真1-2）だ。アーティストの森村泰昌が「華氏451の芸術：世界の中心には忘却の海がある」をテーマに芸術祭をディレクションした。『華氏451度』は、米国のSF作家レイ・ブラッドベリの小説のタイトルに由来する。本の所持や読書が禁止された社会を舞台としたSFだ。「日々の暮らしの中で見落としていたり、知らないふりをしていたり、あるいは現代という時代が失ってしまったこと、置き忘れてきたけれど、とても大切なこと」。森村は、私たちがうっかり忘れてしまった領域を「忘却」というキーワードですくい上げ、そうした「忘却」の諸相を垣間見せてくれる作品を展示する。きわめてメッセージ性の強い展覧会である。有名絵画に描かれた

写真1-2　ヨコハマトリエンナーレ2014
マイケル・ランディ「アート・ビン」

肖像に自身が扮するという森村の作風を念頭に置くと、彼はディレクターというよりも、会場に集めた全作品を用いて自身のアート作品をまるごとつくったかのような印象も受けた。芸術祭はディレクターの作品なのだろうかという複雑な感想も抱いたが、インパクトの強さという一点では群を抜いていた。

瀬戸内国際芸術祭

香川県高松市の北方約13km、岡山県玉野市から南方約3kmの瀬戸内海に浮かぶ面積約8k㎡の離島、直島（なおしま）（香川県香川郡）。三菱マテリアルと水産業の町として発展してきたが、人口は現在約3千人と減少が続き、過疎化・少子高齢化が進んでいた。

1985年、当時の直島町長と福武書店（現ベネッセホールディングス）の創業者、福武哲彦との対談を契機に、文化施設整備プロジェクト「ベネッセアートサイト直島」が始まる。福武哲彦の逝去にともない遺志を継いだ福武總一郎が、1992年に安藤忠雄の設計によるホテル兼美術館「ベネッセハウス」をオープンさせた。その後も直島の自然や文化の中に現代アートを融合させるプロジェクトが進み、アーティストが選んだ島内の各地にその場所にかなう作品の制作と恒久展示がなされている。

高松からフェリーで直島の宮浦（みやのうら）港に到着すると、海辺に設置された草間彌生（くさまやよい）の巨大オブジェ「赤かぼちゃ」（写真1-3）が乗船客を出迎える。フェリーが着くのは、金沢21世紀美術館の設計で知られるSANAA（妹島和世＋西沢立衛）の設計した旅客ターミナル「海の駅なおしま」だ。港を起点に随所にアートが点在し、「直島＝現代アートの島」という鮮烈なイメージを生み出している。

写真1-3　直島　草間彌生「赤かぼちゃ」

島の中心である本村地区では、1998年に「家プロジェクト」がスタートした。集落内の無人になった民家にアートを挿入したり、建物自体をアート作品にするプロジェクトだ。仮にベネッセのアートプロジェクトが、島の南端でのホテル兼美術館の運営にとどまっていたら、島民との接点も生まれず、今日のようなムーブメントには育たなかったかもしれない。そうした意味で、本村地区で実施された家プロジェクトが、地域の活性化に果たした役割は大きいといえよう。第一弾となったのは、1998年に完成した宮島達男の「角屋」。約200年前に建てられた古民家の室内に水が張られ、その中に沈められた多数のデジタル・カウンターが、独自のスピードで数字を刻む。集落の住民が宮島の制作活動に協力した島民参加型の作品で、個々のカウンターの速度は島民の一人ひとりが決めたものである。この作品がきっかけとなって、島民が現代アートと自らの関わりを感じ始めるようになったという。以降、家プロジェクトは順次拡大し、現在は七つの作品が公開されている。

2004年には、安藤忠雄の設計による「地中美術館」が開館した。クロード・モネ、ジェームズ・タレル、ウォルター・デ・マリアの三作家の作品のみを展示する美術館だ。美術館は地中に埋め込まれるかたちで設計され、外から建物の全貌はうかがい知れない。迷宮めいた内部構造を含め、美術館自体を第四のアートと称してもよいだろう。直島の自然景観に溶け込んだ現代アート拠点が生まれ、来島者はアートとともに、島の自然や生活を感じることができる。こうして今や、直島の観光入込客数は年間50万人規模となっている。

直島の場合、ベネッセという強力なスポンサーの存在が大きい。福武總一郎の強いリーダーシップのもと、島の歴史や豊かな自然の中に現代アートの創造性を吹き込むことで島を活性化させた。ベネッセが直島を舞台に開催した展覧会、直島スタンダード（2001年）、直島スタンダード2（2006〜07年）を経て、恒久展示作品が増えていった。ベネッセアートサイト直島のエリアも、直島だけでなく、同じ香川県の豊島（てしま）、女木島（めぎじま）や、岡山県の犬島へと展開していった。

そして2010年7〜10月の105日間にかけて、直島・豊島・女木島・男木島（おぎじま）・小豆島・大島・犬島の七つの離島（犬島以外は香川県）と、高松港・宇野港周辺を舞台に「瀬戸内国際芸術祭2010」が開催される運びとなった。主催者は瀬戸内国際芸術祭実行委員会で、会長を香川県知事、総合プロデューサーを福武總一郎が務める。総合ディレクターには、越後妻有で福武とコンビを組んだ北川フラムを迎えた。越後妻有の「こへび隊」に相当する存在として、瀬戸内らしく「こえび隊」と命名されたボランティアが運営サポートを行う。

瀬戸内国際芸術祭はトリエンナーレ方式を採用し、2013・16・19年にも開催された。会期は100日程度としつつ、2013年の第2回からは春・夏・秋に会期を分割している。第2回以降、会場となる島の数も増え、直島以下の東の7島に加え、沙弥島（しゃみじま）・本島・高見島（たかみじま）・粟島（あわしま）・伊吹島（いぶきじま）という西の5島が加わった。

大分経済同友会は、この芸術祭を初回から連続して視察している。同友会が文化芸術振興と地域振興の関係性に気づいたのがまさに2010年だったから、このときの瀬戸内国際芸術祭体験がいかに大きかったかが、うかがい知れる。そのとき、視察参加者が学んだのが「サイトスペシフィック」という考え方である。どこで展示しても変わらない絵画や彫刻ではなく、作品が展示されるその土地ならではのアートという意味だ。ベネッセハウスの美術館に収蔵された作品の多くは、アーティストが実際に直島を訪れ、展示場所を実際にみながら制作を行ったものだ。地中美術館に展示された諸作品は、安藤忠雄の建築と一体化しており、いずれか一方を欠くことはできない。島の生活風景に溶け込むようにして設置された家プロジェクトも、地域の歴史に根ざした風景・建築がなければ成り立たない作品だ。

こうしたサイトスペシフィックな作品群は一部が恒久設置されることで、瀬戸内の新たな観光資源になっている。瀬戸内国際芸術祭の来場者数は2019年で118万人と公表されているが、ここでは香川県全体の観光動向を、観光庁「宿泊旅行統計調査」からみてみたい。

本来なら芸術祭の開始前後の変化をみたいのだが、2010年に調査方法が変更され、データの連続性がないため、2011〜18年の変化を確認する。この間、香川県の延べ宿泊者数は327万人から405万人へと24％増加で、おおむね全国並み（29％増）だ。驚くべきは、そのうちの外国人宿泊者数である。香川県ではこの期間に3.7万人から54.6万人へと実に15倍に増えたのだ。全国も伸びたとはいっても5倍程度である。瀬戸内のアートが、地域ブランドとして定着したことがわかる。

こうした地域ブランド向上は特に、産業廃棄物の不法投棄問題に見舞われた豊島で顕著であった。今日でこそ産廃の撤去は終わったが、豊島に対する負のイメージは大きかった。それが、豊島美術館をはじめとするアートに誘われて観光客が訪れることで、棚田や湧き水といった自然に恵まれた、文字通りの「豊かな島」であるという認知が広がった。アートが、豊島の地域再生のシンボルになったのだ。

大島は、島全体がハンセン病療養所である。筆者は高松暮らしの経験があるが、この島が意識にのぼる機会はめったになかった。こうした大島にアートが優しく寄り添うことで、来訪者は島の歴史と現実を脳裏にしっかり刻み込むことができるようになったといえる。

高松の沖合に浮かぶ男木島では、小中学生が一人もいなくなり学校が休校になっていた。それが、2012年の芸術祭で島を訪れた家族が、アートのおもしろさに触れたことでUターンした。その結果、小中学校が再開し、2013年当時から約45人が島に定住したという。

あいちトリエンナーレ

愛知県は、経済面だけでなく文化芸術面でも日本と世界をリードしようという考えから、「あいちトリエンナーレ」の開催を計画した。開催目的は、①新たな芸術の創造・発信による世界の文化芸術の発展への貢献、②現代芸術などの普及・教育による文化芸術の日常生活への浸透、③文化芸術活動の活発化による地域の魅力向上の三本柱である。芸術監督は、横浜のように毎回交代する方式を採用している。主催者はあいちトリエンナーレ実行委員会で、会長を愛知県知事、会長代行を名古屋市長が務める。

メイン会場の愛知芸術文化センターは、三つのホールを有する愛知県芸術劇場と、愛知県美術館、愛知県文化情報センターから構成される巨大な複合文化施設である。名古屋市美術館も毎回、会場になっている。あいちトリエンナーレの特徴として、現代アート展に加えて愛知芸術文化センターの複合機能を活かし、ダンス・演劇・オペラなどの舞台芸術(パフォーミングアーツ)や映像プログラムに力を入れている点があげられる。

初回となる「あいちトリエンナーレ2010」は、国立国際美術館館長（当時）の建畠哲(たてはたあきら)を芸術監督に迎え、「都市の祝祭」をテーマに8〜10月の72日間にわたり開催された。筆者はこれを見逃しているが、体験者からうかがったところでは、祝祭というテーマ設定と、初開催ということもあり、まずはインパクトの強い展示で大勢の来場者に楽しんでもらおうという雰囲気が強かったそうだ。県・市の文化施設の他に、主な会場として、歴史のある繊維問屋街の空きビルを会場とした長者町や、旧ボウリング場を活用した納屋橋など、まちなかのさまざまな場所が用いられた。「都市の祝祭」というテーマを踏まえ都市自体を会場とし、斬新なアートとの触れ合いによって、日常的な生活の場所を、わくわくした非日常の空間に変貌させることを、建畠監督は企図したという。

2013年は、建築史家・建築評論家の五十嵐太郎を芸術監督に迎え、「揺れる大地－われわれはどこに立っているのか：場所、記憶、そして復活」をテーマに、8～10月の79日間にわたって開催された。「揺れる大地」とは、東日本大震災を受けてのテーマ設定だ。地下鉄直結の入口から県芸術文化センターに入ると、ホールにヤノベケンジによる巨大人形「サン・チャイルド」（写真1-4）がそびえ立つ。原発事故で被災した福島の人々の復興を願い、未来へ立ち向かう意志と希望を込めた作品だ。とはいえ五十嵐監督も、テーマを震災に絞ったわけでなく、われわれが立つ場所やアイデンティティが揺らいでいる危機的状況という広義に捉えている。名古屋市内に位置する前回会場に加えて、岡崎市も会場になった。ショッピングセンターである岡崎シビコの空きフロアを中心に市街地各所に作品が展開する、長者町同様のまちなか会場であった。

2016年は、写真家・著述家の港千尋を芸術監督として「虹のキャラヴァンサライ創造する人間の旅」のテーマのもと、8～10月の74日間にかけて開催された。芸術祭という非日常の体験を「旅」になぞらえ、旅の中継地点・休息所である「隊商宿（キャラヴァンサライ）」をテーマにかかげた。わが国であまり紹介されない中南米や中近東を重点的に紹介するなど、参加作家の地域的な広がりを意識した。会場は、これまでの名古屋・岡崎に、豊橋市が加わり、名古屋地区では納屋橋が会場から外れた。

写真1-4　あいちトリエンナーレ2013
ヤノベケンジ「サン・チャイルド」

2019年は、ジャーナリスト、メディ

ア・アクティビストの津田大介を芸術監督に迎え、テーマを「情の時代」にすえて、8～10月の75日間にわたり開催された。テロ予告による「表現の不自由展・その後」の中止と再開が大きな問題となったが、ここでは、本書の趣旨に沿って、まちづくりを中心に芸術祭の課題や可能性を記したい。芸術祭会場は今回、名古屋市に加えて新たに豊田市が選ばれた。名古屋市のまちなか会場は、長者町から四間道（しけみち）・円頓寺（えんどうじ）に移転した。市内最古の商店街だが、古い町屋を改装して若い世代向けの店舗が入居するなど、新しい魅力を備えた街であり、悪くない選択だったと思う。しかし、豊田市の展示が主に豊田市美術館であったため、主要4会場のうち三つが公立文化施設となり、あいちトリエンナーレが当初かかげた「都市の祝祭」という性格は弱まったように感じる。その分、豊田市が市民を中心に立ち上げた「とよた市民アートプロジェクト」が、トリエンナーレに勝手連的に盛り上がって、市美術館に隣接する旧・豊田東高校で、グループ展や文化祭を独自に開催していたのが興味深かった。芸術祭本体だけでなく、その周縁（フリンジ）に多様なプロジェクトが展開することが、芸術祭の厚みを増し、持続可能性（サステナビリティ）を高めるうえで重要と考えるからだ。

札幌国際芸術祭

札幌市は2006年3月に「創造都市さっぽろ」を宣言。2008年度には、創造都市戦略を検討・提言する場として「創造都市さっぽろ推進会議」を設け、①市民参加を促す環境の整備、②札幌駅前地下歩行空間などの地下ネットワークの活用、③シンボル的な位置づけのイベントの開催およびアワードの創設、④「創造都市さっぽろ」を象徴しうるエリアでの取り組みの強化、⑤ユネスコ創造都市ネットワークへの参画推進という提言を受けた。

提言⑤のユネスコ加盟の目的は、世界の創造都市との知の交流、都市ブランドの価値向上である。札幌市は、IT産業集積や、都市自体をメディアとして魅力を発信してきた実績を踏まえ、2013年にメディアアート分野でユネスコに加盟した。

提言③にもとづき実現したのが、札幌国際芸術祭（Sapporo International Art Festival＝SIAF（サイアフ））だ。その基本構想では開催目的を、文化芸術に満ちたライフスタイルの創出、札幌らしい文化芸術を支える人づくり、文化芸術の力による札幌の魅力再発見と新たな価値創造、「創造都市さっぽろ」を牽引する多様な人材の集積に置き、まちづくり・観光・経済への波及効果を狙った。横浜市と異なり、札幌市の場合は、まず創造都市を宣言したうえで、その実現のために芸術祭をスタートさせている。第1回のSIAF2014は、坂本龍一をゲストディレクターに迎え「都市と自然」をテーマに2014年7〜9月の72日間にわたり開催された。主催者は、札幌市長を会長とする創造都市さっぽろ・国際芸術祭実行委員会である。

会場としては、提言②の地下空間として、札幌駅前通地下歩行空間（チ・カ・ホ）、札幌大通地下ギャラリー500m美術館が、提言④の象徴的エリアとして、市郊外の札幌芸術の森美術館、モエレ沼公園が使用された。その他に、道立近代美術館、道庁赤れんが庁舎、市資料館などの公立文化施設や、札幌市北3条広場などが会場となった。個人的にもっとも強いインパクトを感じたのは、札幌市北3条広場の展示だ。道庁赤れんが庁舎から札幌駅前通までの車道を歩行者専用空間として再整備し、2014年にオープンしたばかりのプロムナードである。アーティストの島袋道浩はそこに、北海道南部の二風谷（にぶたに）から運搬してきた巨大な岩をゴロリと転がした。作品名は文字通り「一石を投じる」（写真1-5）。

SIAFは、初回の成果を踏まえてトリエンナーレ化を図り、3年後の2017年8〜10月に57日間の会期でSIAF2017が開催された。主催者は札幌国際芸術祭実行委員会、札幌市である。ゲストディレクターは坂本龍一から大友良英にバトンタッチ。開催テーマは「芸術祭ってなんだ？」という意表を突いたもの。2016年に発表したこのテーマへの自問自答として、大友は2017年にサブテーマ「ガラクタの星座たち」を公にした。ガラクタや忘れ去られたもの、見向きもされなかったものが、アーティストの手でまったく新しい姿になって輝き出す。そうした星屑が集まって星座のようにつながるのが芸術祭であり、鑑賞者の数だけ新たな星座が生まれていい。このコンセプトを体現するように、会場は

写真1-5　札幌国際芸術祭2014
島袋道浩「一石を投じる」

2014年の11か所から35か所まで増加した。坂本も大友も音楽家だが、作家性の違いもあずかってか、2017年はパフォーマンスやライブのプログラムがずいぶん増えたと感じる。さらに、市内の秘宝館や居酒屋の猥雑(わいざつ)で濃密なコレクション空間を会場に再現し、「アートはこれを超えられるか!」という挑発的なメッセージを発していた。

そして3回目は何と、2020年度冬季の開催だ。ディレクターは、天野太郎、アグニエシュカ・クビツカ=ジェドシェツカ、田村かのこのチーム制。テーマは「Of Roots and Clouds:ここで生きようとする」。札幌の特徴である寒冷な気候や豊富な雪、北方圏の文化を扱い、札幌の魅力発信とまちづくりにつなげるという。

乱立する芸術祭

2014年にはSIAFに加えて、千葉県市原市で「中房総国際芸術祭いちはらアート×ミックス」、山形市で「みちのおくの芸術祭 山形ビエンナーレ」がスタートした。2015年には京都市内で「PARASOPHIA:京都国際現代芸術祭」が開催。2016年は、さいたま市で「さいたまトリエンナーレ」、茨城県の県北6市町で「茨城県北芸術祭」、岡山市で「岡山芸術交流」が催された。2017年には、長野県大町市で「北アルプス国際芸術祭」、宮城県の石巻市や牡鹿(おしか)半島で「Reborn-Art Festival」、石川県珠洲(すず)市で「奥能登国際芸術祭」が始まった。

これらのうち、いちはらアート×ミックス、岡山芸術交流はトリエンナーレ方式で継続している。北アルプス国際芸術祭、奥能登国際芸術祭も3年後の2020年に開催が決定。さいたまトリエンナーレは「さいたま国際芸術祭」と改称し、開催年を1年遅らせ2020年春に開催する。山形ビエンナーレ、Reborn-Art Festivalはビエンナーレ方式で継続している。その一方で京都国際現代芸術祭、茨城県北芸術祭のように初回限りで終わった芸術祭もあった。2009年からトリエンナーレ方式で始まった新潟市の「水と土の芸術祭」も、2018年を最後に終了が決まった。芸術祭もこれだけ数が増えると、淘汰されるものも生まれてくる。

神戸ビエンナーレも第5回の2015年で終了したが、神戸市の場合、2017年に「港都KOBE芸術祭」、2019年に「アート・プロジェクトKOBE 2019:TRANS-」を開催しており、開催趣旨こそ違うものの、結果的にビエンナーレが続いている印象がある。2020年には、広島県も「ひろしまトリエンナーレ2020 in BINGO」を県東部で開催する。

芸術祭の開催目的

21世紀以降に日本各地で開かれるようになった芸術祭は、文化芸術振興と同時に、地域活性化を目的にかかげるケースが多い。典型的な美術館建築はホワイトキューブという白い壁面で囲まれた均質な展示空間だが、昨今ではそうした潮流に見直しの機運がある。古い建築をリノベーションしたオルタナティブスペースが好まれることが多く、例えば2000年にロンドンに開館した「テート・モダン」は、発電所跡を美術館に転用した美術館である。

わが国の芸術祭も、美術館のホワイトキューブを抜け出し、街の空き店舗や自然風景の中にさまざまな作品を展開するケースが多い。そうした取り組みによって、住民が日常生活の中で普段気づいていなかった場所(トポス)の可能性に気がつく。観光客も、芸術祭をきっかけにその土地を初めて訪れ、アートだけでなく土地の自然や歴史・住民・食文化に触れることでファンになり、リピーター化することがある。そうして大勢の観光客が訪れることで、住民が自らの土地のポテンシャルを再発見し、誇りや愛着を取り戻すという効果が期待されている。さまざまな地域資源の魅力を、アートという新たな角度から掘り下げ、磨き上げ、ここにしかない芸術祭を生み出すことが重要だ。

こうした切り口に対して、文化芸術関係者からは、アートはそれ自体が「目的」で、都市再生や地域活性化の「道具」ではないとの意見が寄せられることがある。もちろん、自らの芸術表現を追求するアーティストと、芸術祭を通じた地域活性化を期待する自治体や地元コミュニティが、互いの目的・問題意識を理解し、尊重しあうことは最低限必要だ。加えて、アーティストのイマジネーションと、地域のロジックという双方の言語を翻訳するディレクターや事務局の役割は大きい。

また、アーティストが地域にもたらす効果に過度の期待を抱くべきではあるまい。「アーティストが地域課題を解決する」という常套句(クリシェ)があるが、次節に登場するBEPPU PROJECTの山出（やまいで）淳也はこうした言辞に否定的だ。アーティストは地域課題を解決するのではなく、あくまで地域課題を発見して、それをアートの表現に落とし込むにすぎないという。地域課題を解決できるのは、アーティストやその作品に触発され、改めて地域課題に気づくとともに、自身のうちに眠る創造性を発露させた地域住民でしかない。筆者としては「風が吹けば桶屋がもうかる」的に途中のプロセスを端折（はしょ）れば「アーティストが地域課題を解決する」でも間違いではないと思うのだが、彼としては譲れないところのようだ。

継続の技法

トリエンナーレやビエンナーレが一過性のイベントと異なるのは、定期的に開催される点にある。持続性・計画性がプロジェクトに内蔵（ビルトイン）され、次回開催に向けた課題の洗い出しや担い手の育成が視野に入ってくるのだ。逆にいえば、トリエンナーレ、ビエンナーレを名乗っていても、実行委員会や事務局が芸術祭終了後に解散し、中断期間を経て新たに組成されるようでは、単発イベントとあまり変わらない。芸術祭を上手に回していける持続可能（サステナブル）な体制をつくることが肝要である。そのためには、芸術祭を一つのプロジェクトとしてしっかり経営し、その目的や成果を明らかにしていく必要がある。「説明責任（アカウンタビリティ）」という言葉があるが、その責務を果たすうえでは、それらを実行委員会や行政の内部だけで共有するのではなくて、市民としっかり共有していくこともたいせつだ。

大規模な芸術祭ではたいがい事後に報告書をまとめるが、そこで報告されるのはしばしば、産業連関表を使った経済波及効果の分析や、メディアに掲載された実績を広告換算したパブリシティ効果である。後者は中長期的に地域ブランド力の向上に寄与する可能性があるが、前者は芸術祭の開催年に限られる短期的な効果でしかない。中長期的には、地域でクリエイティブな人材が育ち、彼らが創造都市の担い手・屋台骨となっていくことが肝である。

成功ゆえの課題

ここで紹介した五つの芸術祭は、国内では成功事例と目されている。しかし、これらについても課題があると感じる。

横浜・名古屋・札幌という大都市型の芸術祭については、美術館における現代アートの企画展といかに差別化するかという課題がある。あいちトリエンナーレはもともと、愛知県美術館（愛知芸術文化センター）、名古屋市美術館という公立美術館を主会場としており、2019年はこれに豊田市美術館が加わった。横浜トリエンナーレは当初、オルタナティブスペースを会場としていたが、2011年から横浜美術館を主会場とするようになった。それでもこれまでは同時期に、旧・日本郵船倉庫を改修したBankART Studio NYKで大型企画展が関連事業として行われていたが、運営母体のBankART1929が現在、より小規模なスペースに移転したため、次回は横浜美術館の存在感がさらに大きくなると予想される。札幌国際芸術祭（SIAF）では、過去2回連続して使われた公立美術館は、札幌芸術の森美術館のみだ。しかし2020年度は冬季開催である。スタッフの常駐する会場は暖房設備を完備する必要があるだろう。そうなると、SIAF2017で会場になったような、まちなかの空きビルは使用しづらい。もちろん、ホワイトキューブで現代アート展を開催することは、それはそれで大事である。しかし、芸術祭が都市の新たな魅力づくりを目的とするなら、まちなかとの関係性を今後、どのように再構築するかが課題となるのではないか。

越後妻有と瀬戸内の芸術祭は、会期中の来場者が多すぎて観光過剰（オーバーツーリズム）の域に近づきつつあるように感じた。もちろん、筆者が訪問した時期がたまたま繁忙期であったのかもしれないので断言は控える。しかし、中山間・離島地域の芸術祭では、観光客が訪れることが地域住民のプライドにつながり、住民のもてなしが観光客の満足度向上につながるという、幸福な循環が欠かせない。だが、観光客が増える一方で、地域の人口減少や高齢化は止まらない。大地の芸術祭2018の総括報告書でも「住民の高齢化が進み、おもてなしまで手が回らないという集落や、参加が難しいと考える集落もある」との指摘がなされた。観光的に成功している今だからこそ、地域住民の思いに再び寄り添うことの意義を再確認すべきではないか。

遠い記憶を振り返る

地域住民と観光客の幸福な循環と述べたのは、筆者にはどうしても忘れられない体験があるからだ。瀬戸内国際芸術祭2010が終わった後のことだが、豊島では会期後もしばらく作品展示が続いていた。筆者はこのとき、一人で豊島を訪れた。港で電動自転車を借りて島を一周する途中、豊島南岸にある甲生（こう）という集落に立ち寄った。そこでは、かつて集会所であった建物が、塩田千春の「遠い記憶」という作品になっていた。瀬戸内の島々から使われなくなった木製建具約600枚を集め、トンネル状に組み上げた作品だ。トンネルは旧集会所を貫くように伸び、正面には水田が、振り返れば瀬戸内海がみえる。そこには、地元住民のおじいちゃんとおばあちゃん、芸術祭ボランティアの「こえび隊」の若者二人が、雑談をしながらおにぎりを食べていた。観光客は、筆者以外に若い女性の二人連れがいた。住民の方々は「あなたたちも食べなさいよ」と、筆者たちにおにぎりを差し出してくれた。おにぎりを頬張りながら住民の方々に話をうかがうと、芸術祭会期中は大勢の観光客が豊島を訪れ、たいへんだったが充実していたという。集会所は何年も前から使われなくなり、廃墟になっていた。彼らはこれまで行政に「集会所をさっさと壊してくれ」と頼んでいた。それが今回の芸術祭の後には「ぜひ次の芸術祭まで残してくれ」と、頼みごとが変わったそうだ。結果をみると「遠い記憶」はその後も残り続けている。

まるで、絵に描いたような幸福な風景だった。筆者がその後、全国各地の芸術祭をめぐるようになったのは、あるいはこれが原体験なのかもしれない。

3 湯の町別府で芸術祭「混浴温泉世界」

全国的な芸術祭の紹介に続いて、NPO法人BEPPU PROJECTを中心とした大分県別府市の芸術祭を報告する。2009年から始まったトリエンナーレ方式の別府現代芸術フェスティバル「混浴温泉世界」、2010年から毎年開催されている市民文化祭「ベップ・アート・マンス」である。そして、これらを継続するための別府ならではの戦略や、成果の評価結果を踏まえて柔軟に改善と見直しを図る仕組みをご紹介したい。

アートで温泉観光都市・別府の課題解決をめざすBEPPU PROJECT

大分県別府市（人口12万人）は、源泉数・湧出量・泉質数ともに国内随一の温泉観光地であり、温泉から生まれた独自の文化が深く根づいている。別府温泉郷は、別府・浜脇・観海寺・堀田（ほりた）・明礬（みょうばん）・鉄輪（かんなわ）・柴石（しばせき）・亀川というそれぞれ特色のある八つの温泉地から構成され、総称して「別府八湯（はっとう）」と呼ばれる。古くから国際的な温泉保養地であった別府には、国内外から多くの観光客がそれぞれの文化をたずさえて訪れた。こうして流れ込むさまざまな文化を受け容れてきた街の歴史は、建築物や慣習など戦災を免れた街並みのいたるところに今も残っている。

このように別府市は、豊富な温泉資源と独自の文化・歴史を有するが、時代の変化の中で、かつての鮮度と集客力を失うとともに、中心市街地の空洞化や老朽化、高齢化や若年層の流出といった諸問題が顕在化しており、魅力ある地域づくりが最重要課題となっていた。また、旅行形態の変化にともない、それまでの中高年・男性・団体旅行重視から、多様な客層への対応が求められていた。こうしたことから、ピーク時に年間613万人であった宿泊客数は1976年以降減少に転じ、2009年には365万人まで落ち込んだ。

この間、別府では「別府八湯ウォーク」や「別府八湯温泉泊覧会（オンパク）」など、市民主導による体験型商品の開発やツーリズムのあり方の見直しが進められた。別府に求められていたのは、従来の単一の価値観ではなく、多様性を受け容れ、それを能力構築に活かしながら進化し続ける創造的な社会と、それを支える文化的・社会的な基盤の形成である。NPO法人BEPPU PROJECTは、芸術の可能性を社会に広げていくことで、そうした地域の実現をめざしている。

BEPPU PROJECTは、別府市を活動拠点とするアートNPOである。創設者の山出(やまいで)淳也は大分市出身のアーティストで、NPOを創設する前はパリに住んでいた。ある日、インターネットで、別府ではまちづくりが盛んで、とりわけガイドによる路地裏散策の取り組みが特徴的であるとの記事に接したという。その中の「一人でも参加者がいれば必ず実施するので、お気軽にご参加ください」という言葉に惹かれた山出は、子どもの頃に訪れた別府の風景を思い起こし、アーティストが別府に出会ったら、何を感じ、どんな作品をつくるだろうと想像した。そんな思いを胸に抱いて帰国した彼が2005年に創設したのが、BEPPU PROJECT（2006年NPO法人化）である。山出が代表理事に就任し、別府で国際芸術フェスティバルを開催することをマニフェストにかかげ、現代アートの紹介や教育普及活動、人材育成講座や出版事業、市街地の空き店舗をリノベーションするplatform事業など、さまざまな事業を手がけてきた。誰に頼まれたわけでもなく、あくまで山出自身がみてみたい風景を実現したいという「自分事」からのスタートであった。

そして設立時のマニフェストを実現したのが、2009年にスタートした別府現代芸術フェスティバル「混浴温泉世界」である。①文化芸術の振興、②観光・地域振興と多様性の開拓、③地域の将来を担う有為な人材の育成を目的に、国内外から多くのアーティストを招いて別府のまちなかで芸術祭を開催したのだ。総合プロデューサーは山出当人であり、総合ディレクターには、横浜トリエンナーレ2005でキュレーターを務めた経験を持つ芹沢高志が就任した。

ちなみに「混浴」といっても、実際に男女が一緒に入浴するわけではない。この挑発的なネーミングには「ここに住む人も旅する人も、男も女も、服を脱ぎ、湯につかり、国籍も宗教も関係なく、武器も持たずに丸裸で、それぞれの人生のある時を共有する」という、多文化共生のコンセプトが込められている。混浴温泉世界は、3年に一度開催するトリエンナーレ方式を採用し、2012・15年にも開催された。

混浴温泉世界2009

別府現代芸術フェスティバル2009「混浴温泉世界」(以下、混浴温泉世界2009)は、2009年4〜6月の65日間にわたり開催された。主催者は、別府現代芸術フェスティバル2009実行委員会と別府市である。地域の公的団体・企業・大学・NPOなどから構成される実行委員会を主催者とする方式は、他の芸術祭でも採用される手法である。しかし、混浴温泉世界の最大の特徴は、行政主体の委託事業ではなく、BEPPU PROJECTが自ら思い描いたビジョンにもとづいて企画し、地域の関係者を巻き込んで実現した芸術祭であるという点にある。さらに、国内には芸術祭のたびに実行委員会を新たに組成する地域もあるが、別府では会期終了後も、2009を外して別府現代芸術フェスティバル「混浴温泉世界」実行委員会と名称を変え(2016年度より混浴温泉世界実行委員会に改称)、BEPPU PROJECTを常設事務局として、さまざまなプロジェクトを実行し続けている。

フェスティバルの会場となったのは、戦災を免れ現在も古い街並みや細い路地が数多く残る「中心市街地エリア」、歴史的に温泉観光都市・別府の玄関口になってきた「別府国際観光港エリア」、いたるところから湯けむりが立ちのぼり別府を象徴する景観を構成する「鉄輪エリア」の3か所である。混浴温泉世界2009は、これらのエリアを舞台とする多様な企画から構成されていたが、大きく分ければ次の三つのカテゴリーからなるといえよう。

まずは、メイン企画となった現代アートの国際展「アートゲートクルーズ」。国籍の異なる8組のアーティストが別府を訪れた体験を踏まえ、その場所でしか成立しえない作品を制作・発表した。それぞれの作品を、来訪者を新たな精神の旅に誘う別世界への門「アートゲート」に見立て、彼らが地図とパスポート(鑑賞チケット)を手にして作品を探し回りながら、別府の街を散策(クルーズ)するというスタイルから、アートゲートクルーズと命名されたものだ。参加アーティストは、アデル・アブデスメッド、ホセイン・ゴルバ、マイケル・リン(写真1-6)、ラニ・マエストロ、サルキス、インリン・オブ・ジョイトイ、ジンミ・ユーン、チャン・ヨンヘ重工業。作家は8組だが、彼らの多くは市内の複数の場所で作品展示を行ったため、総作品数は大小含めて約30点にのぼった。別府の街並みを回遊しながら作品を鑑賞することで、来訪者は、アートと別府の街と温泉を同時に体感する。

次に「わくわく混浴アパートメント」。アートゲートクルーズが国際展だったのに対し、こちらは国内のアーティストによる展覧会だ。市内の末広町に「清島アパート」（写真1-7）という使われなくなった古い木造アパートがあった。この清島アパートを会場として、日本各地から集まったさまざまなジャンルの若手アーティストが会期中、共同生活を営みながら、作品の制作・展示を行ったのだ。自らもアーティストとして参加した遠藤一郎と浦田琴恵が企画のコーディネーターを務め、彼らの呼びかけなどに応じて集まったアーティストは実に132組にのぼった。滞在期間はアーティストによって異なり、1週間程度の短期滞在もいれば、会期前から会期後まで長逗留するアーティストもいた。こうした滞在制作のスタイルは当時の大分では珍しく、滞在作家が毎日のように入れ替わることでアパートの様子が時々刻々変化していくことから、リピーターとなる県民が多かったという。大勢の若手アーティストが出たり入ったりするありさまを、最初はうさんくさげに眺めていた地域住民の中から、やがて彼らと仲よくなってサポーターになる人々も現れた。

アパートに住み込んで作品制作を行ったアーティストたちの中には、フェスティバル閉幕後も別府にとどまり作品制作を継続した作家もいた。アーティスト同士の口コミで全国各地からアーティストが別府に訪れ、制作に加わるといった展開もみられた。彼らの中には、別府の魅力に取り憑かれ、この地に移住を果たした者もい

写真1-6　混浴温泉世界2009
マイケル・リン「別府04.11-06.14.09」

写真1-7　清島アパート

る。清島アパートは混浴温泉世界2009の会期終了後も継続し、現在でも毎年、新たなアーティストを受け容れ続けている。手塚治虫をはじめ多数の若手漫画家を輩出したアパートとしてトキワ荘が知られているが、清島アパートは「アート版トキワ荘」とも呼ばれるようになった。

こうしたアート作品の滞在制作・展示とともに、混浴温泉世界で重視されたのが、ダンスや音楽といったパフォーミングアーツである。これが三本目の柱となり、ダンスイベント「ベップダンス」や音楽イベント「ベップオンガク」が開催された。別府のシンボルであり、住民の暮らしの場でもある温泉でパフォーマンスが催された。また、日常の生活空間である商店街の通りの中で、パフォーマーたちが往来の人々と入り交じり、溶け込んで、創造的なダンスを繰り広げた。さらに、海の玄関口である別府国際観光港や、八百年の歴史を持つ八幡朝見神社という、これまた別府を象徴するスポットを会場にコンサートが開かれるなど、別府の街を最大限に活かしたパフォーマンスが会期中の土曜日曜を中心に催された。これらのイベントには、ダンサー・振付師の“しげやん”こと北村成美(しげみ)や、音楽家の大友良英など、後の混浴温泉世界で常連となるアーティストも参加していた。

混浴温泉世界2009の総来場者数は9.2万人で、来場者へのアンケート調査によれば、県外客が55%と広域から集客していることがわかった。世代的には20〜30代が68%、性別では女性が60%であった。従来の別府観光が中高年の男性に偏っていたことを思えば、混浴温泉世界のチャレンジは、若者・女性という新たなマーケットの開拓につながったといえよう。

混浴温泉世界はメディアでも多く取り上げられ、とりわけNHKの「日曜美術館」での放映以降は一気に来場者が増加するなど、メディアの広告効果により新たな集客を生んだ。メディア露出を広告とみなして貨幣換算したパブリシティ効果は29億円にのぼり、別府の新たな魅力が全国に情報発信された意味合いは大きい。

フェスティバルの内容も、芸術面で高い評価を得て、アート関係者や創造都市論者の間で別府は一躍、全国区の存在となった。また、多くの人々が別府のまちなかを回遊することで、現代アートに加えて、別府の歴史文化的な魅力の再発見につながったといえよう。

山出代表理事は当初、混浴温泉世界は1回限りの開催と考えていたという。しかし、会場を訪れる鑑賞者や、ボランティアの期待の声に耳を傾けたすえに、芹沢ディレクターや実行委員会の賛同を得て、継続を決めた。そのとき同時に、3年ごとに1回ずつ全3回を開催し、その時点で見直しを図ることとした。芸術祭を惰性的に続けることを避けたのだ。

こうして継続が決まった混浴温泉世界だが、もちろん、よいことずくめではなかった。運営面でさまざまな不測の事態が生じたし、パスポートの販売が当初目標を下回るなど、反省すべき点が数多く残された。とりわけ、地元住民の関心の低さは最大の課題といえた。

別府町じゅう文化祭「ベップ・アート・マンス」

別府の取り組みの興味深い点は、過去のイベントの評価と反省を踏まえて、自らの事業の改善とイノベーションを不断に行っていくその姿勢にある。BEPPU PROJECTは、混浴温泉世界の反省点を教訓として、2010年11月に「ベップ・アート・マンス」を開催した。混浴温泉世界が広域からの観光客誘致をめざした集客型プロジェクトであったのに対し、ベップ・アート・マンスは一般市民がアートの送り手として参加する市民文化祭である。小さな文化団体や個人が企画した手づくりのアートイベントをベップ・アート・マンスのプログラムとして登録し、BEPPU PROJECTが事務局となって会場提供や広報面で協力した。より多くの市民が参加しやすい仕組みづくりという課題に対して、BEPPU PROJECTが出した一つの答えといえよう。アーティストに限らず一般市民が文化プログラムの主催者として自由に参加できる仕組みをつくることで、市民が継続して文化活動や地域づくりにたずさわり、クリエイティブ人材として成長することのできる環境を整えたのだ。

2010年に大分に赴任した筆者が実見したのは、このベップ・アート・マンス2010以降である。そのときの体験や、共著者の佐野真紀子から聞いた混浴温泉世界2009当時の状況を踏まえて、筆者は、BEPPU PROJECTが文化芸術の創造性を活かした地域活性化のエンジンへと育っていく可能性を感じたものだ。

1か月にわたって開催されたベップ・アート・マンス2010には43のプログラムが

参加し、来場者は約4千人を数えた。このときの来場者アンケートによると、大分県内からの参加者が76％と、混浴温泉世界に比べて圧倒的に地元中心であり、年齢層も20〜30代が51％で、比較的低い割合にとどまっていた。市民文化祭という性格ゆえに、地域の幅広い世代に受け容れられたことがわかる。3年に一度のお祭り騒ぎで一瞬盛り上がるだけでは、地域にもたらす効果は限定的である。このためベップ・アート・マンスはその後も毎年秋に定期開催することとして、2019年でめでたく十周年を迎えた。さらに別府では、ベップ・アート・マンスが開催される11月に限らず、アーティストの滞在制作・発表やワークショップ、講演会など多くの催しが随時、開かれている。

混浴温泉世界2012

そうこうするうち、初回の混浴温泉世界から3年が経過し、2回目の開催年がめぐってきた。混浴温泉世界2012は、2012年10〜12月の58日間を会期として、11.7万人が来場した。

今回の特徴は、別府八湯にちなんで、展開するアートプロジェクトの数を八つに絞り込んだ点にある。アートの持つパワーを来場者に存分に体感してもらうべく、世界的に著名なアーティストの手になる八つのプロジェクトを別府市内各所で展開した。廣瀬智央（さとし）、シルパ・グプタ、アン・ヴェロニカ・ヤンセンズ、クリスチャン・マークレー、小沢剛、チウ・ジージェによる六つのプロジェクトと、「楠銀天街（くすのきぎんてんがい）劇場」「混浴ゴールデンナイト！」という二つのダンス関係プロジェクトである。

他県の大規模な芸術祭が、何十か所という会場に何百もの作品を展開するのに比べ、思い切った「選択と集中」を図っている。たしかに1回目の混浴温泉世界でも、アートゲートクルーズの参加アーティストは8組であった。しかし、彼らの多くは複数の場所で作品を展示したことから、作品点数は30点にのぼった。これ以外に、アーティストインレジデンスやダンス・音楽といった多種多様なプロジェクトが実施された。このため、予算の多寡は別として、開催方式は他地域の芸術祭と似通っていたといえる。それに対して、今回は実に潔く絞り込みを図り、その分、個々の作家のパワーを十分発揮してもらうことを狙った。

六人のアーティストのうち、シルパ・グプタは中心市街地エリアと鉄輪エリアの2か所で作品を展開したが、その他の五人は基本的には一つの会場に大型の作品を展示した。前回の中心市街地エリア、鉄輪エリアに加えて、廣瀬智央が浜脇温泉エリア、クリスチャン・マークレーが別府湾岸の桟橋で制作を行うなど、市内に設けられた会場も広域化した。

楠銀天街劇場（写真1-8）は、ダンサー・振付家の東野祥子が演出したプロジェクトだ。空き店舗率が7割を超える中心市街地の商店街「楠銀天街」を2か月間劇場化し、全国のダンサーと地元住民とでつくられたダンス公演を行った。ダンス公演「Void the Fill」が催されたのは会期末の2日間だけだが、会期初めからアーケード街は、別府市近郊で収集された大量の廃材を用いて装飾され、徐々にドラマティックな劇場空間へと変貌していった。原材料が廃棄物とは思えぬほど、幾何学的で幻想的な空間がまちなかに出現し、夕暮れになるとLED照明が映え、昼間とは違う表情をみせる。このため会期を通じて、一個のアート作品としても鑑賞された。

混浴ゴールデンナイト！の会場となったのは、2009年に閉館した中心市街地のストリップ劇場である。もともと「A級別府劇場」という名称だったが、市民劇場に改装したのを契機に「永久別府劇場」と改名した。建築家集団「みかんぐみ」が、3年の歳月をかけてリノベーションした施設である。この劇場を舞台に、会期中の毎週金土日曜にダンス・パフォーマンス公演が催された。元ストリップ劇場らしくアートな金粉ショーを繰り広げたダンスチーム「The NOBEBO」が毎回トリを務めるほか、出演者は週替わりだった。コンテンポラリーダンスだけでなく、ベリーダンスやフラメンコなど伝統的な舞踏から、エアギターや現代美術家、別府名物流しの音楽家「はっちゃんぶんちゃん」にいたるまで、多彩なパフォーマーが登場した。この企画で、大友良英、北

写真1-8　混浴温泉世界2012
東野祥子「楠銀天街劇場」

村成美が別府に舞い戻り、楠銀天街劇場を手がけた東野祥子もダンサーの一人として出演した。そして公募で選ばれたダンサー吟子(ぎんこ)(長井江里奈)は、来場者をダンスに巻き込む観客参加型のパフォーマンスで喝采を集め、一躍人気者になった。

ベップ・アート・マンス2012も、過去2回のような1か月間ではなく、混浴温泉世界にあわせて約2か月の会期で開催された。混浴温泉世界との併催ということもあってか、プログラム企画者も例年以上に力を入れたようで、参加プログラム数は148と初回の3.4倍に増え、来場者数は5.4万人を記録した。

公式ガイドブックの役割を担った『旅手帖beppu』について、紹介しておきたい。この冊子は当初、厳選した別府市中心市街地の「いいとこ」を紹介する季刊誌として、2011年度の6・9・12・3月に発行された。それが2012年、混浴温泉世界の公式ガイドブックという位置づけで新刊が発行された。他地域の芸術祭のガイドブックをみると、芸術祭の詳しい情報の前後に、ご当地のグルメ情報などが掲載されることが多い。『旅手帖beppu』のおもしろいところは、芸術祭情報と地域情報の二つのウェイトが完全に逆転している点にある。別府の路地裏・温泉・お店・お土産・街の人々などの「いいとこ」情報の合間に、芸術祭の情報が載っているのだ。アートを入口に、別府のまちなかに観客を誘い込む混浴温泉世界らしい仕立てといえよう。改めて冊子を開くと、総ページ数200ページのうち、混浴温泉世界をはじめとするアート情報に2割程度しかページを割いていない。何とも大胆な「公式ガイドブック」があったものだ。

混浴温泉世界2015

そして2015年7〜9月の72日間にわたり、最後の混浴温泉世界が開催された。このとき山出代表理事は「原点に戻らなければいけない」という思いを抱き、「アート版路地裏散策をしたい」と総合ディレクターの芹沢に持ちかけたという。こうして実現したのが「アートゲートクルーズ」と「ベップ・秘密のナイトダンスツアー」である。

アートゲートクルーズ(写真1-9)は、別府のまちなかの奥深く、今は使われていない建物や入り組んだ路地裏、ひっそりと広がる地下室など、普段は立ち入ることのできない街の内奥で、アーティストたちが場所と対話し、それぞれのエピソードを紡ぎ出した作品群を回遊するものだ。2009年のメイン企画を継承したプロジェクトだが、今回は予約制のガイドツアー方式として、会期中、週日（水曜日は定休日）は夜1回、土日祝日は夕刻と夜の2回開催された。定刻に別府駅前に集まった観客は、行き先を知らされぬまま、案内人に導かれて別府の路地裏を彷徨（さまよ）いながら、枝史織（えだしおり）、大友良英、クワクボリョウタ、蓮沼執太（はすぬましゅうた）という四名のアーティストの作品に不意に遭遇する。

ベップ・秘密のナイトダンスツアーは原則として、会期中の金・土曜日の夜に1回開催された。別府市中心市街地のさまざまな場所を会場に、ダンス・パフォーマンス公演を鑑賞しながらまちなかをめぐる、まちあるきツアー型のプロジェクトである。アートゲートクルーズ同様、定刻に別府駅前に集まった観客は、会場がどこかを事前に知らされないまま、案内スタッフに導かれて徒歩で出発する。アーケード商店街や飲食店の建ち並ぶ細い路地などを通り、夜の街の雰囲気を味わいながら会場へと導かれる。会場となったのは、公園・空き店舗・地下室・公民館・駐車場・ビル屋上・公衆浴場前などで、各ダンサーの公演内容にふさわしい場所が選定された。ダンサーは週ごとに交代するため、ツアーの会場・行程も同様に変化する。一度のツアーで立ち寄る会場は3～4か所で、それぞれ20分程度のダンス・パフォーマンスが上演された。

混浴温泉世界2015のプロジェクトは大きく四つで、そのうち二つを予約制ガイドツアーとしたのは、きわめて大胆な試みだった。来場者がまちなかを自由に回遊するこれまでの方式と比べて、受け入れ可能な来場者数のキャパシティが大幅に制限されるからだ。また、二つのツアーが夕方から夜間に集中したのは、2015年の会期が夏場に設定されたという背景がある。この年の7～9月にJRグループが大分県内に観光誘客を図るキャンペーン

写真1-9　混浴温泉世界2015
アートゲートクルーズ　大友良英「バラ色の人生」

を実施したのにあわせて、県内各地のアートプロジェクトもこの時期に集中しており、別府もその例外ではなかったのだ。しかし、夏の真っ昼間にまちあるきをするのは、鑑賞者も案内人もつらいので、おのずとツアー開始時刻が夕刻以降になった。しかし、そうしたやむをえざる事情の一方で、夜間開催にはある戦略が秘められてもいた。要するに、ツアーが終わるのが夜なので、県外客の多くは、別府市で夕食を食べて、市内に宿泊することになる。日帰りで芸術祭を鑑賞するのと違って、一人あたりの観光消費額が大きくなるという思惑があった。結果的に、混浴温泉世界の総来場者数は2012年の11.7万人から2015年には5.4万人に減少したが、一人あたりの平均滞在日数が増えたため、観光消費額（ベップ・アート・マンス来場者を含む）の推計値は4.3億円から4.7億円へとむしろ増加した。

もちろん、昼間に開催されたプロジェクトもある。「永久別府劇場・恐怖の館」は、「永久別府劇場」を会場に、アート版お化け屋敷を制作したものだ。期間を3シーズンに分け、シーズンごとに異なるアーティストが空間演出を行った。第1期は、2012年に楠銀天街劇場で話題を呼んだ東野祥子を中心とするユニット「ANTIBODIES Collective」、第2期は、京都を拠点に活動するパフォーマンス集団「MuDA」、そして第3期は、演出家の五味伸之を中心に結成された「福岡恐いもの研究会」が担当した。土日は3時間待ちで長蛇の列ができるほど、小学生から中高年、県外アートファンから地域住民まで、幅広い層の人気を集めた。

最後の一つ「わくわく混浴デパートメント」は、清島アパートを会場にした2009年の「わくわく混浴アパートメント」のDNAを継承したプロジェクトである。今回は会場をアパートからデパートに替え、地元百貨店であるトキハ別府店の1フロアを全面利用して、若手作家による展覧会を企画した。会期中に参加したアーティストは実に187組にのぼった。展示だけではなく、トークイベントやライブペインティング、各種パフォーマンスなど多数のイベントを展開し、つねに会場で新たな何かが起こり、会期を通じて展示作品が増え続けていった。作家自ら展示作品を案内するツアーも実施され、観客が作品をみるだけでなくアーティスト本人と触れ合う機会にもなった。

「選択と集中」の戦略

以上が、過去3回の混浴温泉世界の取り組みである。ここで、数あるわが国の芸術祭の中で、混浴温泉世界を特に詳しく紹介した意味合いを説明しておきたい。まず、わが国を代表する芸術祭は、横浜や名古屋、札幌といった大都市型と、越後妻有や瀬戸内海といった中山間地域・離島などの条件不利地域型の両極端であった。それらに比べて、別府市は人口12万人の地方中小都市という特徴がある。定住人口は少ないが、温泉観光地として著名であることから交流人口が多いのも特色だ。

開催方式が毎回、大胆に変化していったのも独特といえよう。別府の市街地各所でさまざまなプロジェクトが展開した混沌に満ちた2009年。大きく八つのプロジェクトに絞り込んだ2012年。さらに「選択と集中」を徹底して、四つのプロジェクトに絞ると同時に、夕方から夜間にかけての予約制ガイドツアーを中心にすえた2015年。よその芸術祭とて、ディレクター交代により開催テーマやスタイルを見直すことはあるが、別府ほど融通無碍（ゆうずうむげ）に変化することはない。さらによその地域が毎回、作家数・作品数を増やしていって、結果的に動員目標も増やさざるをえないケースが多いのに対し、別府は量より質に着目して、観客によりディープな別府体験を提供することで、観客のリピーター化をめざした。まさに逆張りだが、乱立する芸術祭に埋没しないための意識的な戦略であったといえよう。

市民を鑑賞者から企画者に

2010年からスタートしたベップ・アート・マンスも、こうした選択と集中と無関係ではない。予算規模が限られるなか芸術祭全体の厚みを増していくうえでは、市民の主体的な参画が欠かせない。しかも、やりがい搾取につながるような参画方法ではなく、市民自身がやりたいイベントを実現できるよう、BEPPU PROJECTが伴走するという方式が採用された。より多くの市民が参加しやすい仕組みづくりという課題に対して、BEPPU PROJECTが出した答えである。

このようにベップ・アート・マンスは、小規模文化団体の育成・支援を目的に、BEPPU PROJECTが企画立案から実現に向けたサポートを行い、市民の主体的な参画を促し、別府市の文化芸術振興と活力あふれる地域の実現をめざすプロジェクトである。すなわち、市民がアートの鑑賞者にとどまらず文化芸術活動の表現者・担い手の一員として参画することが重要なのだ。要するにベップ・アート・マンスでは、観客数が多いか少ないかよりも、プログラム企画者サイドへの市民参加やその成長のほうが事業目標として重要である。

ベップ・アート・マンスに参加する団体・プログラムの数は、おおむね増加傾向にあり、地域社会に定着しつつあるといえよう。プログラム企画者のうち、過去に登録した経験を持つ団体は5〜6割の水準で推移しており、企画者の半数強がリピーター層である。継続参加が5割強ということは、毎年新たに5割弱の企画者が登場していることを示す。ベップ・アート・マンスの新陳代謝を図るうえで、企画者の半分が経験者、半分が新規参入者という構成は、持続可能性（サステナビリティ）の観点から肯定的に捉えるべきだと思う。

企画者サイドからの事務局対応への高評価も、継続開催にともない運営ノウハウが事務局に蓄積されてきた成果といえる。2013年からは、市民による主体的な運営をめざし、プログラム企画者を中心にボランティアや地域住民も集まった意見交換・交流の場として「ベップ・アート・マンスをつくろう会」もスタートした。この活動を通じて、事務局と企画者が対話する頻度が増え、よりきめ細かいサポートが可能になるとともに、企画者同士が長期的・継続的に交流することで、会期以外にも文化芸術活動に関して情報交換を行う姿がみられるようになった。

すでに述べたように、別府の地域課題の創造的解決への貢献という最終目的に照らせば、会期中の来場者数という短期的実績よりも、中長期的には、別府におけるクリエイティブ人材の育成・誘致や、会期中にとどまらない別府全体の交流人口の多様化こそが重要な成果といえる。こうした目標を評価するうえで、ベップ・アート・マンスの来場者アンケートに2011年から「次回はプログラムの企画者として参加したいと思うか」という質問項目を設けた。この問いに「はい」と答える来場者は、3〜4割という水準をキープしている。参加団体の半数弱を占める新規参入者の源泉は、こうしたプログラム企画者予備軍の存在だといえよう。

事業評価を踏まえた不断のイノベーション

そうした戦略を企画遂行するうえで必要となるのが事業評価である。実行委員会では、2009年の第1回混浴温泉世界以来、来場者アンケートの集計・分析や、観光消費への波及効果、パブリシティ効果の推計などを行って事業報告書にまとめ、課題を抽出してその後の事業改善に反映させてきた。

特に2011年度のベップ・アート・マンス以降は、バランス・スコアカード（Balanced Scorecard）の考え方を導入した評価を始めている。バランス・スコアカードは、ロバート・S・キャプランとデビッド・P・ノートンが考案した企業の業績評価・戦略経営支援システムである。民間企業の業績評価では伝統的に、損益財政という「財務の視点」が重視されていたのに対して、キャプラン&ノートンは、この「財務の視点」に加えて「顧客の視点」「業務プロセスの視点」「学習と成長の視点」もあわせて総合的に業績評価を行うことが重要だと説いた。そして、組織の業績を総合的にみるこうした手法は、利益追求を目的としない公的組織の経営や評価にも役立つとの考え方から、内外の行政機関や非営利組織でも検討・導入がなされた経緯がある。実行委員会事業は、こうしたマネジメント志向の評価システムの導入にも積極的に取り組んできた。

とりわけ2016年度からは、このバランス・スコアカードの大幅な拡充・高度化を図っている。それまでの仕組みは、利害関係者（ステークホルダー）に事業の業績をわかりやすく伝える仕組みとしては一定の役割を果たしたが、事業の経営基盤を強化し、事務局スタッフや関係人材の成長を促す戦略経営支援システムとしてはいまだ不十分だった。そうした山出代表理事の問題意識を踏まえて、筆者は伴走評価者として、スタッフとワークショップを重ねながら、新たなバランス・スコアカードの構築を進めた。なお、アートプロジェクトの経営と評価のあり方に関しては、本書の巻末に補論を載せているので、詳しくはそちらを参照いただきたい。

このように計画的・戦略的でありながら、かつ柔軟で臨機応変な芸術祭運営を図ることができるのは、混浴温泉世界実行委員会にBEPPU PROJECTという常設の事務局が存在することが大きい。他地域の芸術祭でも、しっかりした事業評価がなされたケースは存在するのだが、主催者側の体制が変わると往々にして、苦労して行った評価が次回の改善に活かされなくなってしまう。別府の場合、自治体から参画している実行委員などは定期異動で交代するが、事務局にスキルやノウハウ、ネットワークが蓄積されることで、評価結果の次回事業へのすみやかな反映が可能になるのだ。

BEPPU PROJECTはさらに、芸術祭の会期以外にもさまざまな事業を自主的に開催しており、これまでに関わった事業は優に千件を超えているという。例えば「別府八湯温泉まつり」というお祭りが別府で毎春催されている。この祭りではかつて、路上で寸劇を行う素人集団「仁輪加隊」が街を練り歩き、祭りに華を添えたという。このためBEPPU PROJECTの企画で2016年より、現代版にわか隊を結成し、ダンス・仮装・音楽を取り入れて祭りの会場や商店街を練り歩く「にわか隊巡行」を始めている。混浴温泉世界の常連ダンサー北村成美が隊長を務め、子どもたちからお年寄りまで、車いすに座った障がい者や、外国人も詰めかけ、ダンスとパレードを繰り広げる。

そもそも、混浴温泉世界の主催者は形式的には実行委員会だが、実質的な実行母体はBEPPU PROJECTである。あくまで「自分事」なのだ。実行委員は、地域を広く代表するステークホルダーや、各分野の専門家として助言を行ったり、地域コンセンサス形成をサポートするのが役目だ。こうした役割分担が、混浴温泉世界やベップ・アート・マンスといった看板事業の持続可能性を高めているのだと思う。

in BEPPUのスタート

前述のように混浴温泉世界にはもともと、3回目で全面的に見直しを図る仕組みが内蔵されていた。それは例えば、全3回のポスターにも表現されている。混浴温泉世界のポスターはすべて、ほぼ同じ場所から湯けむりの別府を撮影したもので、カメラマンもデザイナーも一緒である。しかし2009年は朝、2012年は昼、そして2015年は夜の風景なのだ。ポスター一つを手に取っても、混浴温泉世界の戦略性が潜んでいることがわかる。

さて、そうした見直しの結果、混浴温泉世界をやめるのではなく、逆にその精神をもっと強力に押し出していこうという結論になった。混浴温泉世界には、多数のアーティストが参加することができた反面、作品一つずつに大きな予算をかけることが難しいという課題があった。一方で、全3回の開催を通じて次の三つの方向性をみいだした。

①混浴温泉世界の特徴といえる「身体性」をもっと重視しよう。
②また、芸術祭の規模を拡大して観客の人数を競うのではなく、よりディープな別府体験をしてもらってリピーターを獲得しよう。量よりも「体験の質」を重視しよう。
③より「地域性」を活かしていこう。

こうした方向性は、実行委員会の席上だけではなく、竹瓦(たけがわら)温泉の2階で開催された市民報告会でも開陳され、2016年度に向けた合意形成が進んでいった。ちなみに、なぜ温泉で報告会なのかといえば、別府では市営温泉の2階はたいがい集会室になっているからだ。温泉とコミュニティが一体化した別府らしい光景である。

こうした検討を経て、これまで以上に別府にフォーカスする、エッジのとがったプロジェクトを実現すべきという結論が出た。県民市民の協力を得て、混浴温泉世界に替わるアートプロジェクトを、ベップ・アート・マンスの目玉事業に位置づけ、規模は小さくなるかもしれないが、その代わりに毎年行うこととした。こうして、芸術祭の形式をグループ展から個展に改め、国際的に活躍する一組のアーティストによる、地域性を活かしたアートプロジェクト「in BEPPU」を、2016年度から毎年開催することにしたのだ。何と、たったの一組！　選択と集中もここにきわまれり、である。

in BEPPUはもちろん「別府にて」といった意味合いだ。招聘するアーティストの名まえが○○であれば、その名を冠して「○○ in BEPPU」と表記する。この結果、2016年度には現代芸術活動チーム「目」による「目 In Beppu」、2017年度には西野達(たつ)による「西野達 in 別府」（写真1-10）、2018年度は彫刻家のアニッシュ・カプーアによる「アニッシュ・カプーア IN 別府」、2019年度は若手アーティストの関口光太郎による「関口光太郎 in BEPPU」（写真1-11）が開催された。ちなみに

「in BEPPU」の表記が毎回揺れているのは、どのような表記にするかを作家に任せているから。何なら「いん べっぷ」でもいいらしいのだが、今のところそこまで大胆な作家は登場していない。

なお、混浴温泉世界は芸術祭としては終了するが、その多文化共生の精神はベップ・アート・マンスに継承されているため、実行委員会の名称には引き続き「混浴温泉世界」を冠している。

地域の創造的なエンジンとして

BEPPU PROJECTは現在、「アートが持つ可能性を社会化し、多様な価値が共存する世界の実現をめざす」というミッションのもと、別府市内だけではなく、大分県内の他地域での芸術祭のディレクションや、クリエイティブ産業の振興、県産品の六次産業化、観光情報発信、移住促進事業、学校や福祉施設への訪問教室(アウトリーチ)、障がい者アートの展覧会を手がけるなど活動の幅を広げ、地域の創造的なエンジンとしてアートを活かした課題解決、価値創出に取り組んでいる。

複雑で領域横断的な地域課題に対し、クリエイティブな切り口から横串を刺してソーシャル・イノベーションを図るThink & Do Tankといえる。芸術祭の企画運営団体という域を超え、クリエイティブなソーシャルビジネスへと進化を遂げつつあるのだ。

写真1-10　西野達 in 別府　西野達「油屋ホテル」

写真1-11　関口光太郎 in BEPPU　関口光太郎「混浴へ参加するよう世界を導く自由な薬師如来」

4 創造都市の世界的な展開

別府市の先進的な取り組みに続けて、県庁所在地である大分市の動向を報告しよう。2010年前後の大分市では、大型店の撤退が相次ぎ、中心市街地の衰退が懸念されていた。そうしたなか大分経済同友会は、新県立美術館の整備を契機に、県都大分で創造都市を実現すべきと考え、調査提言活動のために欧州創造都市の視察を進めた。ここでは、そうした諸都市の紹介も交えて、創造都市の実像を深掘りする。

県都大分の課題

大分市は、大分県の県庁所在地として48万人の人口を擁し、県人口（114万人）の約4割が集中している。隣接する別府市（12万人）と合算すると、県人口の約5割に達する。大分市の中心市街地は、1964年の新産業都市指定以降、造成された臨海工業地帯に大型工場の進出が相次いだことから人口が急激に増加し、地元老舗百貨店トキハや複数の商店街のほか、1970年代には長崎屋、ジャスコ、ニチイ、ダイエーといった中央資本の総合スーパーが続々と進出し、ファッションビルのPARCOも開店するなど、まちなかに商業施設が増加し、一気に活気あふれる商業エリアとなった。

しかし、時間の経過とともに施設は老朽化し、過当競争の中で徐々に閉店が相次ぎ、2009年には総合スーパーはすべて撤退、さらにPARCOも2011年に閉店した。こうした総合スーパーなどの牽引力を失ったことも相まって、まちなかの商業エリアとしての魅力は低下し、さらに郊外2か所に大型ショッピングモールが新設されたことが追い打ちをかけた。2000〜10年のまちなか歩行量調査では来街者が約3割も減少し、その後も減少傾向は止まることなく、一時期のにぎわいはすっかり失われてしまった。こうしたなか、中心市街地がこのまま疲弊していくのではないかという懸念が高まりをみせた。今後の動向に不安材料が山積みで、多くの市民が地域の将来ビジョンを描けない状況だったのだ。

その一方、JR大分駅周辺では鉄道の連続立体交差化（高架化）工事が進んでいた。また、商店街が集積する既存市街地と駅舎を挟んで反対側に位置する駅南地区は従来、“駅裏”と呼ばれてきたが、そのエリアで区画整理事業が進行していた。駅前には、大分市が複合文化交流施設（現・J:COMホルトホール大分）を建設することも決まっていた。さらに駅北口広場の再整備も計画され、これらの事業は都心南北軸整備と総称されていた。こうしたなか、筆者も参加する大分経済同友会は、今後のまちづくりのあり方を検討し、都心南北軸整備を機に公共交通と歩行者を重視したコンパクトシティを実現すべきであると提言していた。

とはいえ、都市インフラの整備だけで、まちなかににぎわいが戻るものではない。こうした認識は当時から、経済界の中で共有されていた。そこでハード整備にあわせて、ソフト面のにぎわいづくりをどう行うべきかという議論も並行して始まった。駅高架化にあわせ、JR九州が駅ビルを建設するという観測は当時からあった。しかし、PARCO撤退に象徴されるように、これから駅ビルに加えて商店街にどんどん新たな大規模商業施設が建つという地合いではなく、商業以外の新たな集客・にぎわい創出機能が求められていた。大分駅ビルと駅北に広がる商店街とをつなぐ回遊性の創出が鍵である。2011年には、大分市市政施行100周年、JR大分駅開業100周年を迎えることから、当時の大分市は、今後100年の都市ビジョンを新たに構想すべき転換点にあったといえる。

そうしたなか筆者は2010年11月、ベップ・アート・マンスのオープニング・シンポジウムを聴講する機会を得た。その場には、文化政策の研究者であるニッセイ基礎研究所の吉本光宏が基調講演に招かれていた。吉本は、スペインのビルバオやドイツのエッセン、フランスのナントが文化への投資をテコに都市再生を遂げた実績を映像も交えて報告し、国内外の諸都市で創造都市をめざす取り組みが進んでいることを紹介した。シンポジウムが終わった後、筆者と一緒に講演を聴いていた大分経済同友会の仲間から「大分市のソフト面での活性化は、創造都市の方向性で進めるべきではないか」という問題提起があった。

おりから、大分県は2009年頃より、大分市郊外にあった芸術会館の老朽化・狭隘化を受けて、建て替えの検討を開始していた。ならば、この新美術館を、まちに開かれた21世紀型の美術館として中心市街地に整備し、これを創造都市の拠点とすることはできないだろうか。そのような問題意識のもとで、大分経済同友会は国内外の創造都市を視察して調査研究を進めていくことになった。

創造都市における文化・社会・経済的価値の三位一体(トリニティ)

県都大分での創造都市の構想はこのように、中心市街地の活性化に焦点をあててスタートしており、その意味で経済面重視といえよう。しかし同時に、ベップ・アート・マンスが、一般市民が文化プログラムの主催者として自由に参加できる仕組みを整えることで、クリエイティブな市民活動の活性化を試みたように、経済的価値とともに社会的価値がきわめて重要なことも痛感している。

筆者が7年ほど前から講演で用いているポンチ絵（図表1-3）をご紹介しよう。創造都市実現に向けた取り組みを登山になぞらえた絵だ。中心に「創造都市」という山がそびえている。山麓の右手にいる登山者は、経済・産業というルートを通って登攀しようとしている。大分経済同友会の立場がこれだ。県立美術館整備を契機に大分における創造都市の実現をめざしている。経済的見地からは、創造都市の効果

図表1-3　創造都市における文化・社会・経済的価値の三位一体

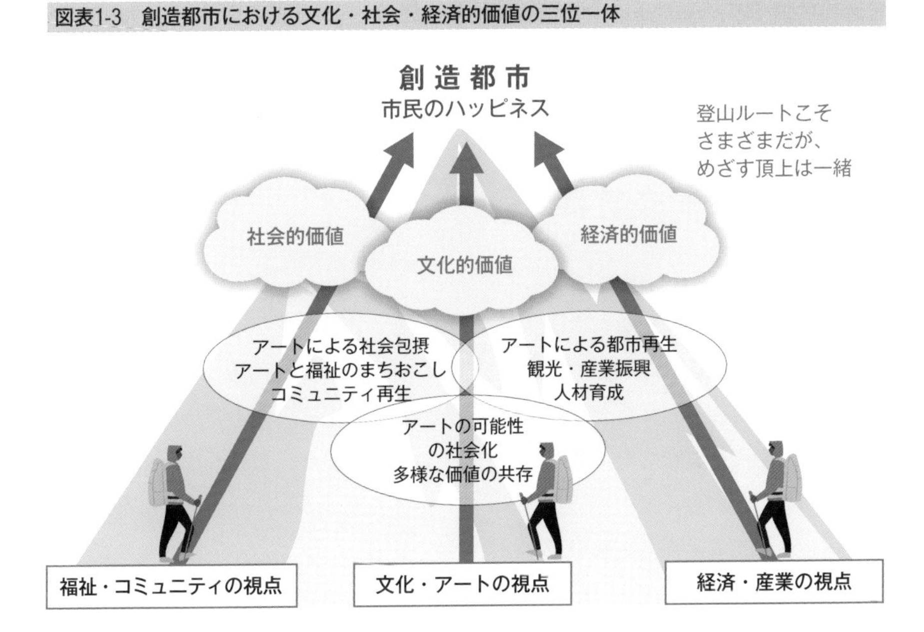

として、都市再生、観光振興、クリエイティブ産業振興、人材育成などがあげられよう。これに対して、真ん中の登山者は、アートの持つ豊潤な可能性を地域社会に「見える化」し、多様な価値観が共存できる社会の実現をめざしている。文化芸術という本道からの登山であり、例えばBEPPU PROJECTがこれに該当する。さらに、左側の登山者は、福祉やコミュニティ再生の視点から、創造都市へのアプローチを試みている。例えば、地域の福祉関連団体などが該当しよう。

しかし、これら三者は登山ルートこそ違うが、めざすべき山頂は同じではないだろうか。文化的価値・社会的価値・経済的価値が相乗効果（シナジー）を生むことで、市民の幸福感（ハッピネス）が高まることが創造都市の本質だと思う。例えばベップ・アート・マンスを通じて、市民がクリエイティブな活動の魅力に目覚めれば、それは地域コミュニティだけでなく、地域経済にも好影響をもたらすはずだ。とはいえ、筆者のこうした見解に対し、三つの立場には矛盾もあって単純に調和するものではないという意見を聞く機会もあった。たしかにその通りだ。何の努力もせず、なすがままに任せることで、登るべき山頂が一致するはずもない。このため本書は、創造都市の経済的価値の側面だけではなく、社会的価値にも留意して記述を進めたい。とはいえ「モチはモチ屋」である。筆者らはいずれも銀行出身で、後者については勉強しながら執筆した側面を否めない。また、大分における創造都市の取り組みが、経済分野で先行したのも事実である。創造都市を通じた社会包摂のさらなる進化・深化を図ることは、筆者にとっても大分にとっても今後の宿題といえる。

欧州文化首都

さて、それではどの都市が創造都市かというと、実は厳密な定義があるわけではない。「わが市は創造都市だ」と宣言して、そのビジョンの実現に向けたまちづくりに取り組めば、創造都市と呼べるのかもしれない。あるいは、昔から文化芸術を重視したまちづくりに力を入れていて、自称こそしていなくとも、はたからみれば創造都市以外の何ものでもないというケースもあろう。ここでは、創造都市として取り上げられることが多い都市群を紹介したい。

一つには「欧州文化首都（European Capital of Culture）」がある。EUが、加盟

国の中から毎年1都市（現在は2都市）を欧州文化首都に定め、1年間を通じてさまざまな文化芸術イベントを開催する取り組みで、1985年にスタートした。選ばれた都市は当初、EU加盟国の首都のケースが多かったが、徐々に多様な都市が開催地に選ばれるようになった。

欧州文化首都は当初、真のEU統合には互いの文化の相互理解が不可欠との考え方からスタートしたが、後に、産業空洞化と地域の荒廃に対して文化の力を活かして都市再生を図るという創造都市的な側面が重視されるようになった。英国のグラスゴー（1990年）、フランスのリール（2004年）などが成功事例といわれている。

ユネスコ創造都市ネットワーク

ユネスコは「世界遺産」の認定で有名な機関だが、これとは別に、世界の文化都市を認定する「ユネスコ創造都市ネットワーク（UNESCO Creative Cities Network＝UCCN）」という制度を構築している。文化の多様性を保護し、世界各地の文化産業が潜在的に有する可能性を都市間の戦略的連携により発揮させるための枠組みとして2004年に創設された。文学・映画・音楽・工芸（クラフト＆フォークアート）・デザイン・メディアアート・食文化（ガストロノミー）の7分野から、世界でも特色のある都市を認定し、都市間の相互連携を図っている。2019年10月現在で全世界の246の都市が登録され、わが国でも、デザイン分野で神戸市、名古屋市、旭川市、工芸分野で金沢市、丹波篠山（たんばささやま）市（兵庫県）、メディアアート分野で札幌市、音楽分野で浜松市（静岡県）、食文化分野で鶴岡市（山形県）、映画分野で山形市の9都市が加盟している。

また、欧州文化首都やUCCNには該当しないが、諸文献で創造都市として言及される都市として、フランスのナントやスペインのバルセロナがある。

文化庁長官表彰（文化芸術創造都市部門）

欧州文化首都やユネスコ創造都市ネットワークといった海外の取り組みに対して、わが国は2007年度、文化庁長官表彰に文化芸術創造都市部門を設け、市民参加のもと、文化芸術の力によって地域の活性化に取り組み、特に顕著な成果をあげている市区町村の表彰を始めた。初回の2007年度は横浜市、金沢市、近江八幡市（滋賀県）、沖縄市（沖縄県）が選ばれた。大分県からは、別府市（2009年度）、竹田市（2015年度）、大分市（2016年度）の三都市が選ばれている。

創造都市ネットワーク日本

2013年1月には、創造都市の取り組みを推進する地方自治体などの支援、国内外の創造都市間の連携・交流促進のプラットフォームとして、「創造都市ネットワーク日本（Creative City Network of Japan＝CCNJ）」が設立された。発起団体は、市町村が札幌市、東川町（北海道）、八戸市（青森県）、仙北市（秋田県）、仙台市、鶴岡市（山形県）、中之条町（群馬県）、横浜市、新潟市、高岡市（富山県）、南砺市（富山県）、金沢市、木曽町（長野県）、名古屋市、可児市（岐阜県）、浜松市（静岡県）、京都市、舞鶴市（京都府）、神戸市、丹波篠山市（兵庫県）、高松市。これらの基礎自治体に、鳥取県を加えて計22自治体である。自治体以外に、BEPPU PROJECTなど6団体が名を連ねた。

政府は2014年3月に、東京オリンピック・パラリンピックが開催される2020年までを文化政策振興のための計画的強化期間と位置づけた「文化芸術立国中期プラン」を公表したが、この中で、創造都市ネットワーク日本の加盟自治体数を170に増やすことを目標にかかげ、わが国としての創造都市推進の方向性を明確に打ち出した。

創造都市ネットワーク日本の参加団体は2019年12月現在、自治体が112団体、自治体以外の団体が42団体である。大分県からは、発起団体のBEPPU PROJECTに加えて、大分県、大分市、別府市、竹田市が参加している。

東アジア文化都市

「東アジア文化都市」は、日中韓文化大臣会合での合意にもとづき、日本・中国・韓国の3か国から、文化芸術による発展をめざす都市を選定し、現代の芸術文化や伝統文化、多彩な生活文化のイベントを実施する事業である。東アジア域内の相互理解・連帯感の形成を促し、国際発信力の強化をめざす。また、それらの都市が、文化芸術に加えてクリエイティブ産業や観光を振興することも目的で、要は欧州文化首都の東アジア版だ。初回の2014年は、日本から横浜市、中国から泉州市、韓国から光州広域市が選定された。2015年にはそれぞれ、新潟市・青島市・清州市が、2016年は奈良市・寧波市・済州特別自治道、2017年は京都市・長沙市・大邱市、2018年は金沢市・ハルビン市・釜山広域市、2019年は豊島区・西安市・仁川広域市が選ばれた。

ビルバオ

以下では、大分経済同友会が視察を行った創造都市をいくつかご紹介する。

まずは、2012年に視察を行ったスペインのバスク地方の都市ビルバオである。バスク地方は、ピレネー山脈の麓に位置し、スペインとフランスの両国にまたがる地域で、独自の言語・文化を有することで知られている。

ビルバオは、バスク自治州ビスカヤ県の県庁所在地で、人口は35万人。ビルバオの街は、ビスケー湾からネルビオン川を遡上した場所に位置する。ビスケー湾に近いことから港湾都市として栄えたビルバオでは、19世紀以降に鉄鋼や造船が発達した。河畔には数多くの製鉄所が集積し、スペイン有数の豊かな街であったが、1970～80年代にかけて重工業は衰退し、蛇行する川に抱え込まれた工場地帯はスラム化した。

こうした都市の再生を図るべく、1989年に策定されたビルバオ大都市圏活性化戦略プランは、数多くの大型プロジェクトを構想した。港湾施設やコンテナ用鉄道駅、造船所があったアバンドイバラ地区には、再開発によりオフィスビルやショッピング＆レジャーセンター、ホテル、住宅地、公園緑地が整備され、地区の風景は一変した。地区西側の造船所跡地には、国際会議場＆コンサートホールの「エウスカルドゥーナ」が開館した。地区東側には「ビルバオ・グッゲンハイム美術館」が立地し、さらに数百m東のウルビタルテ地区には、磯崎新設計のツインタワービル「磯崎アテア」がそびえる。2011年には、電力会社イベルドローラの高層ビルも完成した。公共交通網整備も進み、市街地と郊外を結ぶ地下鉄が1995年に開通し、2002年には、新旧の市街地を結ぶ新型路面電車（LRT）も開通した。

このようにビルバオは1990年代以降、ネルビオン川に囲まれたかつての工場地帯の大規模再開発を行い、新市街を生み出した。その成果については、ビルバオ・グッゲンハイム美術館（写真1-12）がもたらした経済波及効果が強調され、「グッゲンハイム効果」や「ビルバオ効果」と呼ばれる。経済波及効果から生まれる税収で、バスク自治州政府は美術館建設に投じた投資額を3年間で回収したとされる。

ニューヨークに本館を持つグッゲンハイム美術館は、1980年代から多館化・国際化の戦略を進め、その一環として1997年にビルバオ・グッゲンハイム美術館を開館した。フランク・O・ゲーリーが設計した美術館の外観は、角度次第で船にもUFOにもカタツムリにもみえるユニークな形状で、壁面はチタニウム・ガラス・石灰岩のコントラストで構成されている。現地ガイドの意見では、開館当初はチタニウムがピカピカに輝いていたが、十数年を経て落ち着いた色合いとなって街の風景になじんできたそうだ。美術館の周囲には、屋外アートが設置され、街の顔になっている。ジェフ・クーンズの巨大な子犬の彫刻「パピー」（写真1-13）は花と緑に覆われ、季節によって異なる色彩に彩られる。

ビルバオ・グッゲンハイム美術館は、ビルバオの第二次産業から第三次産業への転換を示す象徴といえる。開館初年度の年間来館者は、150万人と予想を大幅に上回った。その後も90～100万人台で推移してきたが、2010年代に増加傾向に転じ、2018年は127万人である。地元バスク自治州以外の住民が来館者の9割を占め、広域から集客していることがわかる。この美術館が、ビルバオ観光の最大の目玉なこと

写真1-12　ビルバオ・グッゲンハイム美術館

写真1-13　ジェフ・クーンズ「パピー」

は確実だろう。

これに対して、ビルバオ再生の真の効果は、美術館だけでなく、この規模の都市が大きな夢を抱き、それを実現したことにあるという意見もある。たしかにこの間、ビルバオでは美術館以外にもさまざまな開発プロジェクトが進展し、都市の魅力が向上した。これらの建築がビルバオの新たな魅力となって観光客を惹きつけた面もあろう。ただし、それだけなら所詮はハコモノ主義と批判できなくもない。しかし、ビルバオの魅力は決して現代建築・アートに限らない。ビルバオには豊かな食文化があり、都市規模のわりにオペラが充実しているなど、もともと文化レベルは高かった。旧市街に行けば、趣ある古い街並みが残っている。街のあちこちには、市民がこよなく愛するサッカーチーム「アスレティック・ビルバオ」の象徴である赤と白のフラッグがひるがえる。商店街には、バスク人の象徴であるベレー帽を商う老舗の帽子屋が並び、随所にあるバルでは、雨上がりで肌寒いというのに屋外にテーブルを出して市民が盛り上がっていた。さらにネルビオン川には、世界最古の運搬橋として1893年に開通した世界遺産ビスカヤ橋のような名所旧跡もある。

ビルバオには昔からこうした文化資源があったが、重工業の衰退によるスラム化の結果、その魅力が認識されない状態に陥っていた。そこにグッゲンハイム美術館誘致を含む再開発が進展し、観光客の目がビルバオに向けられたことで、都市が本来持っていた魅力もあわせて国内外に再認識させることができたのではないだろうか。

エッセン

2011年に視察を行ったドイツのエッセンは、ノルトライン・ヴェストファーレン州の都市で、人口58万人。かつてはルール工業地帯の中心都市の一つとして、ルール炭坑から採掘される石炭により石炭鉱業や鉄鋼で潤った。このうち、エッセン市内にあるツォルフェライン炭坑は1847年に採掘が開始され、1986年の閉山まで約140年にわたる歴史を持つ。当時としてはもっとも機械化・合理化が進んだ炭坑だった。往時のツォルフェライン地区には2万人弱が住み、その一部が炭坑夫であった。この地区に対しては、炭坑夫の住む低所得者の街という差別・偏見があったといわれる。炭坑が閉山した当初、市民の多くは炭坑跡を取り壊すものと信じており、この場所に観光のポテンシャルがあるとは想像すらしなかったようだ。しかしドイツではこのとき、ルール地方のエムシャー川流域一帯を環境的・経済的に再生する事業として「IBAエムシャーパーク（エムシャーパーク国際建築展覧会）構想」が進行しており、その中でこの炭坑が有する芸術・歴史上の価値にスポットライトがあたった。

ドイツは20世紀に、産業デザインの分野で先進的な取り組みを行った歴史を持つ。1907年にミュンヘンで組織されたドイツ工作連盟（DWB）は、いち早くモダンデザインの普及に取り組んだ。1919年に開校した造形学校バウハウスは、デザイン・工芸・写真をはじめ美術・建築に関する総合教育を行ったことで知られる。ナチスの圧力で閉校する1933年までの短期間ではあるが、その活動は後のモダンデザインに大きな影響を与えた。

そしてツォルフェライン地区の炭坑群のうち、第12立坑（写真1-14）と名づけられた施設は、DWBのメンバーだったフリッツ・シュップ、マルティン・クレマーが設計したもので、バウハウスの影響も受け「世界でもっとも美しい炭坑」と呼ばれていた。1929年に建てられ、高さ55mに達するこの立坑は、地区のランドマークとなっている。そこでIBAエムシャーパーク構想では、ツォルフェライン炭坑の建築群を保存・再生する方針を決定した。その際、建物を単に保存するのではなく、ドイツ産業デザインの歴史を踏まえ、デザインを中心とするクリエイティブ産業の集積をめざした。開発マスタープランは、世界的に著名なオランダの建築家レム・コールハースが担当した。

第12立坑にある旧ボイラーハウスは、英国の建築家ノーマン・フォスターの手でリニューアルされ、現在はデザイン・センターとなっている。第二次世界大戦後にエッセンで設立された産業デザインに関する教育・コンサルティングを行う非営利協会を前身とし、ツォルフェライン開発にともなってこの地に移転した。

写真1-14　ツォルフェライン炭坑第12立坑

センターは、優秀なプロダクトデザインを授賞する「レッド・ドット・デザイン賞」を運営するほか、デザイン関連の貿易フェア、会議、ワークショップ、コンサルティングなどの役割を担う。センターにはデザイン博物館が併設され、受賞作品などの展示を行っている。こうしてツォルフェラインは、2001年にユネスコから「ツォルフェライン産業遺産群」として世界遺産登録を受けるにいたった。

ツォルフェライン来訪者数は2010年で170万人にのぼり、マスタープランで想定された水準を大きく上回った。この年は、エッセンを中心とする53都市からなるルール地方全体が欧州文化首都に指定されており、その追い風もあったと思われる。ツォルフェライン開発の最大の効果は、ルール地方全体が被っていた負のイメージを払拭した点にある。観光ルートに組み込まれ、観光客が増加した。マスコミを通じて、これまで知られていなかった地域情報が発信された点も大きい。ツォルフェライン地区から、閉山した炭坑跡というイメージが消え、「世界遺産の街なら住んでみたい」というムーブメントが生じて新たな住民が流入した。かつて炭坑夫が住んでいた長屋は綺麗に改修され、新住民に賃貸されている。地区全体の価値が上がることで、家賃も上昇したそうだ。視察団が昼食をとった瀟洒(しょうしゃ)なレストランも、このような地区イメージ向上の恩恵を受けて開店したものだった。

ナント

次に、2011年に視察を行ったフランスのナントを紹介しよう。ナントは、フランス西部のロワール川河畔にある都市で、市の人口は29万人。ペイ・ドゥ・ラ・ロワール地域圏の首府にして、ロワール・アトランティック県の県庁所在地である。ナントは第二次世界大戦後、造船業をはじめとする工業都市として発展したが、1970年代になってロワール川河口により近いサンナゼールに港湾機能が移転し、造船の競争力でもアジアに後れをとったことから、1980年代には厳しい不況に陥り、造船所は閉鎖され大量の失業者が市内にあふれた。

そうしたなか、文化芸術・公共交通・都市緑化を公約の柱にすえたジャン＝マルク・エローが1989年に市長に当選する。エロー市長は、市予算の15％超といわれる文化予算を投じて、文化事業を核とした都市再生に取り組んだ。市長は1995年、文化政策・地方文化行政の専門家であるジャン＝ルイ・ボナンを文化局長にヘッドハントし、市の文化事業全般にわたる采配を振るわせた。こうして、かつて「眠れる森の美女」（美しい街だが活気がない）と揶揄（やゆ）されたナントは「フランスでもっとも住みやすい街」へと甦ったのだ。

視察団は、当時ナント市の文化顧問を務めていたボナンから直接、案内・説明を受けた。彼が開口一番に取り上げたのは、何と大分県立美術館の話題だった。

「大分県に新たに美術館を建てると聞いたが、都市の活性化には建物だけでは足りない。日本にはすばらしい美術館建築はあるが、都市の機能や住民生活との関わりという点では不十分だ。アーティスト・住民・企業が対話をしながら、都市の活気を生み出すことが重要だ」

ボナン顧問は「ナントはなぜ都市再生にアートを活用したのか」という問いに対し「SF作家ジュール・ヴェルヌ生誕の地であることが一因かもしれない」と答えた。ヴェルヌはSFの父と称され、『月世界旅行』『十五少年漂流記』『海底二万里』『八十日間世界一周』などの作品で知られる。彼はさらに、超現実主義（シュルレアリスム）芸術の領袖アンドレ・ブルトンの小説『ナジャ』から次の言葉も引用した。「ナント —— たぶんパリを除いて、起るに値する何かが私の身に起りそうだという印象のもてる、フランスでただひとつの町」と。

一口にアートといっても、アーティストが職人芸で作品を制作するのでは、都市にもたらす効果に限界がある。むしろ、大勢の人間を巻き込むタイプのアートがおもしろい。正規の劇場に訪れるのは筋金入りの演劇ファンで、鑑賞者は広く市民層に広がらない。大道芸集団が広場や街路を舞台に演劇を繰り広げることで、偶然まちなかを訪れた市民が劇に触れ、そのおもしろさに「気づき」を得る機会をつくりたいと、ボナン顧問は語った。

1989年からナントに本拠地を置く大道芸集団「ロワイヤル・ドゥ・リュクス」は、奇想天外な大型の絡繰り仕掛けを操って、まちなかで驚異的な演劇を興行し、それを目当てに訪れた観客はもちろん、通りがかりの通行人さえも虜にする。「熱狂の日（ラ・フォル・ジュルネ）」は、1995年に誕生したナント発祥のクラシック音楽祭だ。毎年、テーマとなる作曲家を決めて、まちなかの複数の会場で同時並行的にコンサートを繰り広げる。旬の若手やビッグネームの演奏者を招聘するにもかかわらず、入場料をきわめて低廉に抑え、クラシックの新しい聴衆を開拓することをめざす。19世紀末にナント駅前に建てられたビスケット工場跡は、2000年にアート拠点「リュ・ユニック」として甦った。

こうしてナントは、21世紀に入る頃にはフランスでいちばんダイナミックな都市に変貌した。2011年時点ではその一歩先を考え、単にまちなかに人を惹きつけるだけではなく、いかにすれば、住民参加で創造的な活動が進展するか、中小企業の活性化が可能となるかを模索中とのこと。そのポイントは、既存セクターの壁を取っ払うことだ。例えば、ビデオ作家・劇団・デザイナーといった異なるジャンルのアーティストが協力しあう。さらには、アーティストと企業家・研究者・学生が協働・共創することが重要であるとボナン顧問は指摘した。

ロワール川に面した高台にジュール・ヴェルヌ博物館という瀟洒なミュージアムがある。博物館としてはごく小規模だが、子どもの頃にヴェルヌの小説に親しんだ者にとっては一見の価値があろう。しかし、それ以上に重要と思われたのは、博物館の建つ高台から眺めたナント島(イル・ド・ナント)の風景であった。なぜならば、かつて造船所が集積する工場地帯であったこのロワール川の中州地区では今や、ヴェルヌが小説の中で想像・創造した夢と科学の世界が現実のものとなっているからである。

旧市街の南端に隣接するイル・ド・ナントは、造船業の衰退により2000年頃には市民が立ち入るのをためらう地区になっていた。このためナント市は2003〜04年頃に工場跡を買収し、この地区を建築・デザイン・アート・法律事務所などのクリエイティブ産業が集積する「クリエイティブ地区」(Quartier de la Création、英語版パンフレットの表記はThe Creative Arts District)として再開発を進めた。

クリエイティブ地区には、裁判所や建築大学が新築されたが、同時に既存の工場施設の再利用も図られた。島のあるがままの姿を活かし、地域の歴史を語り伝えていく取り組みといえる。公園も整備して、市民にとって居心地のよい空間も生み出した。都市開発というと、どんなハコモノをつくるかから話が始まりがちだが、ナントでは、柔軟性のある都市開発を重視する。計画が進展するにつれ、実態に合わせて計画自体も変わっていくフレキシブルな開発を指向したのだ。関連する機能・

施設ごとに立地エリアを振り分けるゾーニングは都市計画ではありがちな手法だが、そのようにして産業・文化の機能を市民の日常生活から切り離すのでなく、両者を混在させて新たな日常風景を築きたいというのがナントの方針である。都市には、使い道の決まっていない自由な空間が必要だという。とかく都市計画の専門家は、建物の用途を限定して満室にしたがるが、そうではなく、フレキシブルな空間が必要なのだ。例えば、アーティストには冷暖房を完備した近代的オフィスは不要で、それらを省いた分だけ賃料を下げてもらったほうがありがたい。入居期間も未来永劫というわけではなく、来年の3月まで入居したいといったニーズもある。

造船所跡の施設は、一部をリノベーションしてオフィスやアトリエに用いられていた。中小企業のオフィスやアーティストのアトリエが混在することで、両者の対話が進む。企業家が創造的な環境に浸り、新たなアイデアを触発されるという効果が生じるのだ。

「島の機械たち(マシン・ド・リル)」も、造船所跡を大きなギャラリー、アトリエを備えた一大集客拠点にリノベーションした施設である。ロワイヤル・ドゥ・リュクスと、そこから派生して1999年に誕生した機械制作カンパニー「ラ・マシン」の存在が、ナントの国際的な知名度を上げるうえで大きな役割を果たした。マシン・ド・リルには、このラ・マシンのアトリエと、一般公開用の作品を展示・体験できるギャラリーが設けられている。また、これらの施設前の広場は、全高12m、重量50tという巨大な象のかたちをした絡繰り仕掛け「巨象(グラン・エレファン)」(写真1-15)の実演スペースになっている。2007年にイル・ド・ナントにお目見えした巨象は、市民や観光客を背中に乗せて、広場やギャラリー&アトリエ棟の大屋根の下を自在にのし歩く。視察当時も巨象は広場を闊歩しており、その周囲を大勢の子どもたちが笑みを浮かべて取り巻いていた。そして、ときおり巨象が長い鼻から噴き出す水蒸気に、歓声をあげて逃げまどう。壮大かつユーモラスなこ

写真1-15　巨象

の巨象の姿に、視察団一同は大きな驚きと感動を覚えた。

実は2011年の視察では手違いがあり、視察団が巨象に搭乗できなかった。また、予想以上にみどころ満載のナントを日帰りする旅程を組んだため、駆け足でのまちあるきを余儀なくされた。そこで翌年にナント再訪を計画した。このときは大分県知事、県立芸術文化短期大学学長、BEPPU PROJECT代表理事にも声をかけ、産学官民で創造都市ナントを実体験する機会を得た。市民の日常にアートが入り込み、都市のブランドと産業の活力を築きあげたナントの街を体感すべく、視察団は全員で巨象に乗り込み、その大きな背中の上からイル・ド・ナントの全景を見渡した。あたかもヴェルヌの小説の登場人物になったような心持ちで、創造都市の来し方行く末を眺望する視座を得ることができたように感じた。

マルセイユ

最後に、フランスのマルセイユを紹介したい。大分経済同友会は、欧州文化首都の開催年である2013年にこの都市の視察を行った。「マルセイユ＝プロヴァンス2013」のタイトルのもと、さまざまな文化的催しが目白押しで、新たに多数の美術館・博物館が開館していた。

マルセイユはフランス最大の港湾都市で、人口85万人。プロヴァンス＝アルプ＝コート・ダジュール（PACA）地域圏の首府にして、ブーシュ＝デュ＝ローヌ県の県庁所在地でもある。視察ではまず、欧州文化首都の事業全体を統括する本部を訪れた。そこでの説明によれば、マルセイユ＝プロヴァンス2013はマルセイユ市単独ではなく、ブーシュ＝デュ＝ローヌ県のほぼ全域を会場としていた。視察では、マルセイユ以外に近郊の中小都市エクス・アン・プロヴァンスも訪れたが、ここではマルセイユに絞った紹介にとどめたい。

マルセイユのイメージとしては、現地ガイドの「マルセイユは巨大な田舎町」という言葉が、今も記憶に残っている。フランスの場合、パリ一極集中が極端な面はあるにせよ、マルセイユのまちなかは昔ながらの港町といった風情で、人口80万人以上の大都市には到底みえなかった。帰国後、マルセイユの都市再生を研究した鳥海基樹の論文を読み、筆者が当地で感じた印象がようやく腑に落ちた。鳥海によればマルセイユは、フランスでパリに次ぐ人口を擁し、良港に恵まれ商工業が発展したが、それらの既存産業が斜陽化するなか、高級海洋リゾートの地位はニースに、知識階級都市（ナレッジシティ）の地位はエクス・アン・プロヴァンスに奪われ、都市イメージを好転させる機会に恵まれなかったのだ。

こうしたなかで1995年にスタートしたのが「ユーロメディテラネ構想」だという。マルセイユの都心部から港湾部にいたる広大なエリアを対象とした再開発プロジェクトである。具体的な事業としてはまず、旧市街と地中海を分断してきた国道の1㎞にわたる地下化があげられる。こうして生まれたウォーターフロント地区に遊歩道が整備された。空港から海岸に沿って旧港地区に車を走らせると、眼前に一棟の高層タワーがみえてくる。ザハ・ハディドが設計した海運会社CMA-CGMの本社ビル（2010年）である。市内ではいちばん高いビルで、この高層タワーが、マルセイユの建築ラッシュの幕開けとなった。

旧港地区には、「ヨーロッパ地中海文明博物館（MuCEM）」（写真1-16）や「FRACマルセイユ」をはじめ、新しい文化施設が続々とオープンした。ルディ・リッチオッティが設計したMuCEMは2013年に開館した巨大ミュージアムで、先史時代から今日にいたる地中海世界の文化・社会・政治風景を鑑賞できる。歴史的モニュメントのサン・ジャン要塞と橋で連結され、要塞内部も展示空間に活用されている。FRACマルセイユは、マルセイユを首府とするPACA地域圏の現代美術基金が2013年にオープンさせたアートセンターで、設計者は隈（くま）研吾だ。荒廃したベル・ドゥ・メ地区では、煙草工場跡を改装して、オーディオ・ビジュアル産業の拠点や文化財保存・修復センター、アート拠点「フリッシュ」などが整備された。マルセイユの中央駅であるマルセイユ・サン・シャルル駅も、既存の駅舎を活かしてモニュメンタルな商業モールが増築された。新型路面電車（LRT）も2路線が2007年に開業している。

写真1-16　ヨーロッパ地中海文明博物館（MuCEM）

文化芸術を前面に押し出したまちづくり、歴史的建築や工場跡の文化施設への転換、著名建築家を登用した大規模再開発、都心部の歩行者空間創出、LRT導入……マルセイユからは、ビルバオ、エッセン、ナントなどの欧州諸都市の経験を総動員して、一気呵成に都市再生に取り組んだとの印象を受けた。そして、マルセイユの新たな都市像を内外にお披露目する総仕上げが、さしずめマルセイユ＝プロヴァンス2013だったのではないか。

とはいえ当時の視察では、これらの新施設を見学する機会がなかった。航空機の遅延でマルセイユ到着が大幅に遅れたからだ。本部でのレクチャーを終えた時分には、ほとんどの施設が閉館していた。そこで大分経済同友会は、2019年にマルセイユを再訪し、欧州文化首都開催後のレガシーを探った。そこから浮かび上がってきたのは、ここ数年間におけるマルセイユの大きな変貌であった。

旧港地区に「レ・テラス・デュ・ポール」(2014年)、「レ・ドック・ヴィラージュ・マルセイユ」(2015年) といった商業施設が生まれた。老舗百貨店「ギャラリー・ラファイエット」も、都心部の二店舗のうち、一つを郊外のプラド地区へと2018年に新築移転した。当地の商業環境は大きく変わりつつある。CMA-CGMタワーの近隣には、ジャン・ヌーヴェルが設計した高層オフィスタワー「ラ・マルセイエーズ」(2018年) が加わった。

マルセイユの成長を可能にした一因は、欧州文化首都を契機にした交流人口の拡大だ。マルセイユは工業都市のイメージが強く、昔から文化的な魅力のみせ方が下手だった。それが2013年の欧州文化首都では、エクス・アン・プロヴァンスをはじめ広くプロヴァンス地方がエリアとなった。このとき、周辺諸都市との連携を学んだマルセイユはその後、広域での観光情報発信を行うようになった。さらに欧州文化首都を契機に、その後もさまざまなイベントを企画・誘致している。2016年はル・コルビュジェの建築「ユニテ・ダビタシオン」の世界遺産登録、2017年は「欧州スポーツ首都」の誘致、2019年は「プロヴァンス食文化年間（ガストロノミーイヤー）」を企画した。2020年には現代アートのビエンナーレ「マニフェスタ」の開催が決まっている。2023年にラグビーワールドカップの会場となり、2024年パリオリンピック・パラリンピックでもヨット競技の会場になる。一つひとつは単発のイベントだが、それらを戦略的に組み合わせて連続開催することで、観光都市としての認知度を高めつつあるのだ。こうした取り組みを受けて、インターコンチネンタル（2013年）のようなラグジュアリーホテルから、東横イン（2018年）のようなビジネスホテルまで、ホテルの新増設が相次いでいる。

以上のように、ビルバオ、エッセン、ナント、マルセイユは、かつて都市の経済成長を支えていた産業が斜陽化し、工場群が廃墟と化した。しかし、そうした負の遺産を都市の歴史を語る貴重な資源と捉え返し、クリエイティブな視点からその魅力を再発見することで、創造都市への転換を図ったのだ。こうした取り組みを通じて、都市型観光の戦略的な振興や、新たな都市型産業の創出を図ることで、エリア一体の価値を高めることに成功している。

5 県都大分を創造都市に

欧州創造都市の視察を通じて、文化芸術の力の大きさと、それが都市をいかに活性化していったかという実例を学ぶことができた。それと同時に、大分市がその猿真似ではなく“大分らしい”創造都市をめざす必要があることもわかった。大分経済同友会は、歴史の中から大分らしさをみいだしつつ、新県立美術館のあり方を提言した。ここでは、提言内容と、それを踏まえて生まれた美術館の概要について紹介する。

大分らしい創造都市とは何か

大分経済同友会は、欧州調査の成果を踏まえて、県都大分における創造都市の推進を検討した。しかし、そのアイデアを行政に投げかけたとき、先方から疑問を呈された点がある。同友会が視察した諸都市はいずれも、重厚長大型の産業が斜陽化した後、その遊休地や産業遺産を活用して、文化芸術による都市再生を図った事例である。これに対して大分臨海工業地帯の工場群は依然として現役選手であり、大分市がわざわざ創造都市をめざす必要はあるのかという疑問である。

わが国が高度経済成長を遂げていた1960年代、政府は地域間格差の是正などを目的に、新産業都市建設促進法を制定して、全国各地に開発拠点「新産業都市」を設け、港湾・道路・工場用地などのインフラ整備を進め、大規模で生産性の高い工場の地方分散を図ろうとした。その新産業都市の優等生といわれたのが大分市である。1964年に、臨海部の鶴崎工業団地が新産業都市の指定を受け、新日本製鐵（現・日本製鉄）、九州石油（現・JXTGエネルギー）、昭和電工などの大工場が進出して重化学コンビナートを形成した。

ちなみにこのとき、指定地域の都市の行財政基盤を強化するため市町村合併が指導され、指定前に、大分市・鶴崎市・大分町・大南（だいなん）町・大在（おおざい）村・坂ノ市町が合併して新・大分市が生まれている。この結果、1950年代に10万人前後であった大分市の人口は、1963年の合併で22万人となり、その後の企業誘致を受けて人口集中が進み、1970年26万人、1980年36万人、1990年41万人、そして2000年には44万人に達しており、合併時と比較して人口は倍増した。平成の大合併にともない、2005年に佐賀関町、野津原町を編入し、2015年現在の大分市の人口は48万人になっている。

このように大分市は、新産業都市に指定されて以来、積極的な企業誘致と雇用創出を通じ、工業都市として飛躍的な発展を遂げてきた。県都大分の市街地もそうした環境下で開発が進んだ傾向が強い。例えば、郊外の丘陵地であった明野地区では、進出企業の社員向けに住宅団地の開発が進んだ。県都中心部の都町も、こうした新住民や、進出企業本社から工場への出張者の増加をあてこんで、歓楽街として発展を遂げた。このように、県都の20世紀は「ものづくりがまちづくりを牽引した時代」だったといえる（図表1-4）。

大分市臨海部の工場群は今日もなお、進出企業各社の基幹工場だ。疲弊した欧州工業都市とは、たしかに置かれた環境が違うだろう。しかしながら、矛盾した物言いになるが、だからこそ大分は創造都市をめざすべきだと考えたのだ。広く大分県内のものづくりの動向を俯瞰すると、1960年代に大分臨海工業地帯に基礎素材型産業が集積した後、1970年代にはテクノポリスをめざして半導体関連のハイテク産業

図表1-4　大分市におけるものづくりとまちづくりの相互作用

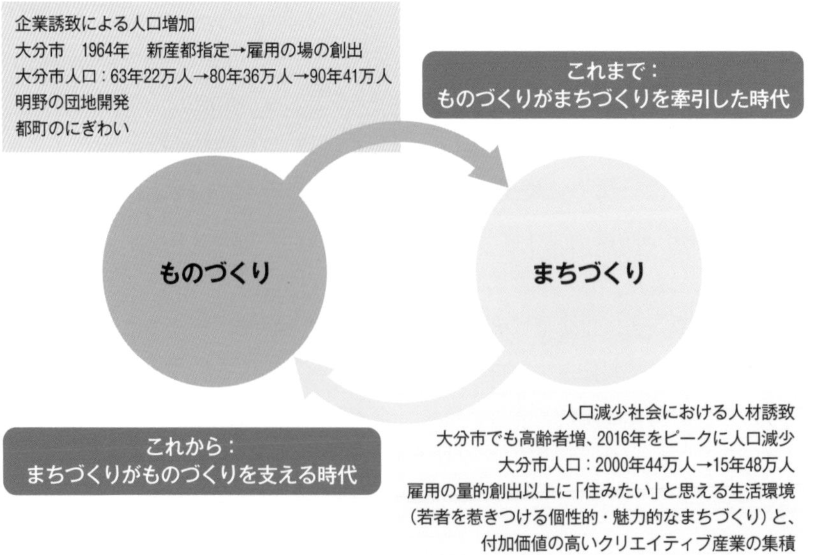

企業誘致による人口増加
大分市　1964年　新産都指定→雇用の場の創出
大分市人口：63年22万人→80年36万人→90年41万人
明野の団地開発
都町のにぎわい

これまで：
ものづくりがまちづくりを牽引した時代

ものづくり

まちづくり

これから：
まちづくりがものづくりを支える時代

人口減少社会における人材誘致
大分市でも高齢者増、2016年をピークに人口減少
大分市人口：2000年44万人→15年48万人
雇用の量的創出以上に「住みたい」と思える生活環境
（若者を惹きつける個性的・魅力的なまちづくり）と、
付加価値の高いクリエイティブ産業の集積

が立地する。2000年代には、ダイハツの本社工場が県北の中津市に移転するなど、大分県は、北部九州地域における自動車産業の一大拠点となった。県全体の産業構造としては基礎素材型から加工組立型に転換を遂げつつも、基礎素材型の重厚長大産業も現役選手として活躍を続けているのが大分である。徐々に産業の厚みを増してきた大分の経験を踏まえれば、その上にさらに創造都市の層（レイヤー）を重ねていくことは、大分らしい創造都市の進め方といえるのではないだろうか。

そもそも創造都市とは、他に類例のない唯一無二の都市をめざすことであって、それらが金太郎飴のように似通ってしまえば、本末転倒もはなはだしい。他都市の先進事例から学ぶべきところは学びつつも、それらを自分流に咀嚼（そしゃく）することが求められよう。国内外の創造都市の取り組みを念頭に置きながら、大分ならではの文化芸術による地域活性化のあり方を模索していくことが重要だ。

創造都市と歴史文化

創造都市と呼ばれる都市を眺めていくと、ビルバオ、エッセン、ナント、マルセイユのように既存産業の斜陽化にともない人為的に創造都市をめざした事例と、ボローニャや金沢のようにもともと伝統的な文化や都市景観が残っている“天然（ナチュラルボーン）”創造都市とでも呼べる事例があるように思う。ボローニャや金沢の事例は、佐々木雅幸『創造都市への挑戦』に詳しい。

大分市の場合、前述のように既存産業こそ斜陽化していないものの、第二次世界大戦時の爆撃で市街地は灰燼に帰しており、伝統的な文化や都市景観が残っているという意識は市民の中にも少ないだろう。しかし、欧州諸都市が、自らが過去に有していた地域資源の魅力を再発見することで創造都市として自己形成を遂げたことを思えば、大分市の歴史にもう少し長いスパンで、目を向ける必要があるかもしれない。

例えば、キリシタン大名であった大友宗麟（そうりん）が統治した時代の大分は、キリスト教・西洋音楽・西洋医学など南蛮の最新文化の受容や、南蛮人の居宅やハンセン病患者の療養所を大友氏館近隣に整備するといった社会包摂・寛容性の具現化を通じて、まさに中世の創造都市と呼べる存在であったと思う。こうして一時は九州のほぼ全域に覇を唱えた大分だったが、大友氏が滅びて江戸時代に入ると、人分県は八藩七領といわれる小藩分立の地域となった。その中にあって府内藩（現・大分市）の石高は2.1万石にすぎず、中津藩10万石（現・中津市）、岡藩7万石（現・竹田市）と比べても小規模な城下町であった。「豊後の三賢」と呼ばれた帆足万里、三浦梅園、広瀬淡窓はそれぞれ日出町、国東市、日田市の出身であり、幕末・維新期に活躍した福沢諭吉は中津の人だった。芸術畑だと、豊後南画の田能村竹田は竹田市の出である。弟子の帆足杏雨は大分市の戸次の生まれだが、戸次は江戸時代、府内藩ではなく臼杵藩の領内であった。

大分市は、明治以降も県庁所在地としては小規模だったが、新産業都市の指定とともに企業誘致が進み工業都市として発展、人口増加を遂げた。すなわち大分という都市は、中世の南蛮文化にせよ、近現代の進出企業にせよ、外部の異質な文化を積極的に受容することで発展してきた。そうした観点からは、大分市は今日、アーティストやクリエイターという新たな「異人」を招き入れ、彼らの創造性を吸収しながら、創造都市をめざして、自らの文化や都市の魅力を力強く再生していくべきではないか。

21世紀に入っても微増を続けていた大分市の人口も、2016年をピークに減少に転じた。人口減に先駆けて、少子化・高齢化はとうの昔に始まっている。こうした社会状況においては、働く場を量的に増やすこともさることながら、いかにして質の高い生活環境・雇用環境を整備するかが重要な課題となっている。そのためには、創造性豊かな人材を惹きつける個性的・魅力的なまちづくりと、彼らが活躍する場となる付加価値の高い産業の集積が鍵となろう。さきほど大分の20世紀は「ものづくりがまちづくりを牽引した時代」だと述べたが、これに対して、21世紀の大分は「まちづくりがものづくりを支える時代」に突入したといえる。「この街に住みたい」と思える魅力的な都市環境を整備することで、若い世代を中心にUIJターンによる移住を誘発し、彼らが次代におけるものづくりの担い手として育っていく。ここでいう「ものづくり」とは、基礎素材型や加工組立型の産業群に限らず、市民生活を彩る食文化産業やデザイン、アートといった新たな仕事の場をも指している。こうした、ものづくりとまちづくりの好循環を築くことこそ、21世紀型の都市のありようではないか。

クリエイティブな美術館＆都市づくりに向けて

大分経済同友会の調査を通じて、文化芸術の持つ創造性を活かした地域課題への対応という方向性は、国内外でさまざまな試みがなされていることがわかってきた。そしてこのとき大分県は、大分市郊外にあった芸術会館の老朽化・狭隘化を受け、美術館構想検討委員会を設置して、新しい県立美術館のあり方について検討を進めていた。その検討結果をまとめた県立美術館基本構想答申（2010年）では、豊かな感性や創造性を育む芸術文化の拠点として新しい美術館が必要だという結論が示された。さらに「大分らしい美術館」、すなわち「大分スタイル」のどこにもない地域の美術館であるとともに、県民が「自分たちの応接間」と思える美術館をめざすことが、コンセプトにかかげられた。ただし、基本構想の段階では、新美術館をどこに整備するかまでは決まっておらず、芸術会館のリフォームや、現在地での建て替え、大分市外を含む別の場所への移転も選択肢となっていた。

基本構想のこうした方向性を踏まえながら、筆者は考えた。県立美術館の整備にあたっては、単にハコモノを整備するという20世紀型のハード偏重の観点ではなく、それをどのように活用するかというソフト面を十分議論したうえで、その検討成果を設計に反映させることが不可欠であろう。そうした検討の前提として、文化芸術のカバーする領域が拡大しているという基本認識が求められる。美術といえば従来、美術館に陳列された絵画や彫刻を来訪者が受動的に鑑賞するというイメージが強かった。しかし、現代のアート表現は、映像・音響・コンピュータも用いて展示空間全体を作品化するインスタレーションや、作家自身のパフォーマンスをアートとして提示するなど、多様化を遂げている。アートに参画する関係者も、狭義の文化芸術業界から広がりをみせ、教育・福祉・まちづくり・産業振興などさまざまな領域とクロスオーバーするようになった。担い手としても、NPOなどの市民団体が活躍する場が増えている。そこには、アートの創造性を通じて地域課題の解決にたずさわっていこうとする姿勢が共通していよう。

こうした潮流はまさに、文化芸術の力により都市再生を図る創造都市のムーブメントとも地続きだ。地域の資源・伝統に対してアートという新しい切り口からスポットライトをあて活性化を図ることで、短期的には観光客などの交流人口を拡大させるとともに、長期的には、クリエイティブ人材育成を通じた都市再生・産業振興までつなげることが求められる。

このため、県立美術館のあり方を検討するうえでは、以上のような世界的潮流も踏まえ、狭義の美術にとらわれず、大分県オリジナルの文化政策を追求していくことが重要だと考えた。その中で美術館には、県内におけるアートの最先端（ハイエンド）を発信すると同時に、より多くの県民にアートに親しんでもらう日常性を兼ね備えるという対極的な役割が求められる。また、多様な市民団体が、現代にありがちな希薄な人間関係を補完するコミュニティとして機能するよう、それらの組織群のネットワークの結節点（ハブ）機能を担うことが期待される。

大分経済同友会では、筆者のこうした問題提起も参考にして議論を重ね、2011年1月に「提言 県立美術館整備の方向性」（図表1-5）を大分県に提出している。提言

図表1-5 大分県立美術館整備の方向性

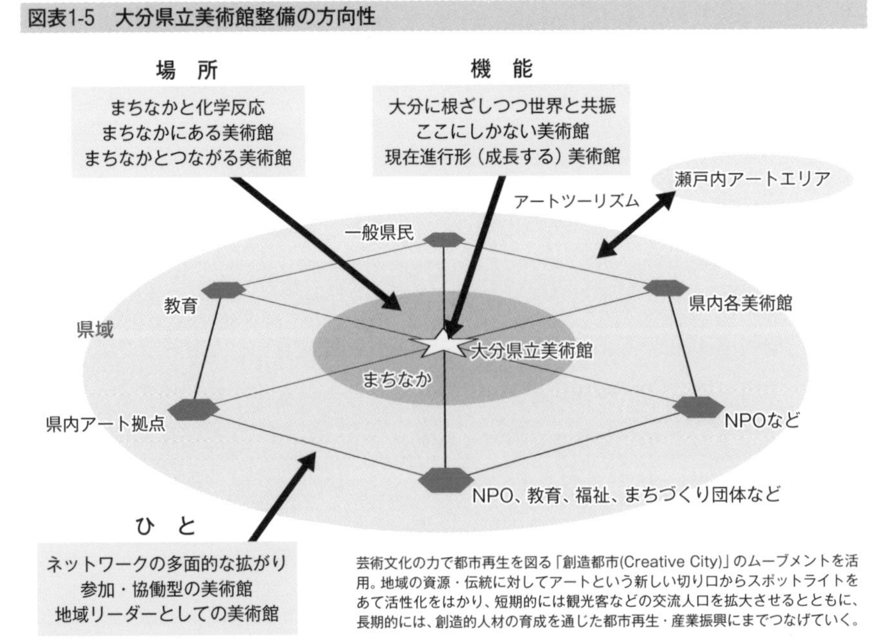

出典：大分経済同友会『提言 県立美術館整備の方向性』

では、美術館の機能について「大分に根ざしつつ世界と共振」を、場所について「まちなかとの化学反応」を、ひとについて「ネットワークの多面的な広がり」という三つの柱をかかげた。同友会は同年9月にも、提案内容をより具体化した第二弾の提言書を作成したが、以下では最初の提言を中心に説明したい。

大分に根ざしつつ世界と共振

近年わが国に開館した美術館をみると、香川県の地中美術館（2004年）、金沢21世紀美術館（2004年）、青森県立美術館（2006年）、十和田市現代美術館（2008年）など、いずれも地域の歴史・文化・景観などを踏まえながら、そこに新たな魅力を付加することで、その地域を代表する集客スポットとなっている。大分県の基本構想は、県立美術館のコンセプトに「大分らしい美術館」をかかげるが、そこでいう「大分らしさ」とは、地元の伝統の単なる踏襲にとどまらず、その未来をも同時に展望するものであるべきだ。「大分らしさとは何か？」をつねに問いかけ、日々新たにそれを提案・創造していくことが求められる。また、前述した美術館には、例えば金沢21世紀美術館のレアンドロ・エルリッヒ「スイミング・プール」のように、美術館の顔というべきアート作品が恒久展示されている。各所に運搬・展示できる通常の絵画・彫刻と異なり、これらの作品はサイトスペシフィック、すなわち、アーティストが作品の設置場所を念頭に置きながら、その土地ならではの作品を制作したものである。ここにしかない、ここでしか体験できない、ここでなければ意味を持たない作品は、美術館の強い個性・特色となり、それを目的に美術ファンが遠方から訪れることも多い。そこで、県立美術館にも、そうしたシンボリックなアート作品を制作・展示することを提言した。

県民とともに「大分らしさ」をつくり、県内のみならず県外からもファンを獲得する。こうして内外の評価が積み重なることで、県民が一層、美術館を自らの誇り・財産と感じるようになっていく。県立美術館にはぜひ、そうした好循環を実現してもらいたい。また、芸術会館が所蔵していた郷土作家を中心とする作品の収蔵・展示に取り組むと同時に、県民の創造性を高めるうえで、世界的なアートの動向もフォローすることが重要である。現代アートは難解との先入観とは裏腹に、瀬戸内国際芸術祭の成功に代表されるように、魅力的な作品は多くの鑑賞者を集めうることも明らかになった。ここ大分県でも、別府の混浴温泉世界のように、現代アートによる地域活性化の試みが始まっている。このため、アートの現在を体感し、その将来的な変化にも対応できる「現在進行形の美術館」をめざそうと提言した。

まちなかとの化学反応

県の文化芸術のセンターとして県民の感性・創造性を育むという役割を踏まえると、県立美術館は、多くの県民が公共交通機関を用いてできるだけ容易にアクセスできることが不可欠である。こうした観点から、県立美術館を公共交通の結節点である都市中心部に整備することを提言した。県立美術館基本構想は、県民の「応接間」というコンセプトをかかげるが、美術館を県民の「離れ」ではなく「応接間」として活性化させるには、まちなか立地が重要なポイントとなろう。

また、県立美術館は、純粋にアート鑑賞を目的とした展示スペースのみならず、県民が気軽に立ち寄り、くつろぎながら交流できるオープンスペースも豊富に備えてほしい。そうした空間に隣接して展示室があることで、興味を覚えた人々がアートに接する機会が増え、美術館ファンの拡大にもつながるだろう。その意味で、県立美術館には、重要な客を招き入れる「応接間」であると同時に、県民生活により密着したカジュアルな「居間」としての機能もぜひ発揮してもらいたい。アートに対する「敷居の高さ」を心理的に低め、食わず嫌いの人々を美術館に招き入れるうえで、リビングルームという空間は効果的な役割を果たすと考える。

アクセスの容易さという点に加えて、周辺環境との相乗（シナジー）効果による地域活性化、経済波及効果という観点からも、県立美術館はまちなかに立地することが望ましい。美術館が県民に愛され、まちなかが県民でにぎわうことで、初めて県外からも鑑賞者が訪れるようになり、交流人口の拡大と滞在時間延長による経済波及効果の拡大が可能となる。このように県立美術館が、県民にとどまらず県外や国外からも集客できる大分県の「顔」として機能することを提言した。

ネットワークの多面的な広がり

県立美術館には、前述した都市再生の拠点機能に加えて、県下全域におけるアートのセンターとしての機能も求められる。そのために、アートの魅力を県民にわかりやすく伝え、美術館の固定ファンを増やしていく努力が不可欠だろう。そこからさらに一歩進んで、県民が文化芸術活動に主体的・積極的に参加できるような環境づくりを提言した。県内の教育機関や市町村との連携を推進して「点」ではなく「面」として展開することで、県下における文化芸術の振興、クリエイティブ人材の育成に貢献していくことも重要である。県内各地の文化芸術をネットワーク化することで、文化観光（カルチャーツーリズム）を実現することが期待される。

また、近年では市民活動や文化政策の領域拡大にともない、従来の教育機関や美術団体以外に、アートの担い手も多様化している。県立美術館は、県内各地のNPOやサークルなどのアートをめぐる多彩な担い手とネットワークを築き、彼らの文化芸術活動を奨励・促進することで、人口減少・少子高齢社会にあって、県民のやる気と生きがいを醸成・応援する機関であってほしい。

県都大分の中心部への美術館立地が決定

大分経済同友会によるこうした問題提起も踏まえ、大分県は美術館をどこに建設するかの検討を進め、2011年5月に、大分市中心部の県有地に建設する方針を固めた。この土地にはかつて、大分県立厚生学院という看護師などを養成する機関があったが、2001年3月に閉校した後、遊休地となっていた。県は、県都大分の都心部に残された数少ない開発用地を文化拠点として活用することを決めたのだ。美術館予定地は、バス通りを挟んで「大分県立総合文化センター」（地場企業の三和酒類がネーミングライツを得て「iichiko総合文化センター」と呼ばれる）の真向かいにある。総合文化センターと新美術館が並ぶこのゾーンは、大分県における文化芸術の総合的な発信基地と位置づけられた。

県立美術館のハード

大分県は2015年春の開館をめざすという整備方針のもと、県立美術館の設計者を公募し、審査・公開ヒアリングを通じて2011年11月に坂茂建築設計を最優秀者として選定した。坂茂は、長年にわたり世界各地の被災地で、紙（紙管）を用いた住宅をつくるなどの復興支援活動にたずさわってきたことで有名だ。美術館としては、パリにあるポンピドゥー・センターの分館「ポンピドゥー・センター・メス」をフランスの地方都市メスにつくったことで盛名をはせた。2014年には、建築界のノーベル賞といわれるプリツカー賞を受賞している。

大分経済同友会はいわば「まちに開かれた美術館」を提言してきたが、選定委員や一般県民を前に坂がプレゼンした提案には仰天した。彼の設計案は、美術館のアトリウムを屋外と仕切る水平折戸を開放することで、美術館をまちなかに物理的に開くものだったからだ。

新美術館（写真1-17）は地上4階地下1階で、延床面積は16,800㎡。といっても、バス通りに面した展示ゾーンは3階建てにみえ、4階建てになっているのは奥にある管理・収蔵ゾーンだ。展示ゾーンのうち、1階の企画展示室と2階の教育普及スペースは、三方をアトリウムに囲まれた開放的な空間である。水平折戸を開けば、そのまま館外とつながる。2階は、ペデストリアンデッキでiichiko総合文化センターとつながっており、歩行者は、車道を横断することも雨に濡れることもなく、美術館とセンターを自由に行き来できる。

写真1-17　大分県立美術館（OPAM）

3階には、コレクション展示室と企画展示室が配置されている。外観は竹工芸をモチーフとして、大分県産材で包んだ箱をガラスで覆っている。3階フロアの中心部にある中庭は「天庭」（写真1-18）と称され、天井が竹工芸をモチーフにした骨組みで組まれ、中庭を透光性の膜で覆うことで、陽光が優しく差し込む構造とした。

大分県立美術館は、欧文表記の“Oita Prefectural Art Museum”の頭文字O・P・A・Mを用いて「OPAM」の愛称で親しまれることになった。このOPAMというネーミングや、シンボルマーク、サインなどのデザインを担当したのは、CDL（コミュニケーションデザイン研究所）の平野敬子、工藤青石である。CDL所長の平野によれば、新しい美術館を世界の人に認知してもらうため、アルファベット表記の愛称の必要性を考えて考案したという。シンボルマークのデザインコンセプトとしては、OPAMの「O」は太陽を彷彿とさせる円のフォルムに、「A」は天に延びるような長体にし、マークに動きを取り入れることで、OPAMの特徴である可変性・拡張性・多様性の象徴化と視覚化を試みたそうだ（写真1-19）。

県立美術館のソフト

理想としてはハード面の検討に先んじるべきだったが、設計者が決まった後に、美術館運営のあり方というソフト面の検討も始まった。大分県は2012年8月、有識者から構成される大分県芸術文化ゾーン創造委員会を設けて、県立美術館および県立総合文化センターが連携した企画運営の展開と、両施設が連携するための組織・管理体制について諮問した。施設や組織の名称ではないので知る人はきわめて少ないが、「大分県芸術文化ゾーン」とは、大分県立美術館とiichiko総合文化センターという、隣接する二つの県立文化施設から構成されるゾーンを指している。

写真1-18　OPAM「天庭」

写真1-19　OPAM看板

この委員会には、大分経済同友会のメンバーも参加して議論を行い、2012年11月の中間答申で、総合文化センターを運営する大分県芸術文化スポーツ振興財団を発展改組したうえで、県と財団が一体となって美術館を管理運営する方法が最良との結論を得た。さらに、2013年2月の最終答申では「出会いと融合、そしてネットワーク」をキーワードに、美術館と総合文化センターが連携して活動を展開していくべきとする答申を行った。答申の中では、創造都市の理念が強調され、文化芸術の融合と新しい価値の創造、地域文化力の底上げ、ネットワーク構築などの方針が示されている。

県立美術館の設計者決定に一歩先んじて、JR大分駅ビルを水戸岡鋭治(みとおかえいじ)がデザインすることも発表されていた。水戸岡は、クルーズトレイン「ななつ星in九州」をはじめ、JR九州の車両デザインを一手に引き受けるプロダクトデザイナーだ。後に「JRおおいたシティ」(写真1-20)と命名された駅ビルの開業予定は、美術館と同じ2015年春。都心南北軸というインフラ整備だけではなく、県都大分の核となる文化・集客施設を坂茂と水戸岡鋭治が手がけると決まったことで、県都大分の都市景観は2015年に一変することが予想された。

写真1-20　JRおおいたシティ

第2章

同時多発する大分県内の芸術祭

1 竹田の城下町でアートとまちあるき「TAKETA ART CULTURE」

大分県内では、別府・大分だけでなく、各地で芸術祭の取り組みが同時多発的に活性化していった。竹田（たけた）城下町を舞台とする「TAKETA ART CULTURE」（2011年～）、神仏習合の歴史が残る国東（くにさき）半島を舞台とする「国東半島芸術祭」（2014年）、県都大分のまちなかを舞台とした「おおいたトイレンナーレ」（2015年）、「府内五番街まちなかJAZZ」（2015年～）など、地域性を活かしたさまざまな芸術祭が相次いで生まれた。まずは竹田市における民間主導の取り組みをご紹介しよう。

城下町・竹田の課題

大分県の中山間地域に位置する竹田市（2015年人口2万人）の中心市街地は、江戸時代に岡藩の城下町として栄え、田能村竹田（たのむらちくでん）に代表される豊後南画（ぶんごなんが）や、煎茶・和菓子などの文人文化が花開いた。「荒城の月」で知られる作曲家の瀧廉太郎が幼少期を過ごした土地でもあり、旧家が記念館として残されているほか、「瀧廉太郎記念全日本高等学校声楽コンクール」が2019年で73回を迎えるなど、今も文化振興に積極的である。

しかしながら、竹田市は今日、高齢化（高齢化率45%）と人口減少（5年間で9%減）が著しく、中心市街地である城下町エリアのシャッター街化や、地域の次代を担う人材の不足などのさまざまな課題が生じている。ちなみに、高齢化率45%は、全国の市の中で五番目に高く、後期高齢化率（75歳以上人口の割合）27%にいたっては第1位である。

市内には大学や大企業はなく、若年層は進学・就職を機に都会へ出てしまうため、従来型の仕事づくりの発想では若い世代の流出を止めることは難しい。このため市は「農村回帰宣言」をかかげ、空き家バンクや地域おこし協力隊の制度を用いて積極的に移住促進を図り、文化芸術・農業・食・観光など多彩な分野の人材誘致を進めている。5年間で移住した約300名のうち、工芸作家やアーティストは約40名にのぼり、今後も増加が期待される。

彼らが提示する多様な価値観や生き方が、地域の文化遺産と相乗効果を生むことで、竹田の新たな産業振興と、城下町エリアの魅力向上・発信（地域ブランド化）に寄与することが期待される。彼らの中にはすでに全国的評価を得た作家もいるが、若手を中心に多くの作家は、作品の質の向上と販路の確保を通じた自立が課題となっている。

TAKETA ART CULTUREの始動（2011～13年）

TAKETA ART CULTUREは、竹田市の城下町エリアで文化芸術とまちあるきを楽しむアートプロジェクトである。きっかけは、オレクトロニカ（Olectronica）が竹田市の移住支援制度を活用して、2011年に城下町エリアにある空き家に移住してきたことにある。オレクトロニカは、大分市出身の加藤亮と熊本市出身の児玉順平という、両名とも1984年生まれのアーティストが2009年に結成した美術ユニット。二人がギャラリーを構えた空き家は「傾く家」（写真2-1）と命名され、文字通りやや傾いた民家である。

彼らが発起人となって、竹田アートカルチャー実行委員会を創設し、他の移住作家や地元住民とともに、2011年より年1回、秋季に自主開催してきたのがTAKETA ART CULTUREである。城下町の作家アトリエ、空き店舗、歴史スポットなどを会場にして、アート展示、音楽演奏、工芸品展示販売、作家の講演・ワークショップなどを集中的に展開する。来場者は各会場をめぐりながら、同時に城下町の歴史的町並みを堪能できる仕掛けだ。

第1回のTAKETA ART CULTUREは、2011年10月8～16日の9日間にわたり「地域文化」と「現代アート」をテーマに開催された。実は筆者も、この初回は見逃している。知らぬうちに始まって、知らぬままに会期が終了してしまったというのが実情だ。オレクトロニカが竹田に移住してきた年のうちに、地元の仲間と語

写真2-1　ギャラリー「傾く家」

らうなか、きわめて短期間で企画・実施されたイベントらしく、かなりの急ごしらえであったと思われる。当時の記録をみると参加アーティストは8組。竹田市に工芸作家らが大勢移住してくるのがもう少し後の時期なので、市内在住作家はオレクトロニカなど少人数だったようだ。

2012年は、10月6～21日の16日間を会期として催された。テーマは「竹田だから、できること」。筆者が初めて鑑賞したのが、この年である。参加アーティストは13組で、竹工芸作家の移住第一号である中臣一が初参加をしている。また、会期中の土日限定で、竹田名産のサフランをテーマにしたカフェを「傾く家」でオープンするなど、食文化をテーマにしたプログラムがスタートしたのもこの年からである。参加アーティストの人数も増え、城下町の14会場で開催されており、会場を巡回しながら竹田の町をひとめぐりすることができた。会期中には別府でも、二度目の混浴温泉世界が開催されており、竹田のまちあるきの趣向は混浴温泉世界と似通う。しかし、温泉観光都市・別府のまちあるきからは路地裏の猥雑な魅力を感じるのに対し、城下町として栄えた町並みが残る竹田には落ち着いた風情があり、それぞれにその土地固有の魅力を堪能することができた。

ただ、筆者の訪問が平日だったことが一因と思うのだが、スタッフが誰もおらず作品がポツンと展示されていたり、映像が自動的に流れるだけの会場が複数見受けられ、いささか寂しい印象を覚えた。複数の会場にスタッフを毎日常駐させることが難しかったのだろう。竹田の取り組みの魅力と課題を同時に体感できた一日だった。

2013年のみ、TAKETA ART CULTUREではなく「たけたふらく」と称している。「難攻不落」の名城である岡城のふもとで開かれるイベントであることに由来する。開催方式も過去2年間と大きく異なり、10月5～6日という週末の2日間のみの開催。しかし、こうした変更を筆者は、前年の反省を踏まえた前向きな改善と受け止めた。この頃には、市内に移住するアーティストが工芸分野を中心に増え、参加アーティストのほとんどが市内在住作家だった。展示会場も、彼らが日頃活動する自身のアトリエをそのまま活用したケースが多い。そのため、各会場で来訪者を作家本人が迎え入れるかたちとなり、竹田ならではの作家とお客の距離感の近さが生まれたように感じた。とはいえ週末一度きりの開催では、都合がつかず訪問を断念したアートファンもいたと推察される。

TAKETA ART CULTUREの定着（2014～16年）

2014年4月、竹田市は旧竹田中学校舎をリノベーションして「竹田総合学院（TSG）」をオープンさせた。工房の提供や作家の起業支援を通じた伝統産業復興、文化芸術振興を目的とした施設であり、主に工芸系の作家が入居する。

TAKETA ART CULTUREの開催方式が確立したのは、この年のこと。9月6～28日という約3週間が会期だが、土日祝日に限ってオープンして平日はお休みにするという方式である。このため、実質的な開催日数は11日間となった。市内在住作家の展示を中心にすえ、数名の市外作家がゲスト参加するスタイルだ。2014年のテーマは「くぐりくぐる」。当時のリーフレットによれば、竹田が山々に囲まれ、トンネルをくぐり抜けた先に城下町が広がるという立地から着想を得たという。こうした竹田の町は一見、閉鎖的な空間にみえるが、かつては商人の町として栄え、トンネルをくぐり通った文化が城下町の独自文化を生み出した。トンネルの日常（ウチ）でも非日常（ソト）でもなく、町自体が一種の「トンネル」だという。実に竹田らしいマニフェストだ。城下町の歴史性を踏まえながら、アーティストの視点からその魅力を再発見するとともに、そこに自らの作品をそっと挿入することで新たな風景を現出させる。そうした指向があらわになったのが、この年だと思う。

2015年の会期は、9月12日～10月3日の土日祝日で、開催日数は10日間。秋季の週末数日間に、アート・工芸・食・まちあるきを中心に活動するスタイルが定着した。テーマは「暮らし／衣食住」で、この年のリーフレットから、会場マップに市内の飲食店・カフェが掲載されるようになったことに気づく。過去のリーフレットではTAKETA ART CULTUREに登録した食のプログラムのみ掲載されていたが、今回から一般のお店も掲載されるようになった。そこには、地域住民に定番の老舗に加えて、2013年に開業した竹田フレンチ「Bistro & Cucina Champi（シャンピ）」やパン屋「かどぱん」、2014年末に開業したばかりの地産地消イタリアンバル「Osteria e Bar RecaD（リカド）」も紹介されている。ちなみに、日本のどこかで数日だけプレミアムな野外レストランを開店する「DINING OUT」というイベントがあるが、竹田市は

2014年にこれを誘致した。地元の料理人たちがこのイベントを手伝ったことで、竹田の食文化に対する自信を培ったとされる。

TAKETA ART CULTUREは、竹田城下町の持つ歴史的・文化的な資源にアーティストの視点からアプローチして、これらを再編集し、新しい表現に変換して来訪者に差し出す試みだ。その意味で、竹田の食文化も同様に、地元資源を活用しながら新たな表現を獲得しつつある。現代アートで先行した若い世代のムーブメントが、工芸分野へ、そして食文化へと拡大してきた姿を垣間見ることができよう。

2016年は、11月12～27日の土日の6日間開催で、テーマは「ニュータケタ」。“ニュー”という表現は竹田らしからぬ響きだが、実は「ニュー竹田」とは、かつて城下町の中心部にあったデパートの名まえ。往時は、新しい情報や文化を求めて大勢の市民でにぎわったという。今回のテーマは、城下町に面的な広がりをみせるTAKETA ART CULTUREの動きを「文化芸術のデパート」になぞらえたネーミングだ。ここにも、日常と非日常、古いものと新しいものを巧みに混淆させる竹田らしい設(しつら)えを看取できる。

オレクトロニカの作風として即座に思い浮かぶのは、小さな人型の彫刻である。しかし彼らは小型の作品ばかりでなく、建築的な性格・規模のアート作品や、会場や施設の空間・什器デザインなども幅広く手がけている。今回、彼らが挑んだ作品はかつてない大型のものだった。京都を拠点とする音楽ユニットmama!milkと共同制作した「竹田音楽」がそれだ。mama!milkは竹田に滞在し、城下町を中心に地元の音風景(サウンドスケープ)を採集した。それらの音源を、竹田にゆかりの深いメロディと合わせて「竹」「水」「鐘」をテーマとした楽曲を制作した。オレクトロニカは、これらの音楽が流れる空間をインスタレーション作品としてつくりあげ、城下町の各所に設置した。このうち、特に印象的だったのが、城下町を見下ろす丘の上にある廣

写真2-2 TAKETA ART CULTURE 2016
mama!milk×オレクトロニカ「竹田音楽」より
「風景への参道」

瀬神社に設置した「風景への参道」（写真2-2）だ。境内の広場に大きな櫓（やぐら）を組み立て、その上につくった小さな小屋から城下町の風景を眺望するという趣向の作品である。小屋の中に流れる曲は「鐘」――地元の寺の鐘や、文化遺産であるサンチャゴの鐘の音源、岡城跡の鳥の声、キリシタンの祈りなどから構成された音楽だ。オレクトロニカは、竹田市内の久住（くじゅう）から足場用丸太約40本を運び込み、櫓を組んで、そこまで登るためのスロープをつくりこんだ。そして最後に、櫓の上に小屋を設置してようやく完成。わずか6日間の展示のためによくやると思ったが、これがアーティストのこだわりなのだろう。

しかも、廣瀬神社はそもそも高台に建っている。櫓で数m嵩上げしたからといって、眺望がさほど変わるわけではない。しかし、である。この微妙な高さからの眺めが、意外にも魅力的だった。城下町の風景が小屋の窓枠（フレーム）に切り取られ、一幅の絵画のようにみえる。そこに、竹田の音風景から生まれた音楽が流れる。オレクトロニカの小さな人形の目線に立って周りを見渡すとそれまでと異なる風景がみえてくるように、普段と少しだけ違った角度から町を見下ろすことで、見慣れた城下町が懐かしさと同時に新しさをあわせ持った姿へ変容する。来場者アンケートにも、同様の意見が複数寄せられていた。

二つの協働プロジェクト（2017～19年）

TAKETA ART CULTUREはアートによる地域文化の掘り起こしを通じて、多様で新しい文化芸術体験の機会を城下町に提供してきた。しかし、それ自体は年間に数日開催されるイベントで、若いクリエイターが作品を披露する場として効果的ではあるが、これだけで作家の自立が可能になるわけではない。イベントをスプリングボードとして、竹田で仕事を続けていける環境を整えることが大きな課題だ。このため、竹田アートカルチャー実行委員会は2017～18年にかけて、デザインやアートの専門家のアドバイスを得て、在住作家の成長や販路開拓を促すと同時に、改めて地域資源を掘り起こして経済活動と結びつける、二つの新規プロジェクトに取り組んだ。「デザイナー・猿山修×竹田市在住クリエイター 協働プロジェクト」と「キュレーター・花田伸一×竹田市在住アーティスト 協働プロジェクト」である。二つの協働プロジェクトはいずれも、2017年にキックオフを行い、2018年に正式にその成果をお披露目した。2017年のTAKETA ART CULTUREは10月14〜29日の土日6日間の開催で、テーマは「生き、還る。」。2018年は10月6〜28日の土日祝日9日間の開催で、テーマは「昼と夜」である。

猿山修は、東京で「ギュメレイアウトスタジオ」を主宰するデザイナーである。彼が2014年に竹田で行った作品展示が機縁となり、竹田に住むクリエイターたちとの協働プロジェクトがスタートした。城下町の風情が残る歴史的町並みもあずかって、竹田市移住作家40名中、工芸・プロダクト系のクリエイターは35名と大半を占める。そこでプロダクトデザイナーの猿山を招聘し、その助言を通じて流通・販売まで念頭に置いた新作プロダクトの制作を行う。これが「デザイナー・猿山修×竹田市在住クリエイター 協働プロジェクト」であり、後に「猿竹工芸商會」と命名された。2017年は、猿山のプロダクトの展示に加えて、竹田市在住クリエイターとの座談会を開催した。座談会で、各クリエイターが抱える課題や解決方策などの意見交換を行い、その場で猿山から出た提案も踏まえて、2018年秋にクリエイター6名による新作プロダクトの発表・展示を行った。参加したクリエイターは、ガラス・革・木工芸・陶芸・照明・ファブラボなど、多岐にわたるジャンルの作家である。

一方、竹田市移住作家の中には、オレクトロニカをはじめ現代アート系のアーティストも存在する。アーティストの自立には、美術界で評価が高まり各地の展覧会に招かれることがポイントであり、経験豊かなキュレーターとの協働による作品の磨き上げや、事後の的確な講評を通じた研鑽が不可欠である。このため、花田伸一をキュレーターに迎え、展覧会を企画することにした。花田は、北九州市立美術館学芸員などを経て、現在は佐賀大学芸術地域デザイン学部の准教授を務める。2017年の会期中、彼は城下町の魅力を発掘するまちあるきを行った。そこでの気づきを踏まえてオレクトロニカを含む市内在住作家4組が作品制作を行い、2018年にグループ展「昼と夜」を開催した。

なお、2019年のTAKETA ART CULTUREはいったんお休みとなった。これまでの取り組みから生まれたプロダクトやネットワークを活かし、一人ひとりの作家が、自らの活動の場を広げ、竹田で仕事を続けていける環境の確立をめざす時期であると位置づけたようだ。たしかに作家には全力疾走も必要だが、次の一歩をいずれの方角に向けるか、時に立ち止まって考えてみる時期もたいせつだろう。

文化インフラの再整備

2017〜19年にかけては、竹田市内の文化インフラの再整備も進んだ。最初に取り上げるのは民間の動きである。竹田市の地域おこし協力隊出身の夫婦が、築80年を越える古民家をゲストハウスにリノベーションした「たけた駅前ホステルcue」が2017年4月に開業している。1階には、前述のパン屋「かどぱん」が移転するなど、クリエイティブな感性を持った旅行者向きのお洒落な宿が、JR豊後竹田駅直近に生まれた。

2017年5月には、新しい竹田市立図書館が開館した。旧図書館は狭隘で構造上の問題もあったため、隣接地に新図書館が建設された。塩塚隆生アトリエが設計した図書館は鉄筋2階建てで、切り妻屋根は城下町の町並みに溶け込む。館内の天井や壁はメッシュで構成され、光が館内に柔らかく拡散する構造だ。流線形に配置された書架は美しく、閲覧席はテラス席や飲食コーナーを含め216席もある。オレクトロニカをはじめアート作品が随所に飾られ、どこにどんな作品があるかを探すのも一興だ。この図書館は、城下町に調和したデザインが高い評価を受け、2019年の日本建築学会作品選奨に選ばれた。

また、2018年10月には国民文化祭に合わせて、竹田市総合文化ホール「グランツたけた」が開館した。旧・竹田市文化会館が、2012年の九州北部豪雨で浸水して使用できなくなったため、現在地で建て替えたものだ。グランツたけたは、713人収容の大ホール、可動式客席170席の多目的ホールなどから構成され、県産材をふんだんに使い木の温もりが優しい建築空間となっている。

さらに2020年には、隈(くま)研吾設計の竹田市歴史文化交流センターが開館する。旧歴史資料館の老朽化と2016年熊本地震での被災を受け、竹田の歴史と芸術を展示する専門ミュージアムと、市民ギャラリーの機能を兼ね備えた施設に生まれ変わる。

竹田の作家・市民が、新たな文化インフラを存分に活用して、今後も文化芸術を通じた地域振興・産業振興に積極的に取り組んでいくことに期待したい。

創造農村

竹田市は、2015年10月に策定した「竹田市地方創生TOP総合戦略」の柱に「竹田クリエイティブ・シティ構想の実践」をかかげ、年度末には文化庁長官表彰（文化芸術創造都市部門）を受けている。TAKETA ART CULTUREの主な舞台となる城下町は都市エリアだが、市全域の人口規模や産業構造、また市が「農村回帰宣言」を看板政策にかかげることを踏まえると、竹田市は創造都市というよりも「創造農村（Creative Village）」の範疇に含まれると考えたほうが適切だろう。

欧米の創造都市論の文脈では、創造性の拠点となるのは「都市」であると強調されている。これに対してわが国では、創造都市のコンセプトは農村にも適用できるとの問題提起を受けて「創造農村」という言葉が生まれた。佐々木雅幸によれば、木曽町（長野県）の町長から「創造都市という考え方はすばらしい。これは農村にも適用できるのではないか」という問いかけを受け、そうした問題提起に応えるなかから、自然と人間の創造性に注目する創造農村のコンセプトが生まれたという。

佐々木によれば、創造農村とは、住民の自治と創意にもとづいて、豊かな自然生態系を保全するなかで固有の文化を育み、新たな芸術・科学・技術を導入し、職人的ものづくりと農林業の結合による自律的循環的な地域経済を備え、グローバルな環境問題や、あるいはローカルな地域社会の課題に対して、創造的問題解決を行えるような「創造の場」に富んだ農村であるという。

佐々木他編著『創造農村』は、木曽町に加えて、仙北市（秋田県）、鶴岡市（山形県）、丹波篠山（たんばささやま）市（兵庫県）、中之条町（群馬県）、神山町（徳島県）、直島町・小豆島町（香川県）、読谷村（よみたんそん）（沖縄県）を創造農村の実例として紹介している。

まちづくりと観光振興への効果

ここまではTAKETA ART CULTUREの活動を中心に、文化芸術振興の側面から竹田市の取り組みを眺めてきたが、以下ではこうした創造農村の文脈から、竹田の取り組みがまちづくりや観光振興にどのような効果を与えたかを概観したい。すでに述べたように筆者は2012年からTAKETA ART CULTUREの定点観測を続けてきた。しかし、2016〜18年度にかけては一歩踏み込み、竹田アートカルチャー実行委員会の取り組みを事業評価の面で伴走支援したところである。特に2016年には、来場者アンケートの設計から分析までを手伝った。以下では、アンケート調査(回答者数159人)の集計結果に、定性的な分析も適宜交え、TAKETA ART CULTURE 2016が地域にもたらした効果を検証したい。

竹田城下町への来訪頻度を来場者に質問したところ、「初めて」が14%、「ほとんど来ない」が14%、「年に1回以上」が20%となり、合わせて48%となった。来場者の約半数が、普段はあまり訪れない竹田を訪れ、イベントに参加したことがうかがえる。さらに、城下町への滞在時間をみると、2〜4時間が38%ともっとも高く、宿泊をともなう来場者も9%にのぼった。逆に、滞在時間2時間未満の来場者は17%にすぎなかった。竹田商工会議所が観光ニーズ把握のために別の時期に行ったアンケートでは2時間未満が65%を占めており、TAKETA ART CULTUREが、中心市街地の滞在時間延長に貢献していることが明らかになった。

このイベントでは、城下町の各所に設けられた会場で多彩なプログラムを同時進行している。このため、会場の一つを訪れた来場者に、他の会場で催されるプログラムにも参加するかを質問したところ、56%は他会場も訪れると答え、平均約3件のプログラムに参加したことがわかった。中心市街地の回遊性向上にも寄与していると評せよう。

観光振興のめざすところは、観光客数の増加と滞在時間の長期化を通じて、地域内に落ちる観光収入を増加させることにある。しかし、竹田城下町の宿泊施設のキャパシティには限りがあり、中心市街地での宿泊者数を大幅に増やすのは難しい。ゲストハウスの整備も進みつつあるが、これらの事業の主目的は、宿泊能力の量的拡大ではなく、良質な「竹田暮らし」のすばらしさを知ってもらうという質的向上のほうにあろう。宿泊客に竹田ファンとなってもらい、将来的な移住者予備軍を育てることが主眼といえる。こうした点から、城下町の観光振興の目的は「交流人口の増加」以上に、これまで竹田と無縁であった客層に城下町を訪れてもらう機会をつくるという意味で、「交流人口の多様化」にあると考える。

アンケートから来場者の性別をみると、男性32%、女性68%となっており、商工会議所調査（男性44%、女性56%）に比べて女性が多い。年齢構成では40代以下が60%で、商工会議所調査（38%）に比べて来訪者の世代が若いことがわかる。実際、来場者アンケートにも「若い人が増え、行ってみたい店が増えてよい」との意見が寄せられたし、会期中に地域住民から「城下町にいなかった若い観光客の姿をみかけるようになった」という好意的評価を聞く機会もあった。このようにTAKETA ART CULTUREは、竹田市を訪れる観光客の平均像に比べ、若い世代の女性を中心に集客しており、交流人口の多様化に寄与しているといえる。

2 歩いて旅する芸術祭「国東半島芸術祭」

内陸部の竹田市に続いて、海に面した国東半島でも芸術祭に向けた動きが始まった。民間主導の竹田市と異なり、行政が発端となった事業だが、その取り組みをBEPPU PROJECTがサポートし、地域住民を巻き込みながら、事業は展開していった。2014年の「国東半島芸術祭」に結実するその取り組みを概観したい。

国東半島の課題

国東半島は、大分県北東部に位置する半島で、行政区画としては豊後高田市・国東市・杵築市・日出町から構成され、人口は11万人（2015年）である。また、半島北岸には離島の姫島村が存在する。

国東半島は丸く海にせり出した半島で、中央にある両子山から海に向かって放射状に幾筋もの谷が伸びる。山と谷が連続する地形で、谷あいに田染・来縄・伊美・国東・安岐・武蔵の六つの集落、いわゆる六郷が開けている。これらの集落は、今日でこそトンネルで連結されているが、かつては舟で行き来するしかなく、郷ごとに特色ある文化が育まれた。

古くから、大陸からの渡来人がこの地に住み着き、奈良から平安時代にかけて「六郷満山」と呼ばれる独自の仏教文化が花開いた。これは、天台宗（仏教）に宇佐八幡の八幡信仰（神道）を取り入れた神仏習合の文化である。半島各地に数多くの寺院が建立され、山岳地域の険しい山道を歩く「峰入り」と呼ばれる修行が行われてきた。半島には数多くの磨崖仏が残されている。ここはまた、江戸時代のキリスト教徒で、日本人で初めてエルサレム巡礼を果たしたペトロ・カスイ岐部の出身地でもある。

この国東半島の突端に1970年になって大分空港が開港し、1980年代には県北国東地域テクノポリス計画のもと、半導体をはじめとする先端技術産業の企業誘致が進んだ。しかしながら、半島全体としては過疎化が進行している。さらに、リーマンショックを契機とする経済情勢や産業構造の変化も受け、ひとたび進んだ産業集積も今日厳しい環境にある。

国東半島芸術祭の会場となった豊後高田市と国東市の人口推移をみると、豊後高田市（2015年人口2万人）の人口は2010年対比で4％減少、国東市（3万人）で10％減少となっている。高齢化率はそれぞれ37％、40％であり、竹田市ほどではないがかなり高い。

芸術祭の開催に向けて

国東半島芸術祭の発端は、瀬戸内国際芸術祭2010を視察した大分県職員から、BEPPU PROJECTの山出代表理事に「瀬戸内国際芸術祭に参加して、アートが地域の希望につながると確信した。ぜひ国東半島一帯で芸術祭を開催したいので、手を貸してほしい」という依頼が寄せられたことにあった。山出は当初、その依頼の重さにためらったが、県職員の切実な問題意識と熱意に押され、最終的にはこれを引き受けた。会場となる豊後高田市と国東市に、大分県、ツーリズムおおいたから構成される国東半島芸術祭実行委員会が組成され、総合ディレクターに山出が就任した。

もっとも、それまでの国東半島がアートと無縁の土地だったわけではない。国東市の国見町には、過疎化で生まれた空き家にクリエイターが移住し、工房・ギャラリーとして活用するようになっていた。彼らによって構成される「国見アートの会」（代表：和田木乃実（このみ））が主催して、2010年から半年に一度、「国見町工房・ギャラリーめぐり」という国見町周辺の工房・ギャラリーをめぐる企画を開催している。国東半島芸術祭は、地域におけるこうした動きもみすえながら、アートの力による国東の魅力発掘をめざした。

アーティストは、新しいものの見方や感性によって、地域資源の魅力に気づきの機会を与える力に秀でている。このため、わが国の芸術祭はしばしば、ポテンシャルある地域資源を持ちながら、それを「見える化」できていない地域に設定される。従来型の総花的な地域PRと異なり、アーティストの視点から提示される地域像はエッジの効いたものとなり、国東半島の魅力を内外に発信するための新たな資産になると期待された。

2012年度の国東半島アートプロジェクト

国東半島芸術祭は、2012〜13年度にかけてプレ事業として「国東半島アートプロジェクト」を展開しながら徐々に準備を進め、2014年秋に本祭を迎える計画とした。

2012年度秋期（11月）には、演出家の飴屋法水（あめやのりみず）、芥川賞作家の朝吹真理子らが手がけるアートツアー「いりくちでくち」が開催された。国東半島の各所をバスでめぐるツアーだが、どこを巡回するかは事前に公表されないミステリーツアーであった。ツアーコースはすべてアーティストたちが選んだもので、行き先だけでなく、移動や食事も含めて旅程のすべてがアート作品となっている。今は使われていない隧道（トンネル）をくぐる。死者の国への入口である神話の黄泉比良坂（よもつひらさか）とみまがう漆黒の空間を歩きながら、そこにもまた生命の息吹きがたしかにあることを、飴屋はそっと指し示す。山中に打ち捨てられた廃屋を訪ね、ありし日の生活風景を想像した後、近くの沢で玄米のスープをいただく。苔むした参道を登りながら、不可思議な体験にわが身を浸す。そして最後に、夕暮れの真玉（またま）海岸でツアーは終了する。観客はアーティストに誘われ、国東半島の文化や暮らし、時間などを体感するのだ。ツアーは11月の土日祝日の全9回企画された。予約はすぐに満席となり、最終的に410名が参加した。同時に、国東市国見町にあった歯科医院跡を、アーティストが滞在制作でき、あらゆる人が利用できる家に改装するプロジェクト「いえをつくる」も実行された。ノマド村（茂木綾子＆ヴェルナー・ペンツェル）、千葉正也による作品である。

2012年度春期（2013年2〜3月）には、豊後高田市香々地（かかぢ）地区にある長崎鼻（ながさきばな）に、オノ・ヨーコ「見えないベンチ」とチェ・ジョンファ「色色色」がお目見えした。長崎鼻は周防灘に向かって、鼻のように突き出した岬である。耕作放棄地であった長崎鼻に、地域のNPOらが2006年から花を植える活動を始め、今では「花の岬」として知られるようになった。オノ・ヨーコはここに13基の石のベンチを置いた。ベンチに座って、地面に置かれたプレートに書かれた彼女の詩を読むのである。ベンチはまた、そこから海や岬の風景を望む景観ポイントでもある。眼前の風景を眺めながらオノ・ヨーコの詩を味わうとき、作品であるベンチの存在は人々の意識から遠のいている。「見えないベンチ」と名づけられた所以だろう。チェ・ジョンファは、岬全体を俯瞰する段々畑の頂上に花のピラミッドを制作した。オノ・ヨーコの作品と同様に、これも長崎鼻の自然風景を体感するための眺望装置といえよう。またこのとき、「いえをつくる」プロジェクトによって生まれた「集ういえ」や、豊後高田市と合併する前の旧・香々地町役場を会場として、写真家・冒険家の石川直樹の写真展も開催されている。

これらの2012年度の国東半島アートプロジェクトのテーマは「国東×異人」であった。国東半島は、渡来の文化と土着の文化が混じり合うことで、独自の文化が育まれてきたとしたうえで、アーティストの持つ新しい感性やものの見方と、国東半島の土地の力や歴史・文化が出会うことで、この場所でしか鑑賞・体験することのできない作品を生み出すことをめざしたのだ。

2013年度の国東半島アートプロジェクト

2013年度は「地霊」をテーマにすえた。地霊とは、大地に宿るとされる精霊である。土地の守護霊だが、姿かたちなくどこか漂っている精気のようなものとされる。ラテン語ではゲニウス・ロキという。前年度が「異人」というコミュニティのアウトサイダーにフォーカスしたのに対して、今回は、土地に内在するスピリチュアルなインサイダーをテーマとしたのが興味深い。

2013年度は、秋期の9～10月にかけて、雨宮庸介と西光祐輔の二人のアーティストが「集ういえ」を拠点として滞在制作を行い、成果展を開催した。そして2014年3月、国東市の千燈地区にアントニー・ゴームリーの「ANOTHER TIME XX」（写真2-3）が、豊後高田市の並石ダムグリーンランドに勅使川原三郎の「光の水滴」「月の木」が完成する。

写真2-3　国東半島芸術祭
アントニー・ゴームリー「ANOTHER TIME XX」

アントニー・ゴームリーは英国を代表する彫刻家で、1997年に大英帝国勲章、

2013年には高松宮殿下記念世界文化賞を贈られている。ゴームリーは1970年代にインドで仏教に傾倒した後、自らの身体をかたどった鉄の彫刻を数多くつくるようになった。その彼が作品を設置した場所は、国東市国見町千燈にある五辻（いつつじ）不動尊付近の山道である。

本業がダンサー・振付家・演出家の勅使川原三郎は、豊後高田市並石ダムの遊歩道に、彫刻作品2点を設置した。ダム湖のほとりに、ガラスでできた塔を立てたのだ。ダム湖の周囲に整備された遊歩道を散策するあいだ、光の加減や時間帯、角度によって、塔は輝きを増したり、みえなくなったりと多彩な表情をみせる。湖畔を回遊するなかで得られる体験を作品化した本作は単なる彫刻作品というよりも、ある種の実演芸術に近いのかもしれない。勅使川原はさらに、2014年の芸術祭会期のうち二夜だけ、この空間を舞台とするパフォーマンス公演「何処から誰が」を開催した。

本番を迎える国東半島芸術祭

こうした2年間の準備を経て、国東半島芸術祭はその集大成として、2014年10月4日から11月30日までの50日間（水曜日定休）、豊後高田市・国東市の各所を会場に開催された。本祭のテーマはシンプルに「LIFE」であった。文字通り、生命、生きて活動すること、人生、存在である。国東半島の豊かな土壌のうえに時間を積み重ねることが、芸術祭のテーマにすえられたのだ。

本祭で実施された事業は、サイトスペシフィックプロジェクト、パフォーマンスプロジェクト、レジデンスプロジェクトの三本柱からなる。国東半島芸術祭実行委員会は、開催地となる豊後高田市・国東市在住の市民らを対象とした事業説明会を実施し、芸術祭の周知を図った。特にサイトスペシフィックプロジェクトは、実行委員会解散後の作品の維持管理が両市に委ねられるため、その意向を踏まえて候補地をリストアップした。それとともに、設置場所の地区住民の理解と協力が必要不可欠なことから、彼らへの事業説明や意見交換を繰り返した。そうして住民合意が得られた後、アーティストとの交渉や作品設置方法の検討を進めたという。

サイトスペシフィックプロジェクト

国東半島芸術祭では、6か所でサイトスペシフィックプロジェクトが実施された。地区名を冠してそれぞれ、香々地プロジェクト、並石プロジェクト、真玉プロジェクト、千燈プロジェクト、岐部プロジェクト、成仏（じょうぶつ）プロジェクトという。このうち、香々地プロジェクトは2012年度のオノ・ヨーコとチェ・ジョンファの作品、並石プロジェクトと千燈プロジェクトはそれぞれ2013年度の勅使川原三郎、アントニー・ゴームリーの作品だ。したがって今回が初のお披露目となったのは、真玉・岐部・成仏の三つのプロジェクトである。

真玉プロジェクトを手がけたのはチームラボ。今日でこそ、世界各地で大規模なデジタルアートを仕掛けるウルトラテクノロジスト集団として知られる。しかし、国東半島芸術祭の参加アーティストに選ばれた当時は、海外でこそ業績を重ねつつあったものの、国内アートの領域では十分に知られていなかった。そのチームラボが、豊後高田市の真玉海岸近くにある縫製工場跡地に設置したアート作品が「花と人、コントロールできないけれども、共に生きる－Kunisaki Peninsula」（写真2-4）だ。真っ暗な空間の壁に、まるで自生するかのように咲いては散っていく春夏秋冬の花々がデジタル技術で投影される。国東半島の植物が育ち、花を咲かせては枯れていく。鑑賞者が壁に近づくと花々は増え、近づきすぎると今度は急速に枯死して

写真2-4　国東半島芸術祭
チームラボ「花と人、コントロールできないけれども、共に生きる－Kunisaki Peninsula」

写真2-5　国東半島芸術祭　川俣正「説教壇」

ゆく。このアート作品は、国東半島芸術祭終了後に日本科学未来館で催された「チームラボ 踊る！アート展と、学ぶ！未来の遊園地」でも東京バージョンが展示され、お台場の常設展示「チームラボボーダレス」でもグラフィックの基盤をなすなど、その後のチームラボにとって重要な位置づけの作品となった。

岐部プロジェクトの作品は、川俣正の「説教壇」（写真2-5）である。川俣は、この地に生まれ聖地巡礼を果たしたペトロ・カスイ岐部からインスピレーションを受け、岐部城跡の小高い丘の上に、木々の合間を縫うようにしてめぐる回廊と、二つの説教壇を設けた。鑑賞者は、回廊を一周しながら、ペトロ・カスイが世界を周航した道行きを想像する。

成仏プロジェクトを担当した宮島達男は、縄文期の遺跡に面した岩場に、コンクリート製のハウスに収まったLEDカウンターを100個すえつけた。この作品「Hundred Life Houses」は、すべての地区住民と留学生、全国から募った参加者たちと一緒に制作したものだ。人々の祈りが込められた、いわば現代の磨崖仏ともいえる作品である。

これらのサイトスペシフィックプロジェクトの会場は広大な国東半島に点在し、それぞれが車で30分から1時間程度の距離にある。自家用車・レンタカーを用いるか、公式バスツアーを利用するしか移動手段がない点は、大地の芸術祭に近い。公式ガイドブックでは、トレッキングと組み合わせたり、地域の文化財や自然などもあわせて楽しむため、一日に2〜3プロジェクトを目安に、時間に余裕を持って回ることを推奨していた。いや、ことさらトレッキングを計画するには及ばない。芸術祭の会場を訪ねるには、岬を散策したり、湖畔を一周したり、丘や山を登ったりしなければならないのだから。芸術祭ポスターのキャッチコピーにあった通り、まさしく「歩いて旅する芸術祭」だった。

パフォーマンスプロジェクトとレジデンスプロジェクト

以上のようなサイトスペシフィックプロジェクトに加え、国東半島芸術祭では、パフォーマンスプロジェクトとレジデンスプロジェクトが実施された。前者は、勅使川原三郎「何処から誰が」、ピチェ・クランチェン「Tam Kai〈Following the

Chicken〉国東半島ヴァージョン」、飴屋法水「いりくちでくち」の三つである。「いりくちでくち」は、2012年に行われたアートツアーの再演だが、ツアーコースはかなり変更されている。弥生時代の集落跡、竹林に還りつつある廃村、住戸が四戸だけになった村。初演時に比べて、住民が過去に暮らしていた／今も暮らしている痕跡を濃厚に感じさせる舞台が選ばれたように思う。

レジデンスプロジェクトは「希望の原理」、西光祐輔写真展「NEW VIEW」、ウェブサイト「国東現像.jp」である。「希望の原理」は、旧・香々地町役場を主な会場とする展覧会。16組のアーティストが展示を行ったが、どの作品がどのアーティストの手によるものか、一切の表示がなく混在していた。鑑賞しながら、これはそもそも作品なのかそうでないのかと悩む物件もある。半島のいたるところに散らばる「石たち」をモチーフにした展覧会ということだった。

芸術祭の成果

国東半島芸術祭の来場者数は、当初見込み3万人に対し、最終的には倍の6万人となった。内訳としては、大分市・豊後高田市・国東市を中心に県内客が63％を占めた。一方、37％を占める県外客は全国39の都道府県から訪れており、特に福岡県・東京都が多かった。大分県内外の多くのメディアでも紹介され、その評価はおおむね好評であった。

国東半島芸術祭は、①大分県の文化芸術の振興、多様で質の高い文化芸術に触れる機会の創出・充実、②アート作品を新たな「入口」として、訪れる人に国東半島のすばらしい自然や奥深い歴史文化といった魅力を体感してもらうこと、③地域住民がアーティストとの交流や来場者との触れ合いなどを通じて、自分たちの地域の魅力を改めて実感し、地域を元気にする活力につなげることを目的として取り組まれた。こうした目的に対して、①世界トップクラスのアーティストなどの参加による「国東半島」という場所と向き合った作品の制作、②来場者の好意的評価と国東半島再訪希望、③会場となった地区の住民による好意的評価を踏まえ、芸術祭は一定の成果があったと、実行委員会は総括している。

もう少し詳しく来場者アンケート（回答者数4043人）を眺めると、芸術祭の総合的評価としては93%がよいと判断し、95%が次回も訪れたいと回答している。国東半島芸術祭の大きな目的の一つである「アート作品を入口にして、国東半島の魅力を知ってもらう」という点では、今回の芸術祭をきっかけに初めて国東半島を訪れたという人が36%で、訪問回数5回未満の人まで含めると59%にのぼった。今後の再訪希望についても、98%が訪れたいと答えている。

地区住民アンケートは、アーティストや来場者の受け入れで特に関わりの深かったサイトスペシフィックプロジェクトの会場となった地区の住民を対象としたもので、131人の回答を得た。それによると、芸術祭に対する開催前の期待度は68%だったが、開催後は75%が自分の地区に作品が設置されてよかったと回答し、70%は芸術祭が地区の活性化に役立ったと回答している。芸術祭への総合的評価では、81%が成功と評価し、69%が次回開催への期待を表明した。

芸術祭の開催を契機として、国東半島の魅力を全国に発信し、アートという新しい切り口から従来とは異なる来訪者層、特に都市部在住の若年女性層を掘り起こすとともに、アーティストの見方や来訪者との触れ合いを通じて、地元住民が地域の魅力を再認識する好機になったというのが結論である。

おせっ隊の大活躍

国東半島芸術祭が幅広い層に受け容れられた背景には、それぞれの作品の質の高さや、国東半島自体の魅力に加えて、来場者を温かく迎え精一杯のもてなしをした地元住民の活躍があった。大地の芸術祭や瀬戸内国際芸術祭では、ボランティアスタッフがそれぞれ「こへび隊」「こえび隊」と呼ばれていた。これらに対し、国東半島芸術祭の各プロジェクト会場の運営スタッフは「おせっ隊」と命名された。客に料理や菓子をふるまう仏教行事「お接待」にちなんだネーミングだ。おせっ隊の登録人数は125人で、豊後高田市・国東市からの登録が82%を占めた。男女比は66%が女性で、平均年齢は50歳だった。実働人員は延べ1075人というから、50日間の会期中、毎日20人強がおもてなしに加わった計算になる。越後妻有（えちごつまり）や瀬戸内の運営スタッフが域外の若者が中心で、近年は外国人も多いのに対して、国東半島の場合は、圧倒的に地元のおじちゃん、おばちゃんが中心であった。

筆者たちがバスや車で会場に到着するや、おせっ隊の皆さんが「お茶を飲みなさい。この漬物を食べなさい。柿を食べなさい。蜜柑も食べなさい」と押し寄せてきた。もちろん、有料で売っている商品もあるのだが、それ以前に、無償のサービス提供の攻勢がすさまじい。まさにお接待である。そうした住民のおもてなしに、たいへん感動して帰るお客さんが多かった。中には成仏地区のように、記念に持って帰れるお土産があったらお客さんが喜ぶだろうと、桜を輪切りしたものにLEDカウンターの数字をあしらったグッズ（写真2-6）を勝手に売り出したところもあった。アーティストの宮島達男が「どんどんやってください」と許可を出したため、公式グッズになった。デジタル表示の数字と、桜の端材のアナログ感がミスマッチな、何とも剽（ひょう）げた土産物である。

来場者アンケートでも、おせっ隊などの運営スタッフの対応については、実に98％がよいと回答しており、筆者の個人的印象を統計面から裏づける結果となった。アンケートに寄せられた自由意見でも、各会場での地元の方々の親切、丁寧な対応、おもてなしのすばらしさを評価する声が多数あったそうだ。アートと自然景観を楽しんだだけでなく、土地の人たちから歓待を受けたことで、芸術祭の記憶が来訪者に深く刻み込まれたといえる。

実行委員会では会期後、実際に運営に関わったおせっ隊のメンバーにアンケートを実施し、45人から回答を得た。それによれば、芸術祭に対する開催前の期待度は73％だったが、開催後は91％が、芸術祭が国東半島の活性化に役立ったと答えている。芸術祭への総合的評価では、95％が成功と評価し、88％が次回開催への期待を表明している。芸術祭が仮に継続開催された場合、再びボランティアスタッフとして活動したいかという問いには、67％が活動したいと回答した。そうではないと答えた3割も、自らの高齢や健康不安が理由で、今回の活動自体を否定するものではなかったそうだ。

写真2-6　成仏プロジェクト　土産品

テーマからみえてくる国東半島芸術祭の狙い

国東半島芸術祭と、そのプレ事業である国東半島アートプロジェクトのテーマは、すでに述べたように、2012年度が「国東×異人」、2013年度が「地霊」、そして2014年度の本祭が「LIFE」であった。

地域コミュニティの消滅という危機を乗り越えるうえでまず重要なことは、地域住民自身に国東半島の魅力を再認識してもらい、地域への愛着・誇りを持ってもらうことである。そもそも、住民自身が地域に魅力を感じないようでは、外部に向けた効果的な情報発信も覚束(おぼつか)ない。越後妻有や瀬戸内など条件不利地域でも、芸術祭に住民がボランティアとして積極的に参画することで、地域愛を再確認し、元気を取り戻す姿がみられた。こうした効果は、地域に蓄積してきた人々の営みや場所の力を内外に向けて「見える化」したという点で、土地の守護霊たる「地霊」のテーマに該当するだろう。

一方で、過疎化が進む国東半島では、既存の住民だけではいずれ地域コミュニティが立ち行かなくなることもみえている。ゆえに、域外からの交流人口の拡大と移住者の確保、特に若い世代の誘致が中長期的に大きな課題となる。その解決のためには、国東半島が彼らに対して、全国オンリーワンの魅力を発信していかねばならない。国東半島で「異人」といえば通常、大陸や南蛮の文化をたずさえてきた渡来人、すなわち「過去の移民」を指す。しかし、国東半島の未来を見晴るかすうえでは、現在この地に住んでいない「未来の移民」に向かって働きかけることが大事である。アーティストを按針(あんじん)（水先案内人）として、半島の魅力に接した異人（交流人口・関係人口）の存在が重要なのだ。そして、地域住民自身が活性化すると同時に、交流・移住両面で域外との関わりが活発になることを通じて、初めて地域コミュニティの持続可能性(サステナビリティ)が高まっていく。将来に向けて、国東半島のコミュニティがその豊かな土壌の上に時間を積み重ねていけること、これこそが芸術祭本祭のテーマたる「LIFE」だ。「地霊」と「異人」の交流・交歓を通じて「LIFE」という最終目標は輝きを放つのだ。

もちろん、芸術祭一つで国東半島が抱えた課題が解決するわけではない。少子化・高齢化と過疎化は容赦なく進んでいく。それは、越後妻有や瀬戸内とて同じだろう。しかし、こうした地域が大分にあることを、多くの人々に知ってもらうことこそが大事だったのだと思う。国東半島には空港があるため、観光客、ビジネス客、そして県民も多くは、必ずこの土地に足を踏み入れるはずだ。にもかかわらず彼らは、空港からリムジンバスや車で大分市や別府市に直行してしまい、国東半島そのものを体感する機会は少ない。大分駅前から観光周遊バスも出ているが、富貴寺・真木大堂・熊野磨崖仏などの名所旧跡をめぐるだけで、観光地以外の実態をみることはない。筆者の場合、勤務先の日本政策投資銀行が「昭和の町」をサポートしていた経緯から、豊後高田のまちなかを訪れる機会は比較的多かったが、そこから真玉や香々地といった地区に足を延ばす機会はまずなかった。そうした意味で国東半島芸術祭は、域外の人間が意識していなかった国東の地霊（自然風景や歴史文化、日常生活）が孕む魅力を、異人（アーティスト）の力を借りて「見える化」したといえよう。

そして、それはまた地域住民、特におせっ隊の立場から観光客をもてなした側にとっても同じであったようだ。それまで観光客など誰一人やって来なかった地元に、大勢のお客さんが訪れたことで、地域の人々はいたく感動したという。例えば、成仏地区でボランティアに参加した麻生拓之は、芸術祭の記録集に次のような言葉を残している。

「わたしらなんかは、芸術なんて興味なかったけど、若い人が大勢来るんでびっくりしたなあ。この田舎の空気がな、気分転換にものすごくいいち。宮島（達男）さんは本当にきさくなおっちゃんという感じで、芸術に対する印象がここらへんのみな変わったな」

1300年持ち歩かれた、なんでもない石

2013年度秋期の国東半島アートプロジェクトに参加した雨宮庸介は、国見町の「集ういえ」で滞在制作を行った。実は筆者は、作家の滞在期間中に「集ういえ」を訪れ、偶然出会っている。そのとき雑談を交わす中で、筆者が銀行員だと知った雨宮は、「未来のお金、未来の銀行はどのような存在になるだろうか」という問い

を投げかけてきた。筆者がどう応じたかはまったく記憶していないのだが、おそらく作家は、会う人ごとにそうしたリサーチを続けながら、国東や世界の過去・現在・未来に想像を馳せていたのだろう。

そうして生まれた作品が「1300年持ち歩かれた、なんでもない石」である。6個の小さな石を6人の国東半島在住者に一つずつ預ける。この小石を持つ人は「イシモチ」と呼ばれ、彼らは5年ごとに他人へと石を継承する。二代目以降のイシモチの選定は各自に任され、国東半島の住民に限る必要はない。彼らはそうして代々ただただ石を持ち運び、次のイシモチへと引き継いでいく。最終的に、芸術祭から1300年が経過した西暦3314年、その時代のイシモチ6人は国東半島を訪れて互いに出会うのである。1300年間という時間設定は、仁聞菩薩（にんもんぼさつ）が国東半島に六郷満山を開いたとされる718年（養老2年）から現在までの期間とほぼ等しい。果たして、その場に集うのはどんな人たちなのだろうか？　そして1300年後の国東半島はどんな場所になっているのだろうか？

3 トイレが舞台の世界に例をみない芸術祭「おおいたトイレンナーレ」

竹田市や国東(くにさき)半島で芸術祭の取り組みが進む一方で、大分市内でも、2015年の県立美術館開館を前に新たな展開があった。大分市が、アートを活かしたまちづくりをスタートしたのだ。その結果として生まれた「おおいたトイレンナーレ」という、世にも奇妙な芸術祭の経緯を解きほぐしつつ、芸術祭に触発された市民サイドの勝手連的な取り組みも紹介する。

大分市のまちなか

数年前、大分市に初めてやって来た友人から「意外にも都会」といわれた。そして、大分は10年ぶりという来訪者からも「街が、駅が変わっていて、いやはや驚いた」と。おそらく来訪者だけではない。市民もこの変貌に驚いたのではなかろうか。

実は2015年が、大分市の中心市街地にとって大きな変化の年だった。

大分市の中心市街地は、全国の地方都市では珍しく、交通の要所でもあるJR大分駅を中心に形成されているといっても過言ではない。もともと大分駅が市の中心部に位置し、その北側半径約1km、歩いても15分程度の範囲に複数の商店街・百貨店・ホテル・金融機関・歓楽街などの商業・サービス業や、県庁・市役所などの行政機関がコンパクトにまとまり、いわゆる“まちなか”を形成している。駅の南側は、以前は“駅裏”と呼ばれて住宅が密集するエリアだったが、1990年に策定された大分駅周辺整備基本構想にもとづく駅南土地区画整理で、2013年に駅から幅約100mのシンボルロード「大分いこいの道」が、都心を見下ろす上野の丘に向かって長さ444mにわたり造成された。時をほぼ同じくして、いこいの道沿いに大分市複合文化交流施設「ホルトホール大分」

写真2-7　大分市複合文化交流施設
J:COMホルトホール大分

（現・J:COMホルトホール大分）（写真2-7）も完成した。1200人収容の大ホール、200人収容の小ホール、図書館、総合社会福祉保健センター、産業活性化プラザ、サテライトキャンパスから構成される複合施設だ。統括責任者には元・わらび座代表の是永（これなが）幹夫が就いた。

駅南エリアは、週末ともなると幅広い世代が集う、まさに市民のいこいの場となった。この広大な緑の空間は、2019年度に都市景観大賞の都市空間部門で、最高賞の国土交通大臣賞に輝いた。また、大分駅周辺総合整備事業で駅が高架化されるとともに、駅舎も水戸岡鋭治のデザインで一新された。北口の駅前広場も広々とした空間に生まれ変わり、大分駅を縦貫して都心の南北がつながった。こうして長い年月をかけた、まさに「百年に一度」といわれる駅周辺の大規模なインフラ整備がようやく2015年にほぼ完成をみたのだ。

変貌したのはインフラだけではない。2015年4月には「大分県立美術館」が華々しく開館し、駅高架化にあわせて建設が進んでいた駅ビル「JRおおいたシティ」も完成したことで、中心市街地の新たな骨格が一気呵成に形成され、以前の風景を思い出せないほど中心市街地が大きく様変わりしたのだ。友人知人が驚いたのも無理はない。

駅ビルという大型商業施設は、既存の商店街や地元百貨店トキハにとって、減少する来街者をさらに吸引することを懸念させる大きな不安材料だったと思う。しかし見方を変えれば、離れていた客足を中心市街地に呼び戻し、新たに呼び込み、来街者減少に歯止めをかける好機でもある。まちなかは、トキハと大分駅ビルを核に全体を一つのショッピングモールと見立てた2核1モールとして、一体的ににぎわいづくりをめざすべく積極的に協働した。こうした動きは、その後の文化芸術によるまちづくりを語るうえでも大きな意味を持つ。

文化芸術によるまちづくりの萌芽

2013年以降、まちなかでは文化芸術活動やアートイベントが数多く実施されるようになった。2015年の県立美術館開館もみすえ、まちなかの商業者が、廃墟と化していたマンションを舞台にアートイベントを開催して、街と人をつないだり、目抜き通りで音楽イベントを催すなどした。中でも特に印象的だったのは、駅南の上野の丘陵地にある大分市美術館で2013年に開催された草間彌生展「永遠の永遠の永遠」だ。大分市美術館はこの展覧会で草間の作品を美術館内だけでなく、中心市街地にあるiichiko総合文化センターや、大分市のアートプラザ、商店街の広場など各所に点在させたのだ。偶然だが当時、ファッションブランド店「ルイ・ヴィトン」が期間限定で草間彌生とのスペシャルコラボレーションを行っており、トキハ1階にあったルイ・ヴィトンのショーウィンドウにも草間の作品がディスプレイされていた。商店街も連携し、草間彌生展の特製タペストリーを街路にかかげ、ファッションビルのショーウィンドウは草間の代名詞である"水玉柄"で飾りつけられた。さらには、展覧会のポスターに水玉柄のデコレーションを自作であしらって店頭に飾る商店主まで現れる始末。当時、世界各地で草間彌生展が開催され、展覧会場周辺エリアの街路樹を水玉柄に装飾したことはあったにせよ、まちなか全体がここまで自発的に協働したのは大分ぐらいだろう。まちなかに"水玉柄"があふれることで一体感が生まれ、鑑賞者が作品をみて回るため、まちなかの施設や商店街を訪れたことで、見事に回遊性を生み出した。このことは、その後のにぎわいづくりにも大きなヒントを与えたと感じる。

行政からのアプローチ

時を同じくして行政も動き始めた。大分市では、2012年度に市職員がアントレプレナーシップ事業（職員提案事業）で提案した「大分市アートを活かしたまちづくり事業」が採用され、2013年度から市主体の文化芸術によるまちづくりがスタートした。中心市街地が大きく変貌するなか、創造性あふれるアートをまちづくりに活かし、中心市街地の活性化や大分市の魅力の発信、ひいては観光振興につなげようと始めたものだ。

もともと大分市の中心市街地は観光資源に乏しく――いや、長年にわたって効果的なプロモーションをしてこなかったといったほうが正確かもしれない――観光地としてのイメージは希薄で、観光振興は大きな命題であった。ちょうど2015年には、JRの大型観光誘客キャンペーンが大分県で開催されることが決まっていた。

大分市を魅力的な訪問地としてアピールするには“絶好”というより、むしろ“絶対”のタイミングであったといえる。

そして、大分県立美術館の開館や、アートによるまちづくりが徐々に芽生えるなか、大分市のアートを活かしたまちづくりのメイン事業として開催されたのが現代アートフェスティバル「おおいたトイレンナーレ2015」だった。

トイレンナーレとは何か

「おおいたトイレンナーレ？……えっ、トイレ!?」

何かの間違いと思われたかもしれないが、決して誤植ではない。トイレで正しい。「トイレンナーレ」とは、「トイレ」と「トリエンナーレ」を掛け合わせた造語なのだ。くだんの市職員によれば「トリエンナーレというのは、3年に一度の芸術祭。でも、そんなものは全国各地でやっている。それなら大分市は“トイレンナーレ”をやるぞ」という経緯だったそうだ。ダジャレを創造性の産物と信じる筆者としては、ネーミング自体にもかなり魅力を感じたし、全国各地の芸術祭を鑑賞したなかでも、他に例をみないトイレを舞台にしたアートフェスティバルという発想にワクワクさせられた。

おおいたトイレンナーレ2015（以下トイレンナーレ）は、2013〜14年度にかけて、ワークショップや関連シンポジウム、プロモーションを企図した一部作品のプレオープンなどの事前準備を重ねていった。そしてトイレンナーレ本番は、20組のアーティストの参加を得て、2015年7〜9月の68日間の会期で開催された。トイレンナーレの実施にあたっては、文化芸術団体・商店街・まちづくり団体・経済団体・大学などの関係者で構成された「おおいたトイレンナーレ実行委員会」が組織された。総合ディレクターには、混浴温泉世界をはじめ大分県内のアートイベントを数多く手がけるBEPPU PROJECT代表理事の山出（やまいで）淳也を迎えて、芸術祭は企画・実施された。

トイレンナーレは、大分市の中心市街地が県都の顔として、ここを訪れる人、ここで営む人、住む人、それぞれの生活と芸術が重なり合う場となることをめざし、また文化芸術の持つ創造性を地域の活性化と産業振興に活かすモデルとなることを開催趣旨としている。このため、めざすべき効果として、交流人口の増加、地域を誇る気持ちの醸成、にぎわいの創出の三本柱をかかげた。芸術祭のコンセプトはシンプルに「ひらく」である。とはいえ、そこには次のような深い意味が込められている。

1917年、フランス人のアーティスト、マルセル・デュシャンは既製の男性用便器を横倒しにした「泉」という作品を発表した。ありふれた既製品に新しい見方を与えることで、そのもの自体ではなく、それ以外の周りの環境に意識が向けられる。トイレンナーレは、全世界のどこでも役割が決まったトイレに、少しだけ別の要素を持ち込むことで、想像力という泉が湧き出てくる舞台へと昇華させることをめざす。同時にそれらのトイレを道標と位置づけ、新たな行先案内（ナビゲート）の仕組みを造成し、まちのもう一つの歩き方（＝読み解き方）を提唱する。公共空間の中でほぼ唯一プライベートな密室であるトイレが、アートによってひらかれる。それは、まちの可能性がひらかれる第一歩ともなるのだ。

トイレンナーレの作品は、中心市街地の公衆トイレや店舗のトイレに、2013年度に4作品、2014年度に2作品、本祭の2015年度に8作品が制作された。会場はとにかくトイレ。公共施設の中のトイレ、まちなかの公園の中の公衆トイレ、建ち並ぶ店舗の中のトイレ、ビルの中のトイレ……それはまちなかのいたるところに存在し、今も昔もいつの時代でも、世の中がAIに埋もれても、人間が存在する限りあり続け、必ず誰もが入る。しかし、限りなく閉ざされたプライベートの場所でもあるトイレ。それが創造性に富んだアートのアプローチによって作品となり、鑑賞の舞台となった。

お店の中の異空間トイレ

アーティストSUIKOの作品「色、カタチ、生命／letter～酔狂～」（写真2-8）は、まちなかのthe bridge内のトイレに制作された。この場所は元醤油メーカーの倉庫だった建物をthe bridgeのオーナーが飲食・イベント機能を持った複合スペースにリノベーションしたもので、店内には倉庫そのものの外見からは想像できないようなお洒落な空間が広がるが、トイレに入るとさらにまた別世界が広がっていた。店内の通路を挟んで両側に2か所あるトイレの内壁には合わせ鏡が貼られ、映るものが無限に続くつながりを感じさせる。一つはポップなカラー、もう一つはモノトーンで配色され、さながら「明と暗」といったイメージの対照的な世界が表現され、二つのトイレを順番にハシゴする鑑賞者で列ができた。

ビルの谷間に現れたピンクのトイレ

まちなかの公園「ふないアクアパーク」にある公衆トイレは衝撃的だった。西山美なコ、笠原美希、春名祐麻の共同制作による作品「メルティング・ドリーム」(写真2-9）は、既存の公衆トイレの建屋の丸い形状を活かしてデコレーションケーキに見立てた作品である。ビルに囲まれた無機質なコンクリート貼りの公園に、唐突に派手なピンク色の装飾が施された巨大ケーキが出現したのだ。美味しそうな外観を眺めながら内部に入ると、作品名のごとく、壁面には溶けかけたスイーツが描かれ、また洗面スペースの微妙に歪曲した鏡をのぞけば、さながら蕩（とろ）けた自分の姿が映り込んだ。作品鑑賞ばかりでなく、本来のトイレとしての使用を目的として、老若男女がピンク色のケーキの中に吸い込まれていく様子は何とも不思議な光景だった。まちなかの一角に突如として現れたある意味奇抜な作品は、当時そのデザインなどに賛否があったが、トイレ本来の利用者や作品の鑑賞者が訪れるだけでなく、通りがかった多くの人々が立ち止まって写真を撮る姿がみられるなど、印象の強い作品だったことは間違いない。多くの作品がトイレンナーレ会期終了後に撤去され

写真2-8　おおいたトイレンナーレ2015
SUIKO「色、カタチ、生命／ letter ～酔狂～」

写真2-9　おおいたトイレンナーレ2015
西山美なコ、笠原美希、春名祐麻「メルティング・ドリーム」

たが、この作品は現在も残されており、今日でもときおり写真を撮る人をみかける。

みんなでつくったトイレ

トーチカの「トイレのラクガキ」は、まちなかにある若草公園のトイレのハーフミラーの外壁に、夜になるとペンライトで描かれた“ラクガキ”が浮かび上がる作品だ。トーチカが、ワークショップ形式で市民を対象にした撮影会を行い、市民と協働して制作した作品である。ワークショップには老若男女多くの人が参加し、ペンライトを使って好き好きに描いた絵や文字が、デジタルサイネージによってトイレの壁面に映写され、静かな夜の公園の一角をにぎやかに照らしている。

また、藤浩志の作品「UTTM～Used Toys Toilet Museum～」（写真2-10）もワークショップを開催し、参加した市民らが作品のパーツを作成するとともに、大分県立芸術文化短期大学も協力して、iichiko総合文化センターのトイレに展示したものだ。作品名の通り、商品のオマケなどの使われなくなったオモチャやぬいぐるみを再利用して制作されたものである。不用品をアート作品のパーツとすることで新たな価値を生むというコンセプトから、廃材など不用となったものを新しい素材や付加価値商品として甦らせる「アップサイクル」に取り組む団体との協働が図られたのも特徴的だった。

市民参加型のワークショップは、単なるトイレンナーレ作品の鑑賞だけでなく、作品を展示するまちなかへの興味を持ってもらう意味でも有効な手段である。こうした取り組みは、多くの参加者がまちなかを訪れる、またはトイレンナーレを「自分事」として受けとめるきっかけをつくる効果があり、将来のまちなかファンを育てるうえで有効な手法といえよう。

写真2-10　おおいたトイレンナーレ2015
藤浩志「UTTM ~ Used Toys Toilet Museum ~」

トイレとトイレをつなぐ

トイレンナーレは「トイレから大分市のまちをひらく」ことをコンセプトとし

ており、実際、まちなか各所のトイレ内に設けられた作品を鑑賞するために、まちなか自体も体験するというプロセスが重視されていた。それは会期中にまちなかで開催された多彩なイベントにも表れており、例えば商店街のカフェで行われた一人劇や朗読会、ビルの屋上で行われたパフォーマンス、歴史的建造物の中で行われたゾンビ音楽コンサート、一夜限りの昭和歌謡バーなど、トイレとはまったく無関係なイベントが、まちなかに点在するトイレ作品をつなぐ接着剤の役目を果たしていた。それと同時に、長らくこの地に住んでいながら今まで足を踏み入れたことがなかった場所に導かれて、新たなおもしろさを知るという点で、それらのイベント自体がまちなかの魅力を伝える役目も大いに果たしていた。

トイレンナーレからつながる

主催者が正式に企画した事業以外に、地域の大学・企業・市民が勝手連的に参加して、主催者がめざした「大分のまちをひらく」役割を担った。一つひとつは手づくりのささやかな活動だが、まちなか全体で盛り上げようという機運が生まれたことは画期的だった。地元の学生は、まちなかでフィールドワークを行い、独自の視点でみつけた隠れたスポットやマニアックな場所を収集し、その情報をマンガ化して、まちなか各所にマンガ誌を設置した。また、先述の作品「メルティングドリーム」が設置された公園の目と鼻の先に位置する調理師専門学校は、スイーツがテーマの作品にちなんで、ケーキのコンクールを校内で開催し、優秀作品を会期中に販売するなど、学生が楽しみながらイベントに参加した。

その他に、IT企業はスマホアプリを利用して、作品会場をめぐることで貯まったポイントを加盟店で利用できるサービスを提供したし、地元製紙会社はオリジナルトイレットペーパーを製作し、作品の設置されたトイレに備えつけた。JR大分駅構内のトイレも、マスコットキャラで装飾されるなど、民間企業との連携もさまざまに図られた。

音入れジョークボックス

こうした勝手連的な取り組みのうち「音入れ（おトイレ）ジョークボックス」は、筆者もメンバーとして参加した活動なので、やや詳しく紹介したい。トイレンナーレを市民から盛り上げようと、開催1年前に、民間企業研究職・ウェブデザイナー・公務員・オフィスワーカー・記者からなる異色のチーム「音入れお便器ょう会」（おトイレお勉強会）を自発的に結成した。共著者の三浦宏樹が、トイレンナーレに実行委員として参画したのに対し、筆者は一市民の立場からのボランタリーな応援を試みた。

まちなかのジャズカフェに集合し、トイレンナーレの応援企画を検討するワークショップを重ねた結果、音楽とトイレの共通点ともいえる「音姫」から着想したタブレット型ジュークボックスを開発したのだ。そして、トイレンナーレ自体がダジャレによるネーミングだったので、この製品名もダジャレで「音入れジョークボックス」（写真2-11）と名づけ、カフェのトイレに設置した。タブレットのアイコンをタッチするとダジャレや格言、地元で知られたCMソングなどが音姫の代わりに（？）流れる仕掛けだ。遊び心から勝手連的に盛り上がった企画だったが、この店には常連客のみならず県外からの客も多く、会期中、トイレンナーレ自体を知らない入店客がこのジョークボックスに関心を持ち、トイレンナーレの作品をめぐるきっかけになるなど、広報的な役目も大いに果たした。

トイレンナーレの効果

まちなかのにぎわい創出には、まちなかに関わる人づくりが肝である。主催者がどんなにがんばろうと、当事者的に関わる人がいなければ、活動を持続することはまず不可能だろう。

トイレンナーレでは、各種事業への参加協力店舗は151軒、ボランティアスタッフ「ポールさん」の参加人数は延べ828人であった。ボランティアへのアンケート（回答者数31人）では、93%がトイレンナーレに満足したと答え、次回参加についても同じく93%が参加したいと回答している。実際に当事者として関

写真2-11　音入れお便器ょう会「音入れジョークボックス」

わったことでアートフェスティバルやまちなかへの参加意識が醸成されたことがうかがえる。全国各地で開催されるアートフェスティバルをみても、例えば、瀬戸内国際芸術祭では、域外から参加した人がボランティアスタッフとして関わるうちに、地域への愛着が生まれ、移住してまちづくりに参加するといった事例も生まれた。そして、そこから地域住民との協働が生まれ、地域全体で活性化に取り組むうねりにつながるといった効果も生まれている。トイレンナーレでは、関わったスタッフの満足度が高かったが、中には参加して初めてそのおもしろさに気づいた人、興味を持った人もいよう。ボランティアなどの当事者的な参加にはまだまだ伸びしろがあり、こうした人づくりが今後のアートプロジェクトだけでなく、まちづくり自体の鍵を握っている。より多くの市民の理解と参加、欲をいえば、店舗・企業も含め、大分市民全体が関わるような幅広い積極的な参加を期待したいところだ。

開催報告書によれば、来場者数は、当初目標の15万人を上回る18万人。アンケートで来場者の属性をみると、大分市外の在住が約50％で、県外では関東からの来訪者が15％で九州·沖縄より高い数値だった。JRの観光誘客キャンペーンによる来訪者や、周辺各地のイベントとの相乗効果があったとしても、おそらくこれまでまちなかに訪れたことがなかった層の人に、大分市のおもしろさを知ってもらう契機となった点で十分評価に値する。アンケートに「商店街を歩くきっかけとなった」「今まで入ったことのない商店やまちかどの風景に出会えた」「大分の魅力に改めて気づいた」という回答があることも踏まえると、当初目的の交流人口増加やにぎわい創出の面でも一定の成果があったといえる。来場者の満足度や次回開催への意向は、ともに約90％と高い評価となった。さらに「トイレンナーレ」というネーミングのインパクトもあり、大分市の名はさまざまなメディアを通じて全国に発信された。政府がこの年に創設した日本トイレ大賞の地方創生担当大臣賞も受賞した結果、全国区の話題となり、5億円のパブリシティ効果（メディア露出の広告換算）を生み出した。このように、大分市をアートのまちとしてアピールできた点でも、これまで希薄だった大分市の都市型観光振興を文化芸術の切り口から進める素地を整えたといえる。

トイレンナーレに続く

観光振興とまちづくりの両面からみて、芸術祭を一過性のものにするのでなく、次のステップに向けて続けていく必要がある。そこで、トイレンナーレの後継事業に決まったのが、大分アートフェスティバル2019「回遊劇場 SPIRAL」だ。このネーミングは、2018年に大分県で開催された第33回国民文化祭おおいた2018／第18回全国障害者芸術・文化祭おおいた大会（以下、国民文化祭）の大分市のリーディング事業「回遊劇場～ひらく・であう・めぐる～」のタイトルを引き継いでいることからもうかがえる通り、トイレンナーレの後継事業であると同時に、実質的には国民文化祭リーディング事業の続編ともなっている。

トイレンナーレでひらかれたまちの可能性を広げ、「回遊劇場～ひらく・であう・めぐる～」では、まちなかをめぐり、アートを通してまちなかの日常と非日常を交錯させながら新たな魅力を発見した。そして「回遊劇場 SPIRAL」は、トイレンナーレや国民文化祭リーディング事業のレガシーを引き継ぎ、まちなかに作品を点在させてさらに回遊性を高めることで街の魅力を体感してもらい、観光振興や地域ブランドの向上を実現しようとするものだった。地元新聞社の旧輪転機室（写真2-12）やホテル、商店街の空き店舗といったオルタナティブスペースでインスタレーション作品が制作された。招聘アーティストに加えて、公募で選ばれた県内アーティストがまちなかの建物壁面や商店街のシャッターにウォールアートを描いた。もちろん、点在する作品を回遊するための仕掛けも用意された。

写真2-12　回遊劇場 SPIRAL
曽谷朝絵「宙（そら）」（大分合同新聞 旧輪転機室）

この芸術祭は、ラグビーワールドカップの開催期間に合わせて同時開催された。国内外から試合観戦に訪れる多くの来訪者がまちなかのあちらこちらで思いがけずアートに出会う。芸術祭を身近に感じてもらい、楽しんでもらうための市民参加型のイベントも実施された。こうしたアートファンならずとも楽しめる仕掛けは、市民が芸術祭を他人事でなく「自分事」として捉え、さらに当事者としての参加意欲を抱く可能性もある。市民ファン層の獲得は、今後も芸術祭を継続するうえで重要な要素だろう。そうした市民参加が、まちなかのにぎわいづくりにつながり、ひいては、まちづくりの担い手育成にもつながる可能性もあるだろう。

「回遊劇場 SPIRAL」を機に、来訪者も市民もアートもすべてが、まちなかの渦(SPIRAL)に巻き込まれていき、大分の街がおもしろさを増していくことを期待したい。

4 ジャズが似合う商店街「府内五番街まちなかJAZZ」

大分市の都心部では、トイレンナーレの動きに加えて、新たに府内五番街でもアートイベントが始まった。府内五番街は、駅ビルと新県立美術館を結ぶ導線から外れており、商店街衰退への危機感がとりわけ強かった。そこで、商店街のジャズカフェ・オーナーが発起人となり、2015年にストリートジャズフェスティバル「府内五番街まちなかJAZZ」を開始したのだ。市民によるこの手づくりイベントは、その後も毎年開催されている。

市民による手づくりイベント

おおいたトイレンナーレは、行政職員の提案事業であり、行政主導で開催されたイベントであったが、大分市には、ほぼ時を同じくして市民が企画し、市民の手によって今日までつくりあげてきた文化芸術イベントがある。前述したように、むしろこうした市民の主体的な活動がまちづくりでは重要であり、このような活動がさまざまに連携して面的に拡大していくことが、持続可能性（サステナビリティ）の面からみても理想といえる。

前節に続いて、筆者が実際に一市民の立場から実働部隊として関わった、市民手づくりの文化芸術イベントを紹介したい。

商店街のストリートジャズフェスティバル

大分駅から数えて五番目にある商店街であることから名づけられたという府内五番街。この商店街は、屋根のあるアーケード街が一般的だった当時としては画期的にも、経年劣化で通りの見栄えを損なうほど老朽化した約400mの屋根をすべて撤去し、1994年、ハナミズキの緑の街路樹に沿ってゆるやかにカーブする石畳の歩道が続く、オープンエアの心地よい通りに生まれ変わった。その後、この雰囲気が気に入ってブティックや雑貨店が出店したのも、そのブティックを訪れたフランスのアパレル関係者が絶賛したというのも、なるほどとうなずける。商店街が一変して以降、通りには洒落たブティックや雑貨屋、飲食店が並び、感度の高い人たちの集まるエリアとなっている。

とはいえ、この商店街も例に違わず来街者の減少が進んでいる。駅ビルから県立美術館への導線から外れる立地から、これら施設の開業がプラス効果をもたらさず、むしろさらなる減少につながるのではないかという危機感があった。このため府内五番街商店街振興組合は、来街者の増加に向けてさまざまなイベントを仕掛け、にぎわいづくりに取り組んでいた。

そうしたなか、とある一軒のジャズカフェが2014年に五番街に開店したことを契機に、商店街の特徴を踏まえ独自性が高く、かつ商店街とともに成長を続けるにぎわいづくりのイベントが新たに生まれた。それが、ストリートジャズフェスティバル「府内五番街まちなかJAZZ」である。

府内五番街まちなかJAZZ

「五番街」というと、アメリカのニューヨークを連想する読者もいると思う。そしてニューヨークといえば、ジャズのメッカである。そうした名まえのつながりがあってか、この商店街には毎日欠かさずジャズが流れ、その音色が街並みに心地よく溶け込んでいる。

このジャズカフェのオーナーも、そうした商店街の雰囲気を気に入り、店を出した一人である。大分では数少ないプロのジャズミュージシャンでもあるオーナーは、ジャズをもっと多くの人に楽しんでもらいたいと考え、商店街に出店して以降、営業を行うかたわら、無償でほぼ毎夕、五番街でストリートジャズライブを続けるようになった。ジャズプレイヤーにとってのジャズのおもしろさは、コード進行というルールに則しつつ、どんな音を選んでもよい自由さと創造性を駆使し、瞬間的に音楽を創作していくところにある。「ジャズは名曲ではなく名演だ」といわれる所以(ゆえん)だ。また、ジャズの曲にはスタンダードナンバーが多く、コアなジャズファンならずとも、そこはかとなく聴き覚えのある曲も多い。そうした曲がプレイヤーによって表情をまったく変えるのをリスナーが楽しむことができるのも、ジャズのおもしろさだろう。しかし、こうしたジャズに触れる機会がなかなかないのも事実である。誰もが皆、身近にジャズを感じられるよう、不特定多数の人々が集まる商店街でジャズフェスティバルを催すことに意味があったと、後日、発起人のオーナーは語っている。

ジャズを身近に感じてもらいたいという趣旨に賛同し、ジャズ好きでピアニストでもある若手県庁職員や、オーナーとジャズに関して長年の付き合いがある筆者も、ストリートライブに可能な限り参加した。ある週末の昼下がりには、誰もが知っているジャズスタンダードナンバー「聖者の行進」を2時間以上休みなく演奏し続け、その演奏に合わせて商店街の店主や通りすがりの人が順番に歌うなど大いに盛り上がった。また夕暮れ時のストリートライブでは、ショッピング途中に腰をおろして生演奏を聴く来街者も徐々に増えるなど、日々の地道な努力により、まちなかで気軽にジャズの生演奏を楽しめる素地も少しずつできあがってきた。

そうしたなか、さらに多くの人に楽しんでもらいたい、かつ多くのミュージシャンに演奏してもらう場をつくりたいとの思いから、この商店街の400mのストリートをすべて使ったジャズフェスティバルが発案された。これが府内五番街まちなかJAZZの発端である。このようにして、まちなかJAZZは、ジャズの普及と、商店街のにぎわいづくりの相乗効果をめざして企画され、第1回の企画運営は、発起人のオーナー、先述の県職員、筆者というきわめて少ない人員に、商店街側の代表として商店街振興組合の副理事長が加わって実行委員会を組織することでスタートした。

副理事長はこう語る。「街はそこで商売をする人だけのものではなく、そこに住む人、そこにやって来る人、皆のもの。そして、商店街は街のコミュニティ。いろんな人が市内外から集まり、使われることで活きる。誰かれなく、さまざまな用途でこの場所を利用してほしい」

とてつもなく手づくり！

ストリート全体を使ったジャズフェスティバルは、当地ではもちろん初めての試みで、財源や当日の運営など問題も多かった。しかし、商店街振興組合がそうした思いから当初より積極的に賛同し、実働面でも最大限協力してくれたこと、そして、商店街の予算をこの事業に充ててくれたことが、このイベントを実現するうえで大きかった。

府内五番街まちなかJAZZは、市民が自ら企画し実施する“手づくり”のイベントだ。しかも、あえていうなら“とてつもなく手づくり”だった。

大都市とは違い、商圏が限られた大分市の、しかも一商店街のストリートで始めた小規模なイベントである。スポンサーとなる企業がいるはずもなく、財源は、商店街の組合資金と、商店街支援を目的とした自治体の補助金のみといった、限られた予算の中で実施された。警備費用など最低限の必要経費以外は、すべて無償の協力に頼らざるをえなかったのが実情だ。しかし、実行委員が関係者一人ずつと地道に交渉した結果、県内でプロ活動をするミュージシャンや、音響などの専門スタッフがほぼすべて無償で協力してくれたし、機材や楽器も無償で借りることができた。他にも、ボランティアを買って出てくれた学生や、お店の経営よりもイベントを優先して当日のステージを統括してくれた商店主もいた。結果的に、これら大勢の人々が手弁当で参加してくれたことで、このフェスティバルは“とてつもなく手づくり”のイベントになったのだ。

また、このイベントは「ジャズを広げたい、ファンを増やしたい」という目的に加えて、多くの来訪者を商店街に呼び寄せるにぎわいづくりをも企図していた。このため、一部のジャズファンのお祭りではなく、ジャズファンでなくても多様に楽しめるイベントをめざした。その手法として、初めてジャズを体験する初心者向けのチャレンジステージを設けた点は特筆に値しよう。とはいえ、その場で突然パフォーマンスを行うのはさすがに無理なので、事前にリハーサルを重ねたうえでの当日参加を前提とした。本番に向けて、筆者らはほぼ毎晩、夕暮れ時から商店街で路上ライブを重ねていたが、本番直前ともなると、チャレンジステージ参加者までもがこのライブに参加するようになった（写真2-13）。通りがかった人々が足を止め、参加者の知り合いが応援に訪れ、近くの商店で調達したお酒やつまみを片手に夜ふけまで盛り上がった。あ

写真2-13　府内五番街まちなかJAZZ　夕暮れライブ

る意味では、このリハーサル自体が商店街への集客を誘発するきっかけづくりになったし、商店街を訪れる不特定多数の人々に向けてジャズフェスティバルを直接アピールする広報・周知活動にもなった。

第1回は2015年9月、秋晴れの空の下で開催された（写真2-14）。出演者は総勢100名。400mの通りに5か所のステージが設けられ、昼下がりの五番街はジャズ一色に染まり、出演者と聴衆で埋め尽くされた。「五番街がこんなに人で混み合うのは久しぶり」という感想が寄せられたように、終わってみれば多くの人が訪れ、交通整理が追いつかないほどの人出となった。

府内五番街まちなかJAZZはその後も、毎年開催されている。県外からもミュージシャンの参加申し込みがあるなど出演者も増え、2019年の第5回では出演者約250名と当初の倍以上となった。聴衆も5千人を超える規模になっている。東京書籍が2018年に刊行した地理Bの高校教科書には、中心市街地活性化を目的に催されたイベントの代表例として取り上げられた。

今後の展開、そして可能性

こうした規模の拡大などにともない、実行委員会も第1回から大きく変化し、商店街振興組合役員を軸に、音響・音楽関係者などそれぞれのパートの担当者が複数名ずつ加わり、より役割分担が明確化した組織体制となった。今後も回を重ねながら、さらに円滑かつ効率的な運営ができるよう工夫がなされていくだろう。

写真2-14　第1回「府内五番街まちなかJAZZ」当日風景

このイベントは予算がないがゆえに、多くの人々を地道に巻き込んだ手づくりイベントとして実施するしかなかったわけだが、裏を返せば、その結果として、多くの人々がこの商店街に関わることになった。彼らが、まちづくりを「自分事」と捉えて参加するようになったのは特筆すべきだろう。こうして今日も徐々に規模を拡大しながら、継続的に開催されているのは、手づくりのイベントであることを理解し、協力してくれる人が増えているからにほかならない。

府内五番街まちなかJAZZは、プロ・アマ・初心者を問わず多くの人に参加してもらうことでジャズの振興を図るものであった。それが結果的に、商店街のにぎわいを生み、また「五番街はジャズの街」というブランドを確固たるものにすることにもつながった。さらには、イベントに関わった音楽関係者の中から、この商店街を活動の場として出店したり、オフィスを開設するなど、まちなかに関わる人材の集積といった効果もささやかながら生まれている。こうしたクリエイティブな人材の新たな目線や、多様な連携から、新たなにぎわいづくりの活動が発生する可能性もある。

ただ、予算というハードルはある。今後は民間のスポンサー協力や自治体からの補助金なども積極的に検討すべきだろう。市民が主体的に取り組むイベントであるからこそ、自治体が縁の下の力持ちとして支えるに足る価値があるのではないか。予算面の課題がクリアできれば、さまざまな可能性や選択肢が増えるだろう。五番街を中心にエリアが広がり、まちなかでさらにジャズがあふれ出すかもしれない。

ジャズファンの一人として、大分がそうした街になるのはとてもうれしいことだ。それが、さらに多くの市民の手でつくられていくのなら、なお一層、今後のまちなかへの期待がふくらむ。

5 アートを柱に観光誘客「おんせん県おおいたデスティネーションキャンペーン」

大分県では、別府市・大分市・竹田(たけた)市・国東(くにさき)半島など県内各地で、芸術祭が花盛りになっていった。ここでは、それらの多様な取り組みの集大成として、2015年夏に県内全域で催された「おんせん県おおいたデスティネーションキャンペーン」の成果をご紹介しよう。大分県やJRグループが連携して実施したこの観光誘客キャンペーンでは、アートによる観光振興が大きな柱になっていた。

大分のアートシーンを振り返る

ここまで説明してきた大分県内の主な取り組みを、改めて整理してみよう。まずはBEPPU PROJECTの創設が2005年のこと。別府を創造都市にすることをビジョンにかかげ、さまざまな活動を始める。2009年には1回目の別府現代芸術フェスティバル「混浴温泉世界」を開催し、その後に2012・15年の全3回にわたるトリエンナーレ化を決定した。2010年からは、市民参加型の文化祭ベップ・アート・マンスもスタートし、その後は毎年秋に定期開催されるようになる。

別府市内のこうした動きと並行して、大分県では新県立美術館の整備が検討されていた。大分経済同友会は、別府の先行した取り組みも視野に入れながら、国内外の創造都市の動向に学んで、県立美術館のまちなか立地と、県都大分における創造都市実現を2011年に提言。こうした提言も踏まえて、美術館は大分市の都心部に整備されることになった。

大分市・別府市という県の中心部だけでなく、国東半島や竹田市でもアートプロジェクトが起動する。国東市国見町では2010年より国見町工房ギャラリーめぐりが、竹田市では2011年よりTAKETA ART CULTUREが、定期開催されるようになった。2012年からは、国東半島の豊後高田(ぶんごたかだ)市・国東市を舞台に、国東半島アートプロジェクトがスタートし、2014年秋に本番の国東半島芸術祭を迎える。大分市でも、市職員の提案にもとづき、2013年からおおいたトイレンナーレの準備が始まった。

そしてJR大分駅周辺では、2012年に大分駅付近連続立体交差化（高架化）が完了し、2013年の大分市複合文化交流施設ホルトホール大分の開館を経て、2015年4月に満を持して大分駅ビルのJRおおいたシティがオープンする。同じ4月には前後して、新たな大分県立美術館も開館した。

説明し残した大分市臨海部のアートプロジェクトも、補足しておこう。大分の臨海部の活性化をめざすNPO法人大分ウォーターフロント研究会は、荒井良二の制作した二つの大きなパブリックアートを2014年3月に別府湾岸に設置した。荒井はわが国を代表する絵本作家。かんたん港園のフェリー乗場跡に残る赤い門の上に設置された「マッテルモン」（写真2-15）は、船着場という、出会いや別れがあり人を待つ場所のイメージから、何かを待つ「つぼみ」のようなキャラクターである。片や、高崎山おさる館前の芝生広場に設置された「たいようをすいこむモン」（写真2-16）は、約4mの高さの巨大な門だ。高崎山自然動物園や水族館の近くに生い茂る芝生から、生命を感じて太陽を連想し、誰にでも平等な太陽を吸い込む「窓」のような作品を構想したという。二つの作品は、別府から観光スポット高崎山を経て大分市街地までの回遊性をアートでつなげようと企画されたもので、別府と大分を湾岸沿いにつなぐ別大国道に沿って設置された。いずれもSNS映えする作品で、絶好の撮影スポットになっている。

さらに、これらの作品に触発された「水族館うみたまご」は、イルカや魚と触れ合い遊べる屋外型施設「あそびーち」を新設する際に、アート型遊具のデザインのプランを全国公募した。グランプリ受賞者に賞金150万円の授与と実作品の制作を

写真2-15　荒井良二「マッテルモン」

写真2-16　荒井良二「たいようをすいこむモン」

依頼する内容で、応募総数95件の中から、日本工業大学金野研究室＋KONNOの「うみさんぽ」（写真2-17）がグランプリを獲得した。「あそびーち」のオープンも、JRおおいたシティや県立美術館と同じ2015年4月のことである。

アートを柱とした観光誘客キャンペーンの開催

こうした文化芸術と観光まちづくりの融合の総決算となったのが、2015年7〜9月にかけて開催された「おんせん県おおいたデスティネーションキャンペーン」であろう。デスティネーションキャンペーンとは、Destination（目的地・行き先）＋Campaign（宣伝）の造語。自治体および地域の観光事業者などがJRグループ6社と連携して、全国からの誘客を図る、国内最大規模の観光キャンペーンである。

大分県では、県都大分の景観が一変した2015年という絶好のタイミングで、20年ぶりにこのキャンペーンを誘致し、大分の新しい魅力を発信して観光振興を図った。今回のデスティネーションキャンペーンには五つの柱がある。まずは「温泉」。「日本一のおんせん県おおいた」を標榜する大分県としては、当然のセレクションだろう。次の三つは「食」「自然・夏」「歴史・文化」。どこの県でもデスティネーションキャンペーンを催すときは、これらの地域資源が柱に入るのはあたり前である。大分県でのキャンペーンの最大の特徴は、「アート」を五本目の柱にすえて観光振興を図ったことだ。

大分県がBEPPU PROJECTに委託して制作したガイドブック『ARTrip 大分』は、キャンペーン期間中に観光客に勧めるアートスポットを紹介している。改めて冊子を繰ると、そこには混浴温泉世界、TAKETA ART CULTURE、おおいたトイレンナーレ、国東半島芸術祭で制作されたアート群、大分県・市の美術館の企画展などが載っている。さらに、各地の食・宿・観光情報や、各地の文化を牽引する人々へのインタビューが掲載

写真2-17　水族館うみたまご
日本工業大学金野研究室＋KONNO「うみさんぽ」

され、混浴温泉世界2012で刊行された『旅手帖beppu』の全県バージョンと称してよい。府内五番街まちなかJAZZが開催されたのもキャンペーン期間中だが、残念ながら冊子には載っていない。短期間に市民主導で急速に盛り上がった企画ゆえ、掲載が間に合わなかったのだろう。

『ARTrip 大分』には、地域ごとのアート紹介に加えて、広域展開事業として「JR九州おおいたトレインナーレ」が掲載されている。

「おおいたトレインナーレ？……えっ、トレイン⁉」

何かの間違いと思われたかもしれないが、決して誤植ではない。トレインで正しい。「トレインナーレ」とは、「鉄道（トレイン）」と「トリエンナーレ」を掛け合わせた造語なのだ。大分市の職員が、トリエンナーレのダジャレで“トイレンナーレ”をやるぞと言い出した経緯はすでに述べた。その話を聞いたJR九州の大分支社長が「大分市がトイレンナーレをやるなら、俺たちは“トレインナーレ”をやるぞ」と言い放った。そうして生まれたのが、駅舎と鉄道を舞台とする芸術祭「JR九州おおいたトレインナーレ」だ。

芸術祭の主な企画は、大分生まれの絵本作家ユニットであるザ・キャビンカンパニーが展開したスタンプラリー「ブンゴ・アート・トレジャー」（写真2-18）である。別府駅・臼杵（うすき）駅・由布院駅・豊後竹田駅に、絵本から飛び出してきたかのようなアート作品を設置するとともに、それらの駅を含む九つの駅をめぐってスタンプを集めるイベントだ。それにしても、トイレンナーレに加えてトレインナーレである。ダジャレにダジャレがかぶさった結果、筆者はデスティネーションキャンペーン期間前後、しばらくトリエンナーレという元の言葉をまともに発音することができなかった。

写真2-18　JR九州おおいたトレインナーレ
ザ・キャビンカンパニー「ブンゴ・アート・トレジャー」

さて、このように大分県内のアートプロジェクトは、一個一個を手に取ると、全国の大規模な芸術祭に比べてはるかに小さい。混浴温泉世界も芸術祭としては中規模で、大型の芸術祭に比べて予算は一桁少ない。しかし、県内広域にわたって、さまざまな人たちがさまざまな事業を手がけているのが、大分の特徴であろう。江戸時代の小藩分立の中で、多種多様な地域文化が培われた大分のDNAが、現代に甦ったかのような印象を受ける。

第3章

「創造県おおいた」の始動

1「創造県おおいた」を大分県の戦略に

第1章では、別府市・大分市という大分県中心部における創造都市の取り組みを説明した。第2章では、その取り組みが県内各地に波及し、竹田(たけた)市・国東(くにさき)半島でも芸術祭が始まり、大分市内でも新たな取り組みが動き出し、2015年に県全域でアートを柱に観光誘客キャンペーンが開催されたことを説明した。当初は別府市や大分市という都市単位で構想していた創造都市の考え方が、県広域の振興に活用できるとわかってきた。大分県は、そうした体験を通じて、県内全域を対象にあらゆる政策にクリエイティブな発想を掛け合わせる戦略を提唱する。ここでは、その戦略「創造県おおいた」が生まれた経緯をご紹介する。

創造都市の広域化

ここでまず、時計の針を少し巻き戻してみよう。筆者は2010年に大分に赴任して以降、混浴温泉世界やトイレンナーレに実行委員の一員として関わりながら、大分経済同友会のメンバーとして新しい大分県立美術館のあり方に関する提言活動にもたずさわってきた。そのかたわら、大分県内を定点観測するうちに、別府・大分市内だけでなく、県下広域で創造都市をめざす流れが胎動しつつあることに、2012年頃から気づき始めた。もちろん、それに気づいたのは筆者一人ではない。同友会としても、竹田市のTAKETA ART CULTUREや、国東半島芸術祭とそのプレ事業を幾度か視察している。

要するに、大分県内各地でまちなかを舞台として、美術館や文化ホールの枠内に収まりきらない芸術祭が実施されるようになってきた。こうした多彩な取り組みを踏まえるに、創造都市を都市レベルで捉えるのではなく、そのあり方をもう少し広域で考える必要があるという問題意識が芽生えてきたのだ。

「創造県おおいた」の起点

こうした考えにもとづき、大分経済同友会は2014年4月に「提言 クリエイティブ大分を目指して」をまとめ、大分県に提出した。県内各地の取り組みを踏まえ、創造都市の考え方を県内全域に拡大しようという提案である。とはいえ、県内にあるのは都市部ばかりではない。竹田市や国東半島のような中山間地域も多く存在しているが、わが国の創造都市論は、そのような地域でも創造農村を実現することが可能であると説いている。ならば大分県は、創造都市+創造農村として「創造県」をめざすべきだと提唱した。さらに、都市・地域の創造性を高めることの意義・効果は、文化面はもちろん、まちづくり、産業経済、教育、コミュニティ・福祉、観光など多岐にわたる。文化・社会・経済が相乗効果を生み、住民皆が幸福となる社会を築くことが最終的な目的である。大分がめざすべきこうした長期ビジョンを、提言では「クリエイティブ大分（創造県 大分）」と銘打った。

クリエイティブ大分の提言は、大きく四本柱から構成される。

提言1は「おんせん県」と「アート県」の二本柱による観光振興である。小藩分立の歴史を持つ大分県は、多様性はアピールしやすいが、県全体としての地域ブランド力の強化には統一的イメージの演出も不可欠である。それゆえ大分県は、「おんせん県」というキャッチコピーをかかげたわけだが、「温泉」のイメージはやはり、別府・湯布院が圧倒的に強い。これに対して「現代アート」というエッジの効いた地域ブランドは、県都大分や国東半島も舞台としており、「おんせん県」を補完するかたちで、より広範囲をカバーしうる。「温泉」や「海・山・自然」という大分古来の観光資源と、「現代アート」というプラスアルファの新たな魅力を掛け合わせることで相乗効果を発揮することが、大分県の地域活性化に有効と考え、「おんせん県」に続く二の矢として「アート県」を売り出すことを提言したのだ。

提言2は、県都大分における都市型観光の振興である。県都大分は、これまでビジネス目的の出張者は数多く受け入れてきたが、観光目的の来訪者は少なかった。しかしながら2015年には、県立美術館、JRおおいたシティ、おおいたトイレンナーレなどの施設・イベントが中心市街地に生まれた。大分市美術館や市民主導の文化芸術イベントの取り組みもさらに進んでいくと期待される。これらの個々の取り組みを単発で終わらせることなく、相互の連携・協働を図り、まちなかの新しい魅力として一体的に情報発信することで、来街者のパイの拡大につなげることが重要である。さらに、既存の地域資源（食文化など）を改めて見直し、創造的な切り口から新しい魅力を付加して発信することも有効である。以上の視点を踏まえつつ、県都大分を舞台に都市型観光の振興を図ることを提言した。

提言3「アートと産業のコラボレーションの推進」については、次節で大分県版クリエイティブ産業創出へのチャレンジを紹介したい。提言4「アートと地域社会の出会いを通じた社会的課題の解決」に関しては、すでに県内各地の芸術祭の取り組みを紹介している。

「創造県おおいた」が新長期総合計画の柱に

おりから大分県では、県政の最上位計画である長期総合計画の期間が2015年度で終了することを受け、新計画の検討が始まろうとしていた。その中で大分県は「人口減少社会」「芸術文化」「東九州自動車道」を、将来をみすえた県政の重要課題に位置づけた。これらの課題と対応策を集中的に調査研究するために、大分県は、県内外の有識者から構成される「人口減少社会を見据えた特徴ある地域づくり研究会」「芸術文化ゾーンを活用した新たな展開研究会」「東九州自動車道の開通後の新たな展開研究会」の三つの研究会を2014年度に設置した。このうち、「創造県」という命題を引き受けたのが、「芸術文化ゾーンを活用した新たな展開研究会」である。

芸術文化ゾーンとは、大分市内のiichiko総合文化センターと、新たに開館した大分県立美術館という隣接する二つの県立文化施設から構成されるゾーンを指す。大分県では、大分県芸術文化ゾーン創造委員会の答申を踏まえて、ゾーンのネットワークづくりに向けた検討を進めてきたが、民間や市町村で、文化芸術を活かした地域活性化に向けた多彩な動きが前述のように加速し、芸術文化ゾーンを取り巻く環境は大きく変化しつつある。さらに、こうした県内の状況と同時並行で、わが国の文化政策も大きく変貌を遂げつつあった。

芸術文化ゾーンを活用した新たな展開研究会は、こうした環境変化を踏まえ、今後の新たな政策展開に必要なコンセプトや具体的な取り組みについて議論するため、2014年5月に設置された。研究会には、県内からは大分経済同友会メンバーの企業経営者や、地域の文化芸術団体、県外からは創造都市や文化政策の専門家が参画し、筆者を座長として検討を行った。初回の研究会での意見交換を踏まえて、論点を以下の三つに大きく整理したうえで議論を行うこととした。

論点1　大分県ならではの創造都市のコンセプト
論点2　芸術文化の持つ創造性を活用した教育・産業・福祉・医療・地域づくりなどの行政課題に対応するための取り組みとは何か
論点3　創造の場（新しい動きが出てくる場）をどうやってつくり、芸術文化ゾーンと地域（アート拠点・団体など）の連携をどのように進めていくか

研究会では、委員から提供された情報や資料をもとに、国内外の先進事例や県内のアートプロジェクトについて、その課題や効果について研究を行った。具体的な取り組み内容となる論点2から議論を始め、その取り組みを支える基盤のあり方に関わる論点3へと議論を深め、最終的なコンセプトとして論点1のとりまとめを行った。各委員からは、いずれの論点においても、大分の特性を踏まえた、大分らしいコンセプトや取り組みが必要であるという意見が多く出された。また「芸術文化ゾーンをどう活用するか」という視点から検討が始まった研究会ではあったが、議論を進めるなかで、地域が抱える多様な課題に対応していくには、芸術文化ゾーンに限らず、県域・県政全体でクリエイティブな取り組みを推進していくことが不可欠との共通認識にいたった。

全5回の研究会を経てまとまった結果は、2015年2月に座長である筆者から県知事に報告した。大分県は、研究会報告を踏まえ、新長期総合計画策定県民会議の議論も経たうえで、2015年10月に今後10年間（2015～24年度）の県政運営の道標となる新たな長期総合計画「安心・活力・発展プラン2015」を策定した。その中では「芸術文化による創造県おおいたの推進」が政策の大きな柱にかかげられた。大分県の長期総合計画は、研究会の検討結果を踏まえ、一般的な文化政策の推進に加えて、文化芸術の創造性を活かした行政課題への対応、創造性を活かした地域づくりを進めていくことになった。

以下では、研究会の報告が大分県の政策にどのように反映されたかをみていきたい。

大分県ならではの創造都市のコンセプト

研究会報告では、論点1の大分県ならではの創造都市のコンセプトとして、『〈個〉と〈共〉の創造性がせめぎあう「そうぞう県おおいた」の実現』をかかげた。

20世紀型の経済社会の仕組みが世界的に激変するなか不透明な未来をみすえ今後の地域づくりを進めるうえで、従来の枠組みにとらわれない新しい価値の創造が県民一人ひとりに求められている。そのためには、文化芸術の持つ「創造性」が大きな役割を果たす。創造都市をめざすこうした潮流は国内外で加速しているが、異文化や異質な他者を受け容れる多様性と寛容性の伝統を持つ大分県には、以前からそのような世界市民（コスモポリタン）の文化風土があったはずだ。

第1章で、キリシタン大名の大友宗麟（そうりん）が統治した大分を「中世の創造都市」と評したが、大分の創造的な文化環境はそれだけではない。大分県の文化政策の方向性を定めた「大分県文化振興基本方針」（2004年決定）は、大分の伝統を次のように活写する。

大分県は、海岸部から平野部、高原、盆地など複雑な地形に応じた、温暖な地域から高冷地まで変化に富んだ気候をもつとともに、豊かで美しい海と緑の山々、豊富な温泉や湧水など多様な自然に恵まれ、個性豊かな風土を形成しています。また、約300年にわたった小藩分立の歴史によって、それぞれの地域で独自の気風が育っています。このことが県内の各地域に多様性に富んだ独特の文化財や伝統芸能などの伝統文化が存在する背景となっています。また、大分県は古来、宇佐八幡文化、六郷満山の仏教文化が華ひらき、キリシタン文化の導入、さらには三浦梅園、帆足万里、広瀬淡窓、田能村竹田、前野良沢、福沢諭吉などの江戸期や明治の文明開化に活躍した先人にみられるように、異文化を積極的に摂取・融合し、固有の文化を創造する進取の精神に富んでいるといわれています。

基本方針は文明開化までしか論じていないが、新産業都市における基礎素材型産業の誘致に始まり、テクノポリス構想によるハイテク産業誘致、産業クラスター構想による自動車・LSI産業の振興にいたるまで、大分県の産業政策もまた、異文化の摂取・融合を通して独自の産業文化を創造してきた歴史と評せよう。すなわち「大分らしさ」とは「異文化との出会いを通じて自らを創造的に変えていくこと」にある。新たな「創造」こそが「伝統」なのだ。大分県民のDNAには本来、創造性と多様性が埋め込まれているといえよう。

こうして、異質なる他者を積極的に受け容れる多様性が、大分の伝統だとわかった。一方、創造都市論に大きな影響を与えた米国の都市経済学者フロリダは、地域経済の成長要因として技術（Technology）、人材（Talent）に加えて、寛容性（Tolerance）という三つのTをあげている。ならば、異文化受容の歴史を積み重ねてきた大分県は、創造都市たりうる要件を、生まれながらにして備えていたのではなかろうか。

世界の文化芸術、さらには経済社会そのものが大きく変貌を遂げるなか、それらと正面から対峙し、五感を十全に活用して取り込むと同時に、大分の魅力を強力に発信して、両者のせめぎあいの中から次世代の大分文化を創造することが求められている。ならば、大分県の未来を築くには、大分のお家芸たる異文化受容・融合の力を改めて発揮し、経済面だけでなく生活・精神面でも豊かな地域社会を築いていくことが求められる。

新たな創造を行おうとするとき、人は目前に置かれた課題を解決すべく、自らの内面に深く分け入り、蓄積してきた知識や経験を組み合わせながら、アイデアを開花させる。そこでは、知識・経験の新結合を生み出す想像力（Imagination）の強度が問われる。それは時として、妄想とでも評すべき領域にまで足を踏み込むことになるかもしれない。しかし、創造のプロセスには、こうした想像力への過負荷（オーバーロード）を欠かすことができない。自身の内側から「どこにもない自分ならではの何か」を探し出すプロセスは、往々にして個人的で孤独な営みとなりがちだ。

他方で、そうした過程を踏んだ後には、その成果を自分の外部に向けて表現・発信していくことになる。しかし、ここで少し立ち止まって考えてみてほしい。県民全員が他人に向かってめいめい勝手に「自己表現」をしている社会というのは、ある意味たいへん騒がしくやかましい――大分弁でいえば「しゃあしい」――社会ではないか？　そこには数々の葛藤や緊張関係も生じるだろう。しかし、過去の大分でも、異文化受容と独自文化創造のプロセスが何の軋轢もなく進んだとは限らない。大陸由来の異教をわが国の固有信仰と融合させる一大社会実験を敢行した六郷満山の神仏習合。中世日本社会に「南蛮文化」という最新型の基本ソフトをインストールした大友宗麟。歴史的・伝統的な階級社会にノーを突きつけた福沢諭吉。おそらく、そうした異世界の文化や思想を受け容れるなかでは、さまざまな葛藤が生じたと考えるほうが自然だろう。それでも今、こうした葛藤と融合の歴史・文化は、大分が内外に向けて誇るべき大きな財産となっている。おそらくそこには、新たな創造のために葛藤しつつも、その葛藤のプロセス自体も含めて楽しんでしまえる心性があったのではないか。

人々のワイワイガヤガヤとした自由な意見交換、談論風発の中から新しいアイデアが生まれ、それが地域の経済社会へと波及していく。「創造都市」とは、そうした「騒々しい都市」であるというダジャレを聞いたことがある。最初は個人の想像・妄想の産物にすぎなかったアイデアが、他者とのにぎやかな対話を通じて、新たな創造へといたる道筋をみいだしていく。こうした過程をCo-Creation（共創）と呼ぶ場合もあるが、ここではそうした対話の楽しさやにぎやかさ、晴れやかさを重視して「騒々しい」の英訳としてConvivialをあてたい。聞きなれない単語と思うが、辞書で引くと「懇親的な」「友好的な」「陽気な」「祝祭的な」「宴会好きな」といった意味があり、原義は「他者とともに生きること」だとわかるだろう。この言葉を「生き生きとした自立共生」といったニュアンスで用いたのが、哲学者・文明批評家のイヴァン・イリイチである。

さきほど、想像力の個人的で孤独な営みとしての側面を強調したが、もちろん想像力は、他者への理解や共感を紡ぎ出すうえでも不可欠な能力であり、Convivialな社会を築く基盤ともなる。創造都市（Creative City）とは、人々がめいめいに個人として創造性・想像力を発揮している都市にはとどまらない。創造都市が次の一歩を踏み出してその真価を発揮するには、そこに暮らす市民や、外から訪れる人々の間で楽しいワイガヤが続く、「騒々しい都市（Convivial City）」であることが不可欠である。このように、個人とコミュニティに由来する創造性の相互のせめぎあいの中から、次世代の大分県を築き上げていくことこそが、大分県ならではの創造都市のコンセプトである。別にトイレンナーレやトレインナーレを真似たつもりはないが、「そうぞう県」とは「創造性」「想像力」「騒々しい」のもじりである。

このように研究会では「そうぞう県おおいた」というコンセプトを提案したが、いきなり「そうぞう県」では県民が理解しにくいという県サイドの問題提起もあり、最終的には「創造県おおいた」という表記に落ち着いたところである。

具体的な取り組みと体制・基盤づくり

研究会報告の論点2の具体的な取り組みとしては、観光・地域振興や産業振興、社会包摂、教育・人づくりといった政策領域において、アートの創造性を活用することを求めた。多岐にわたる領域のうち、観光・地域振興はすでに県内各地の取り組みを紹介した。産業振興や社会包摂、教育・人づくりについては、次節以降でご紹介したい。

論点3はいわば、こうした多彩な取り組みを推進して、「そうぞう県おおいた」の実現につなげるための体制・基盤づくりのあり方といえる。ここでは、①人々が集まり議論を交わす中から多種多様な創造的活動が生まれる場の形成、②アートNPOの育成支援などを行うプラットフォームの形成、③アートマネジメント人材の育成・定着をかかげている。①の提案は、次節で紹介するクリエイティブ・ハブのような拠点を、県内に開設すべきというものだ。③は論点2の教育・人づくりと重なる面があるので、次節以降で説明する。ここでは、②のプラットフォームについて簡単に解説しておきたい。

文化芸術支援のプラットフォーム「アーツカウンシル」

芸術文化ゾーンを活用した新たな展開研究会の報告書には、アートNPOの育成支援を担うプラットフォームの形成が謳われ、長期総合計画でも、芸術文化の支援・評価・研究の仕組みづくりがかかげられた。大分版のアーツカウンシルの必要性を指摘したものだ。

アーツカウンシルとは、文化芸術に対する助成を軸として、政府と一定の距離を保ちながら、文化政策の実行を担う専門機関とされる。助成に加えて、政策提言を行うシンクタンク機能や、パイロット事業を自ら実施する機能を有する場合もある。

アーツカウンシルは今日、欧米やアジアなど世界各国で設立されているが、その発祥は英国にあり、第二次世界大戦後の1946年に発足した大英アーツカウンシル(Arts Council of Great Britain＝ACGB)を嚆矢とする。初代会長となったのは経済学者のJ・M・ケインズ。アーツカウンシルは、資金調達面では政府からの助成を原資としつつ、文化芸術の支援に際しては独立した権限を持つ。

ACGBは英国の全国組織であったが、北アイルランドについては別途、アーツカウンシル・北アイルランドが1962年に設立されている。また、ACGBは1994年、イングランド、ウェールズ、スコットランドの三地域に分割されたため、以降は北アイルランドを含む四つのアーツカウンシルが国内をカバーする体制となった。アーツカウンシル・イングランド、アーツカウンシル・ウェールズ、スコティッシュ・アーツカウンシル(2010年にスコットランド映画協会と統合してクリエイティブ・スコットランドに改組)、アーツカウンシル・北アイルランドである。このときアーツカウンシルの財源として、以前からの政府助成に加えて、自主財源として国営宝くじの収益金が加わった。

アーツカウンシルがよって立つ原則として「アームズ・レングスの法則」が強調される。第二次世界大戦中、ナチスドイツが文化芸術を政治利用したことへの反省から、文化芸術への支援は政府から一定の距離を置くべきとする考え方だ。要するに「金は出すが、口は出さない」。それを財源面で保障したのが、国営宝くじ基金というわけだ。このため、英国のような独自財源の制度がないわが国では、アーツカウンシルの実現は難しいという意見もある。

しかし、本家本元の英国でも、アームズ・レングスの法則は必ずしも徹底されてきたわけではない。例えば、2010年に労働党から保守党・自由民主党連立政権へ政権交代がなされた際、新政権は財政難の中で予算削減の方針を打ち出した。この結果、アーツカウンシルの予算も、自主財源はともかく政府負担分は大きく削減された。こうした現実を踏まえるに、もちろん自前の財源があるに越したことはないにせよ、アーツカウンシルの本質は、文化芸術や文化政策の専門性を有する組織が、文化芸術団体に継続的に関わり、伴走支援を行うところにあると考える。アームズ・レングスという独立性を担保するのは、アーツカウンシルの文化芸術に対する専門性（プロフェッショナリティ）だと捉えるのが適切であろう。

わが国では2011年、独立行政法人日本芸術文化振興会（芸文振）における専門家の審査・事後評価・調査研究機能を強化し、日本版アーツカウンシルにするとの方針が出された。このため芸文振の基金部に、各分野の文化芸術への助成を担当するプログラム・ディレクター（PD）、プログラム・オフィサー（PO）を配置した。しかし、PD・POはいずれも基本的に非常勤である。約700名の常勤スタッフを擁し、文化芸術分野ばかりか財務・リスク分析の専門家も抱えるアーツカウンシル・イングランドとは比ぶべくもない。

こうした政府サイドの動きと並行して地方自治体でも、東京都（アーツカウンシル東京）、沖縄県（沖縄版アーツカウンシル）が2012年にアーツカウンシルを設置している。政府は2016年度より、こうした地域アーツカウンシルの設置を促進するための補助制度を設け、新潟市（アーツカウンシル新潟）、横浜市（アーツコミッション・ヨコハマ）、静岡県（静岡県版アーツカウンシル）、大阪府・市（大阪アーツカウンシル）、大分県（アーツ・コンソーシアム大分）が第1号として採択された。自治体によって人員・予算規模は異なるが、小回りに動くことができる地域アーツカウンシルは総じて、地域の文化芸術団体に密接に関わって、地域文化振興の伴走支援を行っている。地域アーツカウンシルを設置する自治体はその後も増加しており、2019年には全国各地の地域アーツカウンシルと芸文振の連携組織として、アーツカウンシル・ネットワーク（AC-net）が設立された。

大分県から地方創生のイノベーションを

「創造県おおいた」の取り組みを、国が進める「まち・ひと・しごと創生」――いわゆる「地方創生」の文脈に関連づけて整理してみよう（図表3-1）。大分県内ではまず、2015年をめざして地域づくり・まちづくりや観光振興といった分野で、県内各地で芸術祭が展開した。それがさらに「創造県おおいた」の政策化を通じて、産業×アート、社会包摂×アート、教育・人づくり×アートなど、いろいろな分野に広がっていくことになる。また、こうした分野別の整理とは別に、大分県では、芸術祭をはじめクリエイティブなさまざまな取り組みが県内一円で盛り上がっているという噂が全国に流れれば、地域全体のブランド力も向上する。それによって、定住促進や移住促進にもつながる。前者は、クリエイティブな仕事・活動の場ができるという意味で、国の地方創生でいう「しごと創生」に該当するだろう。また後者は、クリエイティブな人々が移住・定住によって大分に集まってくる点で「ひと創生」だと思う。そして大分県は2020年に向けて、多様なかたちで文化プログラムを継続していくことが重要だ。そのレガシーとして、県内各地が活性化して「まち創生」が図られ、全体として、まち・ひと・しごと創生が実現すると整理できよう。

そのためには、2015年の県立美術館開館や各地の芸術祭のムーブメントを一過性のもので終わらせることなく、これらの取り組みを守り育てることが重要である。

図表3-1　地方創生大分モデルとしての「創造県おおいた」

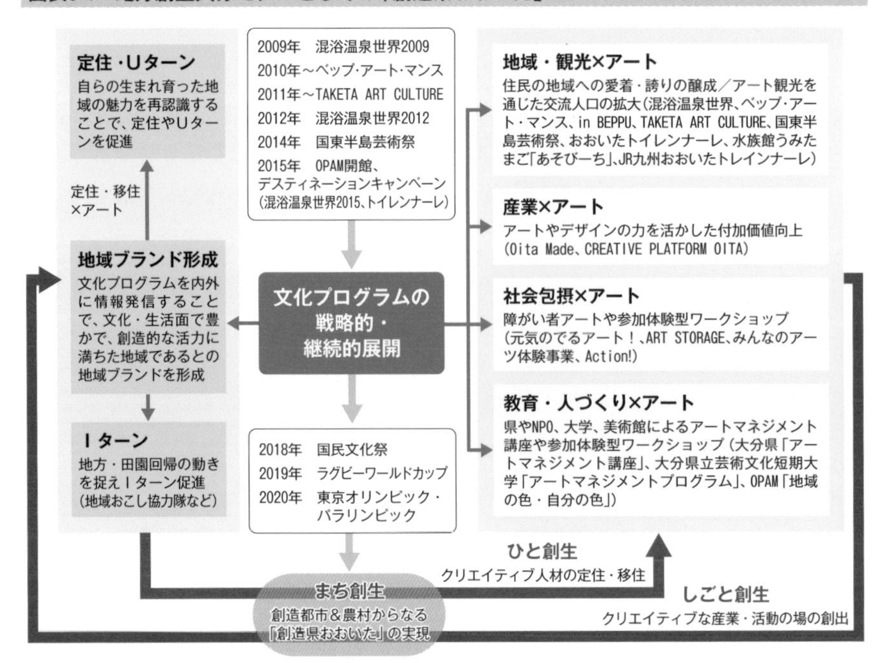

大分経済同友会は2015年7月の「芸術文化の創造性を活かした地方創生大分モデルの提言」で、国民文化祭、ラグビーワールドカップ大分開催、東京オリンピック・パラリンピックが続く2018～20年度にかけて、切れ目のないかたちで文化プログラムを開催し、県民の参加意識を高めるとともに、国内外に大分県の魅力を発信していくことを提言した。まさにホップ・ステップ・ジャンプの三段跳びだ。大分県では、同友会提言や県内文化団体の意見を踏まえて、2018年度に国民文化祭を誘致することを決めた。国民文化祭とは、いずれかの都道府県を会場として、国内の多種多様な文化活動を発表・競演・交流する場を提供する、わが国最大の文化の祭典である。1986年度にスタートし、その後は毎年、各都道府県持ち回りで開催されている。主催するのは、文化庁に加えて開催地の都道府県や市町村。要するに、国体（国民体育大会）の文化芸術バージョンといったところだ。

大分県で催された国民文化祭の正式名称は「第33回国民文化祭・おおいた2018／第18回全国障害者芸術・文化祭おおいた大会」という。ここで新たに登場した「全国障害者芸術・文化祭」とは何だろう。こちらは、障がい者の芸術・文化活動への参加を通して、本人の生きがいや自信の創出、自立と社会参加の促進、そして障がいに対する国民・県民の理解・認識を深めるため、2001年度から、都道府県持ち回りで開催されているイベントである。

国民文化祭が文化庁、全国障害者芸術・文化祭が厚生労働省の管轄であったため、両者は毎年、異なる都道府県で開催されていた。開催地が同じになる場合でも、国民文化祭終了後に全国障害者芸術・文化祭を開始するなど、会期をずらしていたが、2017年度の奈良大会で初めて、同一会期で開催するようになった。大分県はこれを2018年度に開催することで、2015年の経験を確固たるレガシーとして継続することを決めたのだ。

2 大分県版クリエイティブ産業の創出

「創造県おおいた」の取り組みは、芸術祭を中心に観光・地域振興の分野で先行したが、創造性を活かした地域課題解決を、より広範な産業分野につなげることが重要である。ここでは、大分経済同友会の英国視察の成果を踏まえ、「クリエイティブ産業」の定義・意義を明らかにしたうえで、大分県ならではの推進体制として発足した「CREATIVE PLATFORM OITA」がどのような役割を果たしているかをご紹介する。

クリエイティブ産業への初めの一歩

まずは、BEPPU PROJECTが始めた、別府の商品・商店にアートを掛け合わせる取り組みからご紹介しよう。筆者の記憶では、最初期のものは「ざぼん漬」である。ざぼん漬は、砂糖と水飴と水でざぼんの実を炊いた別府名物の菓子だ。土産物屋に入ると大きな塊で売られていたが、単価はたいへん安かった。老舗ざぼん店から相談を受けたBEPPU PROJECTは、そのざぼん漬をスティック状の食べやすいサイズにカットして、綺麗にラッピングして商品化する提案を行った。その結果、販売単価はアップし、売れ行きも好調になったという。さらに、2014年に始まった事業「SHOP×ART」では、別府の商店街にある菓子店や喫茶店、コンビニなどで、店舗とアーティストがコラボレーションを行い、新商品の開発や店内のディスプレイを実施した。

写真3-1 Oita Made

別府のまちなかに限定されていた産業×アートの取り組みが全県展開したのが「Oita Made」（写真3-1）である。観光客が大分県内各地を旅して芸術祭を鑑賞したり、ご当地の歴史文化や観光地を探訪した後、彼らに持ち帰ってもらう大分らしいお土産がほしいという思いから生み出された商品ブランドだ。大分県内で収穫されたものを主原料に、地域に暮らす人々が手仕事で丁寧に仕上げた商品を開発した。「人と土地、地域文化に込められたメッセージを素直に伝える」ことをコンセプトとして、極力デザインを加えず、エコなブランドをめざしたという。商品自体の魅力や生産者の思いを第一として、凝ったパッケージデザインはあえて施さず、商品に貼る簡素なラベルシールをデザインするのにとどめた。ラベルには、地域性が感じられる名称と、生産者の思いを伝える言葉、産地の風景画像を添える。商品ごとにテーマカラーを定め、それらが店頭に一列に並ぶと、ブランド全体で「大分の色」のグラデーションができあがるという寸法である。

Oita Madeは、2014年秋に国東半島芸術祭が始まるタイミングで、生鮮品・加工品・工芸品など約70種類の商品点数でスタートした。その後、日本酒や焼酎などの新商品もラインナップに加わった。別府の中心市街地にショップを開設し、ECサイトも始めた。

この事業は現在、Oita Made株式会社に継承されている。大分銀行が中心になって2017年8月に設立された地域商社である。2018年3月には、大分銀行赤レンガ館にOita Made Shop（写真3-2）が開設された。赤レンガ館は大分銀行の元本店で、東京駅や日本銀行本店で知られる建築家の辰野金吾が設計し、1913年に竣工した歴史的建造物である。ショップ開設に際して、赤レンガ館はできるだけ竣工当時の姿に戻す方向で改装が施された。地域文化に込められたメッセージを素直に伝えるというOita Madeの理念を体現するリノベーションといえよう。

英国クリエイティブ産業の興隆

Oita Madeの取り組みが、その商品構成から考えて第一次産業との関連が強いことは容易に想像できよう。これに対して、より広範に第二次・第三次産業にも、アートやデザインの創造性を活かすことで、地域経済に新たな価値を創出し、地域課題の解決に寄与することがで

写真3-2　大分銀行赤レンガ館Oita Made Shop

きないだろうか。こうした問題意識から、大分経済同友会では2014年の「提言 クリエイティブ大分を目指して」の中で、アートと産業のコラボレーションの推進を提案した。

大分には多彩なものづくりの文化があるが、基礎素材型の製造業から産業集積がスタートした経緯もあって、これまでデザインの視点は比較的手薄であったといえる。しかし、製品の付加価値を高めるには、コスト削減だけではなく、販売価格を維持・向上させる努力も不可欠で、そこではアートやデザインの果たす役割も大きい。こうした動きをさらに加速させると同時に、食品や工芸以外の産業分野へも拡大していくことが求められている。その際、自社製品のデザインをクリエイターに丸投げするという姿勢ではなく、経営者や従業員がデザインのプロセスに何らかのかたちで関与することで、彼ら自身の創造性の向上につながることが重要だ。

このように創造性を重視した成長産業群は「クリエイティブ産業（Creative Industry)」と呼ばれ、英国でその考えが生まれた。このため、大分経済同友会は2015年5月に英国視察を行い、当地におけるクリエイティブ産業の発展状況を実査した。

英国は、ブレア政権のもとで1997年にクリエイティブ産業振興を政策として打ち出した。デジタル・文化・メディア・スポーツ省（Department for Digital, Culture, Media and Sport＝DCMS）は、クリエイティブ産業を「個人の創造性や技術、才能に起源を持ち、知的財産の創造と市場開発を通して財と雇用を生み出す可能性を有する産業群」と定義している。具体的には、①広告、②建築、③美術・骨董品市場、④デザイナーファッション、⑤映画・ビデオ、⑥音楽、⑦舞台芸術、⑧出版、⑨娯楽ソフト、⑩ソフトウェア・コンピュータサービス、⑪テレビ・ラジオ放送、⑫工芸、⑬デザインの13分野から構成される。

クリエイティブ産業は1990年代以降、世界各国でも成長率の高い産業として、成長戦略や雇用創出、輸出拡大の観点から注目を集めた。各国がクリエイティブ産業政策を推進する際には、多くのケースで英国の定義が基本となっている。わが国でも経済産業省は、英国の定義を踏まえつつ、クールジャパン戦略との整合性も念頭に置いて食や観光を加えるといった修正を試みている。わが国の地方自治体がクリエイティブ産業の推進を図る場合も、おおむね英国や経済産業省の定義を参照しているようだ。

ただし、DCMSは2010年に発表したクリエイティブ産業の統計で、狭義のクリエイティブ産業からクリエイティブ人材へと概念を拡張し、双方を合わせたものを、「クリエイティブ経済（Creative Economy）」と定義している（図表3-2）。クリエイティブ産業の13業種に加えて、それ以外の産業におけるクリエイティブな人材・雇用を集計したものをクリエイティブ経済と位置づけたのだ。成長力の源泉を、一部のクリエイティブな業種から、全産業におけるクリエイティブな人材の活躍へと拡張したといえる。

図表3-2　クリエイティブ経済の導入

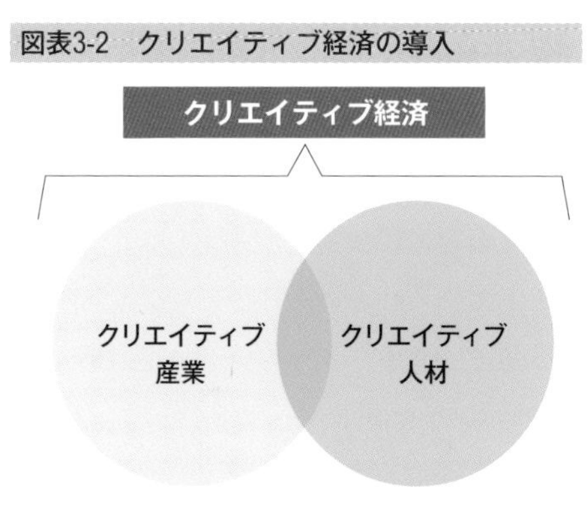

2013年には、クリエイティブ産業の業種を恣意的に指定するのではなく、クリエイティブ人材が多く集積する業種をクリエイティブ産業と位置づけるための検討がなされた。その結果、全従業員に占めるクリエイティブな職種の従業員の割合を「創造性強度（Creative Intensity）」と呼び、この割合がおおむね2割以上の産業をクリエイティブ産業として再定義した（図表3-3）。この結果、クリエイティブ産業は、①広告・マーケティング、②建築、③工芸、④デザイン（プロダクト・グラフィック・ファッションデザイン）、⑤映画・テレビ・ビデオ・ラジオ放送・写真、⑥IT・ソフトウェア・

図表3-3　創造性強度にもとづく
クリエイティブ産業の再定義

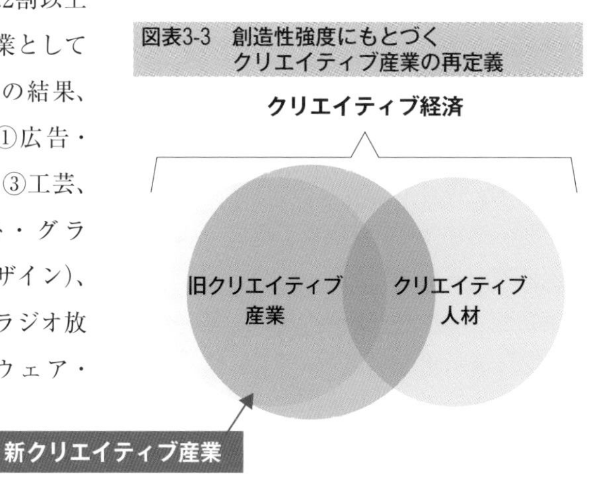

コンピュータサービス、⑦出版、⑧美術館・ギャラリー・図書館、⑨音楽・視覚芸術の9業種になった。産業分野の統廃合もあって従来の13業種と対比しにくいが、IT全般、マーケティング、美術館・ギャラリー・図書館などが新たに追加され、全体的にはクリエイティブ産業の範囲が広がったといえる。

東ロンドンを中心としたクリエイティブ経済の活性化

英国視察では、ブリティッシュ・カウンシル本部でレクチャーを受けるだけでなく、クリエイティブ経済の現場も実地に訪れた。東ロンドンのショーディッチ界隈(かいわい)は、1980～90年代には治安が悪く一般市民が立ち寄れなかった地域であったが、今ではクリエイティブ経済の中心地となっている。この土地の低廉な家賃に惹かれてアーティストやファッションデザイナーなどのクリエイターが移り住み、ギャラリーも次々にオープンした。次の段階で、IT系のテック・デザイナーが集まる。すると周辺に、洒落たバーやレストランが生まれ、ロンドンでもっともクールな地区として知られるようになった。ショーディッチでも特にクリエイティブ産業が集積するオールド・ストリートの円形交差点(ラウンドアバウト)界隈は、「シリコンバレー」をもじって「シリコンラウンドアバウト」と呼ばれている。

このようにしてショーディッチ地区は民間主導で成長が進み、英国におけるクリエイティブ・クラスターの成功事例として注目を集めた。すると政府が、後追い的に支援に乗り出した。当時のキャメロン首相は2010年に、この地域を「テック・シティ」と命名し、英国版シリコンバレーに発展させるべく公的支援を行うことを表明した。政府は、起業に対する税制面の優遇や技術的サポート、産学官ネットワークの構築、インキュベータの整備などを進めた。こうした国のサポートも後押しとなって、東ロンドンに所在するテクノロジー、デジタル関連の企業数は、2008年の10社程度から、視察を行った2015年当時で約1500社まで急増した。アマゾンやグーグル、シスコなども開発拠点や起業支援施設を設けたという。

このときの視察では、テック・シティを代表するクリエイティブ・ハブ「トランペリー・オールド・ストリート」（写真3-3）を訪問して施設を見学した。わが国では、クリエイターをはじめ創造的な職種の人々が集い交流する拠点施設を「コワーキングスペース」などと呼ぶが、英国ではこうした施設を「クリエイティブ・ハブ」と呼ぶことが多いそうだ。

トランペリー社は、デザイン、テクノロジー、ファッション、アートなどさまざまなクリエイティブ産業を対象に、スペースを提供するクリエイティブ・ハブの運営を行っており、快適で美しい職場環境と、多様なビジネスが学び合い協働できる創造的な環境を、クリエイターに提供している。同社は社会的企業として、自社の利益追求ではなくさまざまなビジネスをサポートすることを目的とし、ビジネス効果の最大化と多様な要素の結合をめざしている。このため、クリエイティブ・ハブの内部は、各企業のオフィスが独立した閉鎖型のレイアウトにはなっておらず、人々が施設内を自由に行き来できるようにしている。また、単なる場所貸しではなく、ネットワーク構築に役立つイベントも多数開催している。ハブへの入居者を選ぶ場合、他のビジネスとのコラボレーションができるポジティブな姿勢を持つかどうかが選定基準になるそうだ。わが国でいえば、福岡市の大名小学校跡に整備された創業支援拠点Fukuoka Growth Nextにもっとも雰囲気が似ているだろうか。

トランペリー・オールド・ストリートは、2014年10月に完成した施設で、視察時は12社の企業が入居していた。入居企業の3/4はソフトウェア産業で、ここはITを中心としたクリエイティブ・ハブだ。建物は中古ビルをリノベーションしたもので、ビル自体の古めかしい内装は残しながら、そこに高感度のデザインを加えることでクールな雰囲気を醸し出していた。

また、会議やパーティーなどイベントに利用できる共用スペースを広く確保し、デザイン性の高い食器が並ぶ調理・ダイニングスペースも備えている。酒類を提供する免許も有していて、夜はバーに変身するなど、通常のレンタルオフィスと異なり一種のコミュニティとして機能しているようだ。施設には会議室や応接室、休憩スペースが設けられ、クリエ

写真3-3　東ロンドン
トランペリー・オールド・ストリート

イターがデスクを離れてインフォーマルな情報交換をしたり、顧客を迎えることができる場となっていた。デスク借料は決して安くないが、この施設にオフィスを構えていることが、入居企業にとって大きなステータスとなっていると聞いた。

美術館による地方都市マーゲイトの再生

大分県という地方圏における創造都市のあり方を考えるうえで、英国の首都ロンドンを視察するだけでは不十分だろう。大分経済同友会では、英国における文化芸術を活かした地方都市の活性化事例を探したいと考え、ブリティッシュ・カウンシルからの推薦を踏まえて、英国南東部の港町マーゲイトを訪れた。

マーゲイトは、ロンドンから東に車で2時間ほどの距離にある人口6万人の地方都市で、行政的にはケント州サネット区に所属する。18世紀以降に海洋リゾートとして繁栄した歴史を持ち、英国を代表する画家J・M・W・ターナーはマーゲイトの町をこよなく愛し、しばしば滞在しては、この地を描いた作品を数多く残している。しかしながら20世紀後半には観光客の足が遠のき、町は斜陽化した。観光産業の衰退は失業率の上昇を招いただけでなく、市民のアイデンティティの喪失をも招いた。旧市街のオールド・タウンはシャッター街となり、海辺にあった大きな遊園地も閉園した。

こうしたなか、サネット区とケント州は、マーゲイトのレガシーであるターナーを記念して、美術館による都市再生を構想した。おりから、国内外で文化主導型の都市再生が進んでいた時代であり、アーツカウンシル・イングランドの支援も得て「ターナー・コンテンポラリー」(写真3-4)の建設計画がスタートする。2001年以降、美術館の教育普及担当者や館長が順次着任したが、建設計画は紆余曲折をたどり開館は2011年にずれ込んだ。この間、美術館スタッフは、まちなかに入り込み、空き店舗などを活用して

写真3-4 マーゲイト ターナー・コンテンポラリー

数多くの展覧会や講演、ワークショップを展開し、住民参加型で地域コミュニティと文化をつなげる活動を続けた。美術館の開館前に行われたプロジェクトに参加した人数は累計70万人にのぼり、継続的な取り組みが、市民のアートへの関心を高めた。また、こうした動きを知ったアーティストが、マーゲイトにスタジオを構えるようになり、オールド・タウンに多くのギャラリーがオープンしていく。

このような息の長い取り組みの結果、ターナー・コンテンポラリーは、開館するや大勢の来館者でにぎわい、市民に愛される美術館となった。決して大きな美術館ではないが、開館から4年間で累計150万人が来館したという。来館者の6%はそれまで美術館を訪れた経験がない人々であり、この美術館はそうした層の人々に新たな文化体験を与える大きな効果を発揮した。また、ターナー・コンテンポラリーは地域に開かれた美術館をめざし、未就学児から高齢者までさまざまな人々を対象とした学習プログラムを実施しており、学習スタジオの利用者も累計11万人にのぼる。ターナー・コンテンポラリーは「アートで地域を活性化し、すべての人がアートと関わり、人と人がつながる」ことをビジョンとする。このため、学習プログラムを最重視しており、年齢や環境などのバックグラウンドにかかわらず、あらゆる人々に美術館で何かを学んでもらいたいという思いで活動をしているそうだ。

リゾート地としての往時の名声を偲ばせる美しい砂浜の端にターナー・コンテンポラリーは建つ。そこから道を一本隔てた陸側にオールド・タウンと呼ばれるコンパクトな中心市街地がある。ターナー・コンテンポラリー開館と、地域を巻き込んだその活動により、この町にも変化が現れた。土産物店やケーキ店、レストラン、カフェバー、インド料理店、アンティークショップ、雑貨店、ペットショップが、旧市街各所に出店を始め、今では空き店舗はほとんどみられない。廃業した遊園地も2015年にリニューアルオープンした。マーゲイトは、困難を抱えた地域がアートの力に刺激され、雇用創出や経済効果に加えて、住民のやる気と未来への可能性を生んだ町として、英国の地方都市再生の代表例に位置づけられている。

この町にもクリエイティブ・ハブが生まれた。オールド・タウンから数百mの距離に立地する「リゾート・スタジオ」(写真3-5)である。煉瓦づくりの中古ビルをリノベーションした施設であり、1階は展覧会や交流会に使える共用スペースで、2

階以上がクリエイターのスタジオになっている。建物はかなり大きいため、上層階には未利用の空間も残っており、徐々に手を入れてレンタル・スペースを広げているようだ。ここには、ファッションデザイナー、ジュエリーデザイナー、グラフィックデザイナー、写真家など多岐にわたる業種のクリエイターが入居している。多彩なジャンルのクリエイターが集まることで、情報交換ができたり、新たな協働が生まれたり、創作活動に必要な機器をシェアできるなど、集積のメリットがあるという。個々人で活動するよりネットワークが広がり、インスピレーションも得られるなど、互いによい影響を与え合う環境が生まれている。ロンドンは都市規模が大きいため、クリエイティブ・ハブに集積するクリエイターも分野ごとに固まりがちだが、マーゲイトではさまざまな分野のクリエイターが集まることで多様な分野の情報交換が進み、相乗効果を発揮できる。ターナー・コンテンポラリーやリゾート・スタジオなどが生まれたことで、マーゲイト周辺から美術大学に進学した学生が、ロンドンをめざすのではなく、マーゲイトに戻って活動を始めるという変化も起きていた。

クリエイティブ人材・産業の育成

トランペリー・オールド・ストリートやリゾート・スタジオといったクリエイティブ・ハブは、創造的なコミュニティを育み、さまざまなスキル、アイデアを持つ人々がそれらをぶつけ合い、シェアすることで、個々人では生み出すことのできない新しい価値を創造し続けている。クリエイティブ人材の育成に、決まりきった方策はない。自由な発想を要する創造性の発揮と、定型的なビジネススキルの教育は相容れないからだ。もっとも、創造性を仕事へつなげていくうえではビジネススキルも重要で、文化芸術系の教育現場でも、起業に着目した教育が行われている。クリエイティブ・ハブも単なる

写真3-5　マーゲイト　リゾート・スタジオ

場所貸しにとどまらず、ビジネスモデル構築のトレーニングなどのスタートアップ支援を行っている。クリエイティブ・ハブを芽吹かせるには、クリエイターがやりたいことを自由に行える環境を、官民連携を通じて生み出すことが重要なのだ。

クリエイティブ産業のあり方を研究

英国視察の成果を踏まえ、大分経済同友会は、帰国後間もない2015年7月に「芸術文化の創造性を活かした地方創生大分モデルの提言」を速やかに作成し、大分県などに提出した。そこでは、クリエイティブ産業のあり方の検討と、県都大分におけるクリエイティブ・ハブのモデル事業の実現を提言している。

大分県内で「クリエイティブ」を称する場合、これまでは主に科学技術に焦点があてられてきた。しかし、昨今のヒット商品を眺めると、単に高性能・低価格なだけではなく、人々の感性に訴えるデザイン性が大いに問われるようになった。生活者・消費者に新しいライフスタイルやストーリー、ビジネスモデルを提案するという、アイデア面が評価されることも多い。こうしたアイデアを得るには、与えられた課題を解決するだけでなく、課題を自ら発見・設定したうえで、それを創造的に解決する「デザイン思考」が重視される。そのような意味合いでの「創造性」は、理系的なそれだけではなく、アーティストやデザイナーの持つ発想力、問題提起力、コミュニケーション力とも密接につながっている。

また、クリエイティブ人材が集うコミュニティは、そこから新たなイノベーションが生まれるという経済的文脈に加えて、そこでのコミュニケーション自体が純粋に楽しいという社会的な意味合いにおいても、たいへん重要な場である。彼らの間で共有される価値観は、地域社会の満足度や安定性を高めるうえでもたいせつだといえよう。

さらに人口減少社会では、クリエイティブ人材の定住を進めるとともに、交流人口の拡大を図る戦略も不可欠である。大分においても、いかにして地域資源を磨き上げ、観光面での競争力を強化していくかが課題である。提言の背景には、英国で学んだこうした問題意識があった。

大分県は同友会の提言も踏まえ、10月に策定した長期総合計画「安心・活力・発展プラン2015」で「創造県おおいた」をかかげるとともに、「クリエイティブ産業への挑戦」を政策の柱にすえ、2015〜24年度にかけて推進を図るとした。具体的な方策については、2015年度下期に「クリエイティブ産業創出研究会」を設置して、大分の経済社会の実態に即したクリエイティブ産業（大分県版クリエイティブ産業）振興のあり方について研究を重ねた。研究会には企業経営者、ベンチャー企業、デザイナー、建築家、文化芸術関係者などが参画し、筆者が会長を務めた。ここでの検討を踏まえて大分県は、2016年度にクリエイティブ産業を普及啓発する場として「CREATIVE PLATFORM OITA」を発足させた。講演・交流会開催と情報サイト構築という、リアルとバーチャルにまたがる活動であり、BEPPU PROJECTが企画運営を担う。そして2017年度からは、県内企業のニーズに最適なクリエイターをマッチングさせる「クリエイティブ相談室」（図表3-4）と、県内クリエイターのスキルアップ事業「おおいたクリエイティブ実践カレッジ」がスタートした。

図表3-4　CREATIVE PLATFORM OITA　クリエイティブ相談室

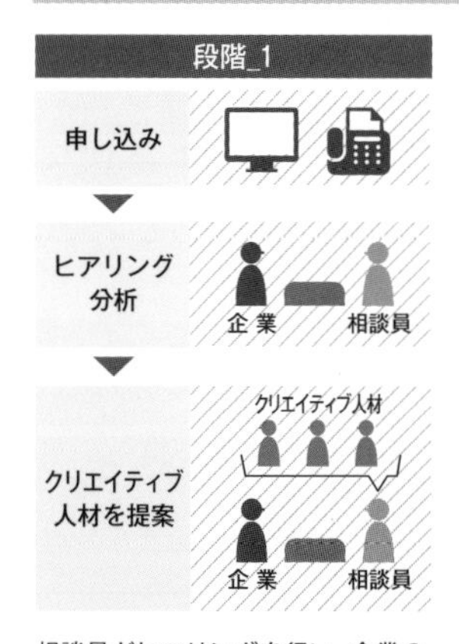

相談員がヒアリングを行い、企業の状況・課題を分析したうえで、自社にマッチするクリエイティブ人材をご提案します。その中から「段階_2」へと進む1名を選びます

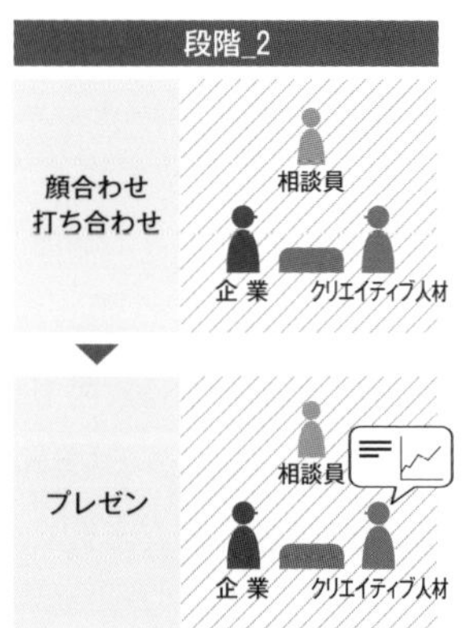

相談員同席のもと、企業とクリエイティブ人材との顔合わせ・打合せを行います。その内容をもとにして、後日、クリエイティブ人材よりプレゼンテーションを行います。「段階_2」において、クリエイティブ人材にかかる旅費及び謝金を相談室で負担します

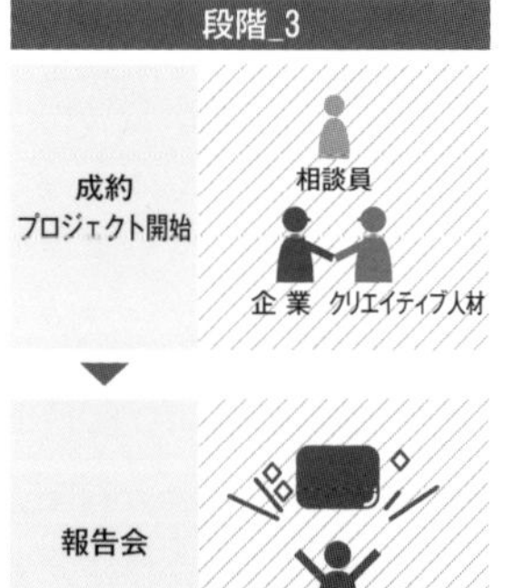

企業とクリエイティブ人材が契約し、実際にプロジェクトが開始します。広報や販路拡大のために、全国のマスメディアやバイヤーに向けた報告会を、年度末に開催する予定です

出典：CREATIVE PLATFORM OITA ウェブサイト

以上のような大分県版クリエイティブ産業振興策が持つ特色を、概観してみたい。結論を先取りすれば、大分県におけるクリエイティブ産業振興策は、首都圏と異なる地方圏の産業構造に適合した仕組みを備えている。

大分県版クリエイティブ産業は地域経済全体のクリエイティブ化

すでに述べたように、クリエイティブ産業のコンセプトは英国発祥である。「個人の創造性や技術、才能に起源を持ち、知的財産の創造と市場開発を通して財と雇用を生み出す可能性を有する産業群」と定義され、アート、デザイン、メディアなど特定の業種を「クリエイティブ産業」として、その振興を図るものである。しかし、こうした業種は、英国ならロンドン、日本なら東京といった具合に、大都市に偏在しており、地方圏で産業集積を図るうえでは難しい課題がある。また英国でも、クリエイティブ産業以外の産業でも創造性が不可欠として、一般産業に勤めるクリエイティブ人材を視野に入れたクリエイティブ経済を重視するようになった。

こうした点を踏まえると、地方圏におけるクリエイティブ産業創出は、特定業種の振興とは異なる視点が必要ではないだろうか。大分県では、既存の県内企業がクリエイターとコラボレーションすることで、企業が持つ技術を新しい視点で見直し、これまでになかった商品・サービスを開発したり、既存の商品やサービスをデザインなどの観点から見直して付加価値をつけることを「大分県版クリエイティブ産業」と位置づけた。すなわち、大分県版クリエイティブ産業は、特定業種を指す概念ではなく、地域の産業経済全体のクリエイティブ化を意味するとしたのだ。

クリエイティブ人材育成と、企業・人材マッチングの両にらみ

大分県版クリエイティブ産業振興にあたり、県は、クリエイター向けの「おおいたクリエイティブ実践カレッジ」と、企業向けの「クリエイティブ相談室」を設けた。前者は、デザインの本質を理解し、企業や商品・サービスのプロデュースやブランディングの手法を学ぶ講座である。座学に加え、地元中小企業の協力のもと、受講生がチームを組んで実際に企業が抱える課題の解決方法などを提案する実践形式のプログラムである。こうした県内クリエイターのスキルアップは重要だが、人

材（供給面）だけ育っても、マーケット（需要面）が拡大しなければ、彼らの仕事は増えない。ゆえに後者の仕組みを通じて、県内企業のクリエイティブに対する理解と需要を同時に高めていくことが不可欠であった。

そうした役割を担うクリエイティブ相談室は2017年度から本格稼働し、2018年3月の第1回CREATIVE PLATFORM OITA報告会（写真3-6）では、18社が新たに開発された商品・サービスなどの成果発表を行うことができた。2019年2月には第2回の報告会を開催した。展示ブースでは、2018年度にマッチングした企業13社と、2017年度にマッチングして以降に新たな展開があった企業3社が、各自の協働事業の成果やプロセスの発表展示を行った。マッチングを行った地場企業は、農業・食品関連産業・繊維加工業・家具メーカー・竹細工職人・建設会社・紙加工業・資源リサイクル業・観光業・ホテル・飲食店・エステティックサロン・文房具店・社会福祉法人・まちづくり団体・博物館、さらにはサッカークラブの大分トリニータと、きわめて多岐にわたる。

企業の経営課題のクリエイティブな解決を志向

企業からの相談に対し、クリエイティブ相談室の相談員は、その企業が直面する課題についてヒアリングを重ね、解決にもっとも向くクリエイターをマッチングする。相談室はその後も、年度末の報告会における成果発表まで、企業に寄り添ってアドバイスを継続する。クリエイティブ相談室が地元に拠点を置いて、県内企業のニーズに詳細にアプローチできると同時に、クリエイターに対する全国ネットワークを構築していることで、こうした展開が可能となった。

写真3-6　CREATIVE PLATFORM OITA報告会

優れたデザインは、企業の経営課題をめぐるリサーチに徹底的に時間をかけることが必須で、表面的な意匠（絵や形にすること）はあくまでも結果であるという。クリエイティブ相談室では、商品パッケージのみならず、企業課題の分析を踏まえたマーケティング、ブランディングの新たなデザインも支援しており、その意味では企業戦略そのものがデザインの対象であるといえよう。

クリエイティブ相談室では、相談員によるヒアリングと、クリエイターとの顔合わせ・打ち合わせ（2回分）の段階では企業側に負担が生じない。その後、クリエイター提案を実現するプロジェクト段階になって、企業とクリエイターが契約を締結して企業負担で開発を進める。すなわち、プロジェクトの全工程を行政が支援するのではなく、マッチング段階の負担軽減を図ったうえで、事業開発段階は各企業の自己責任としている。このようにクリエイティブ相談室は、企業が公的支援から自立して成長する仕組みを内蔵（ビルトイン）しており、公的資金の効果的・効率的な活用が図られている。

以下、実例を二つご紹介する。

臼杵煎餅のリブランディング

大分県臼杵（うすき）市の後藤製菓は、伝統銘菓「臼杵煎餅」を、昔ながらの伝統製法にこだわり製造している。2019年の創業100周年を目前に、大分のクリエイティブディレクター神鳥兼孝（かんどりともゆき）と協働し、新ブランドの立ち上げと新商品の開発を行った（写真3-7）。後藤製菓は、取引先への営業を重ねるうちに二つの課題を感じるようになったという。第一は、同業他社との差別化である。素材・配合・製法・こだわりは各社で異なるため、その違いを打ち出したかった。もう一つは顧客の高年齢化で、若い世代に臼杵煎餅を伝えるため、次の百年をみすえた新商品が必要ということだった。

写真3-7　臼杵煎餅のリブランディング
出典：CREATIVE PLATFORM OITA

相談を受けた神鳥はまず、スタッフの気持ちを一つにするため「百寿品質」というスローガンと、施策の二本柱をつくった。一つ目は百年守り続けた品質を今後も守り、既存顧客をたいせつにすること、二つ目は新しい顧客に出会うための挑戦をすることである。同社は、まず既存商品の見直しに取り組んだ。原材料の小麦粉を九州産100％に、生姜は臼杵市産の有機栽培のものに変更するとともに、顧客の声を踏まえ包装デザインや内容量を変更した。続けて、神鳥による現状分析を踏まえ、新たな顧客のメインターゲットは20～30代のSNS世代に設定した。こうして、大分・臼杵をローマ字表記にして反転させて命名した新ブランド「IKUSU ATIO」が立ち上げられた。地元有機生姜100％にこだわり、シロップに使用するカボス・砂糖・はちみつも有機100％。こうしてできあがった新商品は、洗練されたデザインも相まって、既存の臼杵煎餅のイメージを一新するものとなった。2018年2月の発売以降、順調に販路を広げ、1年目の売上は前年比120％となり、新規雇用が6名増えたという。

児童養護施設にデザインを

児童養護施設「森の木」は、家庭の事情や環境上、養護の必要がある児童が入所する施設である。ここを経営する社会福祉法人大分県福祉会は、施設の一部リニューアルにあたり、クリエイティブ相談室を活用した。

福祉に深く関わっていると、どうしても「福祉とはこういうものだ」という固定観念に捉われがちだが、本来のミッションは児童一人ひとりの幸せを考えることにある。そこで、クリエイターに施設リニューアルに関わってもらうことで、新しい視点を取り入れ、福祉の業界ではあたり前だと思っていることや施設のあり方を見直したいというのが、依頼者の問題意識であった。

写真3-8　児童養護施設「森の木」
出典：CREATIVE PLATFORM OITA
photo：Koichiro Fujimoto

本件を担当したデザイナーはUMA/design farmの原田祐馬。大分県福祉会は当初「子どもが穏やかな気持ちで過ごせる壁紙や壁画」を依頼したが、原田からは予想を超える提案があったという。彼は、心に傷を負った子どもが生活する場は隅々まで考え抜かれた空間であるべきだと考え、居室だけでなくいちばん長い時間を過ごすリビングも含め、新たに窓を設けたり、家具や壁紙、ガラスの色彩の提案を行った。畳敷きを予定していた居室は、フローリングに変更された。面ごとに微妙に異なる色で構成された壁は、どこも柔らかな配色で優しく温かな雰囲気で、天井には就寝時や、夜中に目覚めたとき不安に苛まれないよう落ち着いた色を選んだ。窓にはグラデーションのシートが施され、光が差し込むと床に温かな色彩が映し出される（写真3-8）。このシートは外からの視線をゆるく遮りながらも、施設内で過ごす子どもたちにとっては温もりが感じられる空間を生み出している。

とりわけ特徴的な取り組みとなったのは、家具の選定だという。既製品をただ購入して設置するのではなく、子どもたちが自分で選んだ家具を自分たちで組み立てるワークショップを開いたのだ。「森の木」で生活する子どもらは、自分の意思でここに入居を決めたわけではない。ワークショップを通じて原田は、与えられた環境の中に受け身で入っていくのではなく、自分がつくった空間であり、自分の帰る場所であると思えるよう、自然に子どもたちの心を動かしていったのだ。

3 クリエイティブな食文化の振興

創造都市をめざすうえで、大分ではまず、芸術祭の開催や美術館の整備を通じた都市の魅力向上や、にぎわい創出への取り組みを進めた。そして、アートがその根源に有する創造性を産業振興にも活用すべく、クリエイティブ産業の育成をめざした。さらに次の段階として、クリエイティブ産業の裾野を拡大するうえで現在、食文化（ガストロノミー）に着目している。ユネスコ食文化創造都市などの視察成果を踏まえて、大分の食文化を「伝統」と「革新」の視点からいかに振興すべきかを紹介する。

ガストロノミーとは何か

ガストロノミーという言葉からは美食やグルメを連想しがちだが、それらは一部の分野にすぎない。ガストロノミーは、食と文化の関係を考察することであり「食文化」と訳される。とはいえ食文化という日本語も、具体的なイメージが曖昧だ。『広辞苑』をひもとくと「食に関する文化。食材・調理法・食器・食べ方などにまつわる文化」となっていて、やはり漠然としている。

より具体的なものとしては、料理学者の江原絢子（えはらあやこ）による次の定義がある。「民族・集団・地域・時代などにおいて共有され、それが一定の様式として習慣化され、伝承されるほどに定着した食物摂取に関する生活様式をさす。また食物摂取に関する生活様式とは、食料の生産、流通から、これを調理・加工して配膳し、一定の作法で食するまでをその範囲に含んでいる」

このように食文化は、食事を中心としつつも、その周辺の多種多様な文化的要素から構成されているというべきだろう。

わが国の食文化振興策とインバウンド

政府は2019年6月に「成長戦略2019」を閣議決定した。成長戦略は、持続可能な経済成長を実現するために政府がかかげる一連の施策であり、革新的技術開発の推進、新産業の育成、需要・雇用の創出、国際競争力の強化などを行うものだ。成長戦略2019では、国全体が新たに講ずべき具体的施策の一つとして「中堅・中小企業の海外展開支援」をかかげ、日本食と食文化・関連製品を一体とした海外への販路開拓の推進や、中堅・中小企業が自律的に輸出できるような販路・物流・ブランディング・手続きなどのサポートをワンストップで提供する取り組みの推進を、実施すべき事項としてあげている。

このように、政府としても食文化の振興を重要視しており、中堅・中小企業、生産者の手の届きにくい海外輸出に関わる作業を、国として支援し、フォローアップしていこうとしていることがわかる。同時に、食文化の輸出には流通面に弱点が内在していることも十分に認識されているといえよう。

それでは海外の人たちは、はたして日本の食文化に興味を持っているのだろうか。観光庁によると2018年の訪日外国人旅行客は3119万人で、彼らの旅行消費額は4兆5千億円となっており、2012年と比較すると旅行客・消費額ともに約4倍である。加えて、日本政策投資銀行と日本交通公社は、アジア・欧米豪12地域（韓国、中国、台湾、香港、タイ、シンガポール、マレーシア、インドネシア、アメリカ、オーストラリア、イギリス、フランス）の旅行嗜好や訪日経験の有無によるニーズ変化の把握を目的に、海外旅行経験者を対象としたインターネットによるアンケート調査結果を公表した。その結果、訪日旅行希望者が「訪日旅行で体験したいこと」として「伝統的日本料理」が3位、「最もお金をかけたいもの」では「食事」が2位と、日本食への関心の高さが示された。

海外における日本の食・食文化に対する関心は、「和食」のユネスコ無形文化遺産登録やミラノ万博を通じて近年大きく高まっており、日本を訪れて「本場の日本食」を体験したいという外国人のニーズが多くあることがわかる。旅行者がSNSなどを活用して発信する情報が、外国人の旅行意欲を喚起・誘引し、さらなる訪日旅行者を生み出すことが期待される。まずは訪日してもらい、日本のファンになってもらうことが重要だが、食文化はそのトリガーとなりうる。訪日旅行客が真の意味で楽しめる環境として、観光地のインフラを整備することもたいせつだが、地域に根ざす食文化の情報発信も政府が主導すべきことであると考える。ただし、政府が行えることはあくまで方針の提示、アドバイザーの設置、場の提供などに限られ、実現に向けて実働するのは地方自治体や民間企業が中心となる。

クリエイティブって美味しい！

大分経済同友会でも、地域の食文化のポテンシャルを踏まえて、その振興を図るべきと考えた。それを、創造都市や創造農村、創造県おおいたの推進と一体的に進めようと考えた。ただ、これまでの取り組みは、芸術祭の開催やクリエイティブ産業の振興など、アートやデザインと大きく関わる内容である。食文化とは無関係と感じる読者がいるかもしれない。しかし、例えば地域にある食材をその特徴を活かしてすばらしい料理に仕立てるシェフの技芸（アート）は、まさにクリエイティブの名に値しよう。また、アーティストの中には、食を表現手段として用いる作家もいる。そして調理人に限らず、地域の食の価値を守り育てようと日夜研鑽を積み、工夫を重ねる生産者や流通・加工業者も等しくクリエイティブといえる。文化芸術や、その源泉となる創造性は幅の広い概念で、食文化もその一分野なのだ。実際、すでに説明したように、世界の文化都市を認定するユネスコ創造都市ネットワークでも、食文化は7分野の一つになっている。

政府の文化審議会が2016年に公表した緊急提言「文化芸術立国の実現を加速する文化政策（答申）」も「食文化をはじめとした生活文化の振興」を政策展開の大きな柱にかかげた。食文化は、外国人が日本の文化に親しみを持つきっかけとなり、食材・食器などさまざまな分野への波及が見込まれるなど、多様な文化とつながりが深いからだ。

そして大分には、多様な食材が存在し、地産地消の美味しい料理を提供する店舗も数多く立地している。食文化は他の文化芸術分野と比べて、市民生活や地場産業と広範な結びつきがあり、食文化を核とした創造都市の推進は市民のコンセンサスを得やすい。国内客やインバウンド客が、温泉で一泊してそのままよそに移動するのでなく、大分の多彩な食文化やアートの魅力を存分に味わってもらえれば、彼らが県内に滞在する日数も延びる。それによって、人口減少と高齢化による国内宿泊客マーケットの縮小を下支えすることができよう。

彼らに提供する商品・サービスも、団体向けの大量生産・大量消費ではなく、個人客の多様なニーズを踏まえたものとなり、そこに新たなビジネスチャンスが生まれる。付加価値の高い新産業が成長し、地域のクリエイティブ人材が大都市に流出することなく、大分で働くことのできる場が生まれる。さらには、こうした大分の魅力が広く伝わることで、大都市の生活以上に大分に魅力を感じて、UIJターンを志す人材も増えてくる。食文化創造都市の推進にあたっては、こうした将来像をめざしたい。

もちろん、一朝一夕で食文化を創造都市の柱とすることは難しく、地域の食文化の理解・研究・保存・磨き上げといったプロセスを経ることが必要である。また、単なる消費文化としての食だけではなく、食材の生産・流通・加工も含めた食文化全般での取り組みが重要だ。

そこで大分経済同友会は調査提言活動の一環として、わが国で唯一、食文化分野でユネスコ創造都市の登録を受けている山形県鶴岡市を2016年に視察した。さらに、2015年ミラノ万博が食をテーマにしていたことや、万博を通じて日本の食文化に関心を抱いたイタリア食科学大学が2016年に大分を訪れ同友会と懇親の機会を得たことも踏まえ、2017年にはイタリアも視察した。そのおり、当時はイタリア国内で唯一、食文化でユネスコに登録されていたパルマを訪ねている。さらに、ユネスコに登録はしていないが、食文化の聖地として知られるスペインのバルセロナ、サン・セバスティアンも視察した。こうした視察を踏まえて確信したのは、食文化の振興にも「伝統」と「革新」という二つの視点が不可欠であるという真理である。

鶴岡市

鶴岡市（人口13万人）は山形県の日本海側に位置し、旧・鶴岡市と近隣の4町1村が2005年に合併して生まれた。その市域は広大で、山岳地帯から海辺まで広がり、面積は東北地方で随一である。はっきりとした四季・気温差、海抜0mから月山（がっさん）の標高2千mまで、海・川・平野・山からなる多様な地形が特徴といえる。

庄内平野はわが国有数の穀倉地帯で、米どころとして有名だ。さらに、鶴岡の食文化の特色は、江戸時代から人々が種を受け継いできた在来作物にある。だだちゃ豆、民田なす、温海かぶなど市内に約50種ある。四季折々の郷土食も特色で、春の孟宗（もうそう）汁、初夏の月山筍（がっさんだけ）のみそ汁、秋の芋煮、冬の納豆汁などが知られている。鶴岡市は海に面しているので、魚食の文化も豊かだ。冬が旬の寒鱈（かんだら）汁はもともと漁師料理で、タラを煮込んだ非常に濃厚な汁である。伝統行事とともに家庭に伝わる行事食も特徴的だ。鶴岡市はまた、わが国の学校給食発祥の地でもあり、給食に地元食材を積極的に用いるなど、食育に熱心である。

市町村合併の効果として大きかったのは、旧・羽黒町の出羽三山（月山、羽黒山、湯殿山）が市域に入ったことだ。出羽三山は修験道の山であり、鶴岡の精神的バックボーンともいえる存在である。東日本の修験道の中心地で、五重塔は国宝に指定され、杉並木の参道はミシュランの観光ガイドで三ツ星に輝いた。大分経済同友会が訪れた羽黒山の斎館は宿坊であると同時に、伝統的な精進料理（写真3-9）を供することでも知られている。2015年ミラノ万博にも参加し、日本館の来館者に振る舞われた精進料理はたいへん好評だったという。羽黒山を訪れる外国人観光客も近年、増加傾向にあるそうだ。

斎館が、地元の食材を用いて伝統的な料理を供するのに対して、地元の特色ある豊かな食材を活かして個性的で新しいイタリア料理に仕立てあげたのが、2000年にオープンしたレストラン「アル・ケッチァーノ」である。精進料理という「伝統」に対する、イタリアンの「革新」だ。奥田政行オーナーシェフは鶴岡市の出身で、レストランのコンセプトは次の通り。「鶴岡にはさまざまなすばらしい食材がある。しかし、在来作物はたいせつなものだといっても、誰も残してはくれない。料理人が在来作物をおいしい料理にして提供していけば、みんながおいしく食べて残っていく」。同店は、在来野菜など旬の地元産こだわり食材を使い、生産者の顔のみえるメニューを提供している。ちなみに店名の「アル・ケッチァーノ」はイタリアンな響きだが、実は庄内弁で「そこにあるじゃないの（あるけっちゃの）」というダジャレだそうだ。

写真3-9　鶴岡市　羽黒山斎館の精進料理

食文化創造都市になるには、単に地元においしい料理があるだけではなく、地域の食文化を守り高めていく教育・研究機関の存在も重要だ。鶴岡市内には、山形大学農学部と慶應義塾大学先端生命科学研究所が立地している。山形大学は2003年、山形在来作物研究会を発足した。研究会は、鶴岡に数々の在来作物が残っているという発見を踏まえ、世代を超えて細々と受け継がれた鶴岡にしかない作物をもう一度見つめ直し、新しい価値をみいだそうとしている。地元の農業者からの情報提供が不可欠な取り組みゆえ、大学の研究者だけでなく、農家やシェフなど誰もが参加できる研究会とした。

鶴岡市は、こうしたポテンシャルを踏まえ、新市の統一的なイメージを築くべく、食文化創造都市の象徴としてユネスコ登録をめざし、2014年に認定を受けた。食文化は市民にとって身近なことがらであり、新市の山頂から海辺にいたるまで、意識統一を図ることができると考えたのだ。

パルマ

パルマはイタリアのエミリア＝ロマーニャ州に属し、パルマ県の県庁所在地である。人口は19万人。プロシュット・ディ・パルマ（パルマハム）やパルミジャーノ・レッジャーノ（チーズ）で知られる「食の都」である。

パルマの伝統的なレストランに入店すると、大皿に盛られたプロシュット・ディ・パルマが一人一皿ずつ出てきて驚かされる（写真3-10）。さらに生ハムの付け合わせとして、トルタ・フリッタという揚げパンのようなものも山盛りで出てきた。発酵はさせていないので、厳密にはパンではなくパスタに近い郷土料理らしい。これらに加えてパルミジャーノ・レッジャーノのパスタやリゾットが登場する。こうした食事に合う酒は、エミリア＝ロマーニャ州を主産地とする天然微発泡赤ワインのランブルスコだ。

パルマは、ユネスコに加盟する方針を2015年に決め、その年の申請で即座に認

写真3-10　プロシュット・ディ・パルマ（パルマハム）

められた。さすが食の都だが、この年はミラノ万博が食をテーマに開かれていたことも大きかったようだ。パルマ市の担当者によれば、申請時にユネスコから示された重要なポイントは三つあったという。伝統、イノベーション、地球・社会への優しさだ。生ハムやチーズの原料取り扱いや製造工程には規定があり、その伝統にしたがって働くことで、よその人々がパルマに観光に訪れる。ただし、ここでいう「伝統」は単なる「習慣」とは違う。現在の伝統は、過去には伝統ではなかった。新たな価値を、地域の人々が認めて、社会に浸透していくことで伝統に変わっていったものだ。伝統とは「結晶」や「凍結」ではなく、地域資源とともに未来へと歩んでいくことが鍵になる。例えば、昔から伝えられた生ハムやチーズの製法をどう改善するか。生ハムは塩を使わないと腐敗するが、今日では、生ハムの塩分を控えめにしつつ同時に保存も可能にする研究が行われている。

教育については、パルマに本社がある著名なパスタメーカーのバリラが教育機関（アカデミー）を設けており、若い調理人が子どもたちに料理を教える教育事業や、出版事業を行っている。パルマ大学にも食を学ぶコースがある。学部では生物学を踏まえた学習を行い、マスター・コースでは主に食文化やマーケティングを学ぶ。

ユネスコへの登録申請はパルマ市という都市単位で行う必要があったが、実際に生ハムやチーズが生産されているのは主に周囲の自治体である。このため申請に際しては、パルマ県やエミリア＝ロマーニャ州という、より広範な地域にまたがる協力を得たという。パルマ市が一度の申請でユネスコに登録された背景には、食の都のブランド力があったのはもちろんだが、こうした広域的な協力関係の構築も大きかったようだ。

パルマの担当者は、大分経済同友会の面々に次のようなアドバイスをしてくれた。「若い世代にぜひ投資をしてほしい。東京はすでに過密で、むしろ地方へ人口を分散すべきである。また、日本人のアイデンティティに根ざしたところ、すなわち和食からスタートすることを勧めたい。皆さんの母親のレシピを探してそこから始めてほしい。そして、大分にしかないもの、地域のアイデンティティを探してほしい」

バルセロナ

バルセロナは、スペイン北東部に位置するカタルーニャ自治州の州都で、バルセロナ県の県都でもある。人口は160万人で、スペイン国内では首都マドリードに次ぐ第二の規模を誇る。カタルーニャ自治州は、バスク自治州とともにスペイン国内で自治・独立の気風が強い地域である。言語的にも、スペイン語と異なるカタルーニャ語が母語であり、ほぼ全員がカタルーニャ語とスペイン語を話せるバイリンガルだ。

創造都市として著名なバルセロナを、大分経済同友会が初めて訪れたのは2013年だった。このときは、バルセロナ現代美術館（MACBA）、バルセロナ現代文化センター（CCCB）などのアート拠点を視察するとともに、疲弊した中心市街地に広場などの公共空間を生み出す多孔質（スポンジ）化によって都市ににぎわいを取り戻すバルセロナ・モデルの都市再生を中心に視察を行った。これに対して2017年は、食文化の調査研究を主な目的としてバルセロナを再訪した。

地中海地域には「地中海食」という固有の食文化がある。わが国の「和食」同様、ユネスコ無形文化遺産に登録され、バルセロナはその中心地である。地中海食は、和食のように地元の新鮮な素材からつくられた料理で、身体によく、文化的にも優れた持続可能（サステナブル）な料理だ。具体的には、野菜・豆類・果物・シリアルを多く摂取し、オリーブオイルからn-3系不飽和脂肪酸を多く摂取し、魚介類を多く、乳製品・獣肉や家禽類は少なめに、食事中に適量の赤ワインを摂取する食事を指す。イタリア、スペイン、ギリシアなど地中海沿岸諸国の伝統的な料理・食生活である。バルセロナにある地中海食文化財団は、医師の協力のもとで地中海食がどれだけ健康によいかを検証する調査研究と、地中海型の食品・レストランに対する認証業務の二本柱を活動内容としている。プライベートな財団ながら、バルセロナ市、カタルーニャ自治州の公的支援や、ワイン・牛乳・オリーブの製造会社などの支援も得て活動を続けている。

食文化の伝統を守るこうした取り組みと並行して、レストラン「エル・ブジ（el Bulli）」のアドリア兄弟に代表されるように、この都市は新たな食文化への挑戦にも貪欲だ。エル・ブジの特徴として知られるのが「分子ガストロノミー」。液体を球状の物質に変えるスフィリケーションや、食材を泡状のムースに変化させるエスプーマなどの科学的調理法を駆使する。「世界一予約が取れないレストラン」として知られたこの店は、バルセロナ郊外にあった。オーナーシェフのフェラン・アドリアは、独創的な料理を提供し続けるため、半年間のみ営業して残りの半年は新しいメニューの開発に勤しんでいた。

しかし、多忙にすぎて自身の料理を見失ったとして、エル・ブジは2011年に閉店する。兄のフェラン・アドリアはその後、食にまつわる文化や教育など、広く深く食を追求するエル・ブジ財団の設立準備を続けている。自身も料理人にしてパティシエである弟のアルベールは、バルセロナのパラレル通り界隈(かいわい)に6店舗のレストランを経営している。いずれも異なるコンセプトで、ユニークな食の体験ができるレストランとして人気を博しているそうだ。これらのレストランは総称して「エル・バリ（el Barri）」と呼ばれる。「界隈」という意味合いだが、明らかにエル・ブジをもじったネーミングだろう。ビール片手に気軽にタパスを味わうバル「チケッツ」、スペイン正統派のタパスを自己流に磨き上げた「ボデガ1900」、日本とペルーの料理を融合した新ニッケイ料理を出す「パクタ」、メキシコ料理店の「オハ・サンタ」と「ニーニョ・ヴィエホ」。ジャンルはさまざまだが、いずれもエル・ブジ式の驚きが味わえる。もっとも新しいレストランが「エニグマ」だ。「謎」を意味する店名からうかがえるように、予約時に教えられた暗証番号でドアを解錠して入店する。数名単位の予約客一組ごとに部屋から部屋へと異なる動線で移動しながら、4時間近くをかけて40種類もの食体験を楽しめるレストランだそうだ。

地中海食という伝統を守ると同時に、アドリア兄弟の新たなチャレンジを受け容れる革新性が、バルセロナの食文化の核心にあると思われた。

サン・セバスティアン

サン・セバスティアンは海洋に面し、「ビスケー湾の真珠」と謳われる美しい都市である。スペインのバスク自治州ギプスコア県の県庁所在地で、人口は18万人。19世紀以降、高級避暑地として発展し、現在もスペイン屈指の海洋リゾートである。大分経済同友会が視察に訪れたのは2012年と2019年。二回とも観光シーズン前だったが、海辺ではサーフィンに興じる若者の姿を多くみかけることができた。この街では、1952年からサン・セバスティアン国際映画祭が毎年9月に催されている。欧州では、カンヌ、ベルリン、ヴェネツィアに続いて権威のある映画祭だという。

とはいえ今日、サン・セバスティアン訪問の最大の目的となり、国内外からの観光客がお金を落としているのは、海や映画よりも「食」だろう。この中小都市は、人口一人あたりのミシュランの星の数が世界一といわれ、「美食の都」として有名なのだ。そもそもミシュランの三ツ星の定義は「そのために旅行する価値のある卓越した料理」である。

バスク地方ではもともと、美食倶楽部（ソシエダ・ガストロノミカ）という特色ある食文化があった。男性のみで食事をつくって楽しむ会員制のクラブ活動である。サン・セバスティアンはバル発祥の地ともいわれ、小さく切ったパンに食材を載せた軽食ピンチョスは、サン・セバスティアンの老舗バル（写真3-11）で考案された。

サン・セバスティアンの食文化を今日のレベルまで高めた人物は、フアン・マリ・アルサック（1942年～）、ペドロ・スビハナ（1948年～）、マルティン・ベラサテギ（1960年～）とされる。それぞれがオーナーシェフを務めるレストラン「アルサック」「アケラレ」「マルティン・ベラサテギ」はいずれもミシュランの三ツ星を獲得している。彼らは、新バスク料理（ヌエバ・コッシーナ・バスカ）の旗手だ。1960年代のフランスでヌーベル・キュイジーヌが流行したが、ヌエバ・コッシーナはその影響を大きく受けている。ヌーベル・キュイジーヌもヌエバ・コッシーナも「新しい料理」という意味合いだ。

写真3-11　サン・セバスティアン　バル風景

サン・セバスティアンのシェフたちは、レシピのオープンソース化を進めた。技術革新にも積極的で、レストランに料理研究室を併設して新たなレシピ開発に勤しむ。エル・ブジが大規模に活用したことで知られる「分子ガストロノミー」を導入している店も多いようだ。2011年には、4年制大学卒業の資格がとれる料理大学「バスク・クリナリー・センター」(写真3-12)がサン・セバスティアンの郊外に開校している。

バスク食文化の伝統を踏まえつつ、つねに新たな革新を図り、そこから培われた新たな経験を、教育を通じて次世代に伝承していく。こうした息の長い取り組みが結実して、サン・セバスティアンは「美食の都」として世界に轟くようになったのだ。

大分市を食文化創造都市へ

以上のような視察を踏まえて、大分経済同友会は、2017年2月に「提言 食文化とアートを活かした市民と産業の成長戦略」を大分市に提出した。芸術祭などの先鋭的な取り組みと同時並行で、大勢の市民から共感を得やすく、誰でも参加できる創造都市の取り組みとして、食文化のブランド化を推進し、創造都市の裾野を拡大していくことを提言した。食文化創造都市の実現に向けた準備を始め、2018年の国民文化祭で国内観光客を大分の食文化でもてなし、2019年のラグビーワールドカップには、海外から大分を訪れる観戦客も含めた対応を行い、大分の食文化の魅力・価値を国内外に発信するのだ。

その際、食文化は単なる消費文化としての食だけでなく、食材の生産・流通・加工も含むことを改めて意識すべきだ。また、食のブランド化には地産地消がポイントだが、大分市内の飲食店などで提供される食材の多くは、周辺市町で生産されている。そのためには、パルマのように、周辺自治体との広域的な連携を通じたブランド化が得策だろう。

以下、大分の食文化振興に向けた官民の取り組みを紹介したい。

写真3-12 バスク・クリナリー・センター

豊後料理プロジェクト

大分市は、同友会提言も参照して、2017年度より豊後(ぶんご)料理プロジェクトに取り組んだ。

大分市・別府市・臼杵市・津久見市・竹田市・豊後大野市・由布市・日出町の7市1町は、国が提唱する「連携中枢都市圏構想」にもとづき、大分市を圏域の中心市として各市町の一体的かつ持続的な発展を図るため、2016年3月に「大分都市広域圏」を形成した。その方向性を示した「大分都市広域圏ビジョン」は、「温泉や南蛮文化など多彩な地域資源を活かした創造都市圏」を将来像にかかげている。広域連携の方向性として「一次産業と食品関連産業の連携」や「新たな回遊型観光の振興」「魅力ある地域資源の活用」が示された。

こうした課題の解決に向けた大分市の取り組みが「豊後料理プロジェクト」である。「豊後料理」とは、圏域内の各市町に根づく食文化・食材を活かして考案する創作料理のことであり、県内外からの旅行者への提供と、農林水産物の消費拡大を目的としてつくられた。2017年度は『豊後料理創作事典』を作成した。豊後料理を創作するヒントとなる大分都市広域圏の食文化や食材を紹介するハンドブックである。食文化振興のポイントである「伝統」と「革新」の二つの視点のうちの「伝統」にあたる。伝統的食文化の掘り起こし・磨き上げを行うことで、大分の食文化の底上げを図るものである。

そして「革新」にあたるのが豊後料理である。豊後料理の定義は、①すべてのメニューに大分産の食材を使用すること、②大分に伝わる郷土料理をアレンジしたメニューが入っていること、③大分の自然や歴史などを意識したメニューが入っていること、④食材の産地を記載したお品書きが添えられていること、⑤料理提供時にメニューの背景や料理人のこだわりなどについて説明が行われることの五つとされた（コースや定食など複数メニューから構成される料理に関する定義で、弁当や単品料理の場合は若干異なる）。「伝統」を踏まえながらも「革新」を志したといえよう。

提供店舗は、圏域の中心市である大分市が定めた「豊後料理」の定義にしたがって料理を構想した後、市への申請・認可をもって提供可能となる。2017年度にはモデルメニュー3品（和食・洋食・弁当）が試作され、2018年度から本格的な登録が始まった。2019年9月時点の登録店舗は47店舗にのぼり、大分市以外に別府市・由布市・臼杵市・津久見市・豊後大野市・竹田市から18店舗が登録されている。豊後料理を新たな圏域ブランドとして付加価値を高めて旅行者へ提供することは、域内での消費を促すだけでなく、圏域全体の魅力向上・情報発信に寄与することが期待される。

このプロジェクトの一環として、2018年11月に大分マリーンパレス水族館「うみたまご」に併設するレストランで、豊後料理クリエイトイベント「饗〜 OITA 〜 by GohGan」が開催された。シェフは、「世界のベストレストラン50」のアジア版である「アジア・ベストレストラン50」で2015年から4年連続で1位に輝いた「ガガン」のガガン・アナンド、福岡にフランス料理店を構える「ラ メゾン ドゥ ラ ナチュール ゴウ」の福山剛。GohGanとは、二人のシェフの名を組み合わせたフードイベントである。大分市は彼らを誘致して、民間企業との協力のもとで、豊後料理イベントを開催した。イベントでは、両シェフが考案した「豊後料理」を振る舞うだけでなく、県内の若手調理人が両シェフのアシストを行った。世界のトップシェフがつくる独創的な料理により、圏域の価値を再発見することになっただけでなく、大分の若手シェフらの創造性・感性・デザイン性の成長といったスキルのレベルアップにもつながった。

豊後料理は、伝統的な食文化としての側面を持ちながらも、国内または海外からもたらされた知見・手法を取り入れるなど、新たな食文化としての一面も持ち合わせている。伝統を結晶・凍結と捉える向きからは批判があるかもしれないが、豊後料理プロジェクトのような取り組みは、選択肢の増加である。選択肢が豊かであるからこそ、新たに創造されるものもあるだろう。それは地域が地域を見つめ直した際や、またはガガンや福山のような外部からもたらされるかもしれない。「豊後料理プロジェクト」には、引き続き圏域全体の食文化の価値向上と情報発信、若手調理人の育成などを牽引していっていただきたい。

フンドーキン醤油の取り組み

フンドーキン醤油は、1861年（文久元年）創業の味噌・醤油製造を主業とする調味料メーカーである。同社は、1970年代に開発した、業界初の防腐剤無添加の味噌「純生」、醤油「ゴールデン紫」がヒットしたことで、1980年代初頭、九州においてトップシェアを獲得した。近年は、食の西洋化にともない味噌・醤油の需要が全国的に減少しているなか、ドレッシング、ぽん酢、白だしなどの多様な商品展開を図り、売上を伸ばしている。

同社の商品開発戦略は、大企業が狙いにくい規模の市場を獲得していくことに特徴がある。規模の大きなマーケットを意識した商品開発を行っても、大企業から類似品を出されれば結局のところ広告戦略に負け、消費者には同社の製品が類似品とみなされるからだ。この考えがもっとも如実に表れている商品が「青柚子（あおゆず）こしょう」である。昨今、柚子こしょうは全国的に口にする機会も増え、汎用品（コモディティ）化しているが、もともとは九州の一部地域で食べられていた伝統食であり、同社が青柚子こしょうをリリースしたときは10億円程度の市場規模だった。結果的に市場は大きく広がり、大企業も参入する規模となった。大企業が黄色い柚子に緑色の着色料を添加したものを提供するのに対し、同社では黄色く熟する前の柚子を使用し、無添加で提供することで差別化を図り、現在も国内ではトップシェアを占めている。

青柚子こしょうを含め、同社の商品は日本の食文化に深く根づいたものが多いが、これらの商品はきわめて成熟した分野の商品であり、日本の人口減少の影響を直接受けるという特徴を持つ。その中でいかに勝ち抜いていくかが今後の課題となろう。この課題は同社だけにあてはまるものではなく、国内の多くのメーカーが頭を抱えており、結果として新たな市場として海外へ進出を決める会社も多い。しかしながら、海外市場へ進出しようとしても、海外市場も国内同様、熾烈な競争が繰り広げられているうえ、カントリーリスクという大きな問題もある。味はもちろんのこと、パッケージのデザインや色など、現地消費者の嗜好や文化にローカライズすることが求められるが、そのための情報を日本国内で入手したり、現地ネットワークを拡充したりすることが難しい。また、海外マーケットはたしかに拡大しているが、一方で参入企業も増えており、勝ち残るには商品に圧倒的な特徴がなければならない。

同社では、そのような課題に対応すべく、2017年5月に多国籍・多文化環境を活かして企業の人材育成に取り組んできた立命館アジア太平洋大学と相互連携協定を締結し、新商品開発に取り組んだ。海外市場の中でも今後さらなる経済発展が期待されるASEAN市場およびイスラム市場を有望成長市場と捉え、2018年12月にハラール認証を取得した「はちみつ醤油」を開発し、翌年から国内販売を開始した。ハラールとは、豚肉とアルコールを禁じるイスラムの教義において、食することが「許されている」という意味である。20億人ともいわれるイスラム市場への進出にはハラール認証が不可欠で、この商品を軸とし、今後は海外のメーカーなどと協働しながらさまざまな商品展開を狙っている。

このように、九州の一定地域でのみ食べられていた柚子こしょうは、九州外では新たな調味料として迎え入れられ、九州とは異なった手法で料理に取り入れられている。醤油は、欧米諸国ではテリヤキソースなどである程度の定着をみせているものの、イスラム市場では日系企業が現地で展開する飲食店でのみ認知されている。今後、一般家庭にも普及することで、日本では想像できない使い方も発現していくだろう。食の選択肢を増やすということは食を豊かにすることとイコールであり、ひいては新たな食文化の「伝統」を形成する一助となる行為である。地域や海外の食の選択肢を増やすことで、ますます食文化を豊かにしていくことが肝要である。

4 アートによる社会包摂の試み

これまで、文化芸術による「創造県おおいた」の取り組みを、主に観光・地域振興や産業振興の視点から説明してきた。しかし、文化芸術の根源にある創造性や多様性は、福祉や教育といった幅広い分野で活かされており、とりわけ、障がい者の芸術表現活動は社会包摂の観点からも意義深い。ここでは、大分が全国に先駆けた障がい者の就業による自立と、スポーツによる社会参加の取り組みを紹介したい。そのうえで、それらに続く取り組みとして、障がい者と文化芸術の関わりを通じた新たなチャレンジについて報告する。

社会包摂とは

まず「社会包摂（Social Inclusion）」について少し説明しよう。1970年代のヨーロッパで「ノーマライゼーション」という概念が広まった。障がい者が、社会の中で障がいの有無で区別されることなく、平等に生活を送ることができるようにすべきという考え方だ。また、社会的不平等は従来、貧困という所得格差によると捉えられていたが、単なる経済的要因だけでなく、障がい・教育・職業などさまざまな要因による社会的不平等を表現するものとして「社会的排除（Social Exclusion）」という概念が生まれた。社会包摂は、これに対する概念として生まれたのだ。

つまり、社会包摂とは、社会的に排除された弱者すべてが、平等に社会参加するためのサービスや機会を与えられて潜在的能力を発揮でき、社会のほうも、その多様性を尊重して受け容れることで、すべての人が区別されることなく共生するという考え方といえる。

創造都市をめざすうえでも、社会包摂は重要な考え方となる。創造都市論者の佐々木雅幸も『創造都市と社会包摂』の中で、次のように語っている。

「ランドリーやフロリダも強調しているように、創造都市においては芸術家や科学者のみならず、すべての市民が創造性を発揮できるような社会＝創造的社会の実現が大きな目標になるが、そのためには一方で、文化的な生活を過ごすための基礎的な所得が普遍的に保障される＝ベーシック・インカム構想の理論的政策的検討が重要であるし、他方で、障害者や老人、ホームレスピープル、移民労働者らを社会的に排除するのでなく、知識情報社会において発生する新しい格差の克服に加えて、急速なグローバル化が引き起こす難民問題の解決など「社会包摂」という課題が創造都市論に突きつけられているように思われる」

故・中村裕博士と「太陽の家」

大分県別府市亀川地区にある「太陽の家」をご存知だろうか？　太陽の家は知らなくても、「大分国際車いすマラソン」なら、ニュースなどで一度は耳にしたこともあるだろう。これらはいずれも障がい者の社会参加を目的に、故・中村裕（ゆたか）博士により創設されたものである。もしかしたらNHKが2018年に放映したドラマ＆ドキュメンタリー「太陽を愛したひと」をご覧になった方もいるかもしれない。これは、まさにその中村博士を題材にした作品であった。

別府市生まれの中村博士は、九州大学医学専門部を卒業後、1952年に同大学の整形外科医局に入局し、当時のわが国では未開の分野であった医学的リハビリテーションの研究を始めた。その一環で英国の国立脊髄損傷センターを視察した際、リハビリテーションにスポーツを取り入れ、医師が多分野の人々との連携を通じて脊髄損傷者の社会復帰を支援していること、さらに患者の社会復帰までをサポートしているのを目のあたりにした。その体験を機に博士は、身体障がい者の社会参加、特に就業による自立と、スポーツによる社会参加をめざす取り組みを開始した。

1964年に開催された東京パラリンピックに日本選手団団長として参加した博士は、外国人選手が職場から競技に参加したのに対し、日本人選手のほとんどが入院中の患者だったという違いに衝撃を受けた。そこで、「保護より（就労の）機会を！」という理念のもと、1965年に障がい者の就労施設である太陽の家を別府市に創設した。

太陽の家では、障がいの種類・重度に関係なく、多くの障がい者が雇用されている。また、オムロン太陽、三菱商事太陽、ホンダ太陽、ソニー・太陽、ホンダR&D太陽、富士通エフサス太陽、デンソー太陽、オムロン京都太陽といった、企業との共同出資会社も設立された。そこで障がい者は、その障がいに応じてさまざまな作業に配属されている。設備にも、彼らに対応したレイアウトや機器を採用する工夫がなされている。博士は「世に心身障害者はあっても仕事の障害はありえない。太陽の家の社員は、庇護者ではなく労働者であり、後援者は投資者である」と唱え、障がい者を社会の一員として受け容れ、障がいにかかわりなく共生できる社会をつくろうとした。

太陽の家の本部がある別府市亀川地区では、その取り組みに多くの企業が協力している。例えば、地元金融機関の大分銀行は、金融面から活動を支援しようと太陽の家支店を設けている。店内は完全バリアフリーですべてローカウンター。車いす専用ATMや、言語障がい者向けコミュニケーターを設置し、障がい者の利便性を考慮した機能的な店舗設計となっている。同支店は障がい者を積極的に雇用し、障がい者の自立支援を後押ししている。また、地元スーパーのトキハインダストリーも敷地内で「スーパーマーケットサンストア」を運営しており、ユニバーサルデザインの店内では車いすの従業員がレジ係として就業している。買い物に来た周辺住民と低いカウンター越しに笑顔で会話する様子は、まちの日常風景になっている。太陽の家のある亀川地区は、まさに包摂的社会のモデルエリアといえる。

大分から始まったスポーツによる社会包摂

中村博士はまた、スポーツによる障がい者の社会参加をめざし、大分県障がい者体育協会や日本障がい者スポーツ協会の設立にたずさわったほか、わが国初の障がい者の体育大会「大分県身体障害者体育大会」（現・大分県障がい者スポーツ大会）の開催に尽力した。さらに1975年の「第1回極東・南太平洋身体障害者スポーツ大会」（現・アジアパラ競技大会）の開催にも関わるなど、障がい者スポーツの組織整備と大会開催の両面で大きな功績を残した。

そうした博士の活動により、1981年には世界初の「車いすだけのマラソンの国際大会」が大分で開催された。現在も毎秋開催され、2019年で第39回を迎えた大会は、今や車いすマラソンの世界最高レベルの国際大会として、世界から高い評価を受けている。第1回開催時は、フルマラソンでの完走が疑問視され、ハーフマラソンでの開催となったが、世界各国より参加した117名の選手の中からフルマラソンを走りたいという声があがり、第3回よりフルマラソンが追加され、国際的な車いす競技連盟公認大会となった。2018年の第38回大会では、大分県が、車いすマラソン出場経験のない2名の県内アスリートに、レーサーと呼ばれるマラソン専用の車いすを貸し出し、走法を指導して出場機会を与える支援を行うなど、障がい者のスポーツによる社会参加を積極的に後押ししている。博士の遺志は今日も着実に引き継がれているといえよう。

文化芸術と社会包摂

文化芸術は、障がいの有無にかかわらず誰でも楽しむことのできるコンテンツだ。障がい者にとって、創作活動はリハビリや余暇時間の過ごし方、学習的活動などさまざまな目的を達成する手段となっている。しかし彼らの多くは、そうした目的のためというよりも、純粋に文化芸術と触れ合うことを楽しみ、制作に没頭しているそうだ。

また、展覧会に行くと、障がい者の作品の独特な色づかいやかたち、独創的な捉え方など、感性を刺激される作品が多く、圧倒される。いや、むしろ、障がいの有無とは関係なく、ごく自然にアート鑑賞を楽しむことができる。

このように文化芸術は、社会的弱者の存在や権利を芸術表現によって顕在化させることができる。展覧会などを開催することで、社会とあらゆる人々をつなぐ媒体になることもできる。つまり、障がい者の社会参加、包摂的社会の実現につながる可能性を秘めているのだ。障がい者の文化芸術活動によって生まれた作品のすばらしさをみいだし、発信することで社会包摂を実現しようとする支援団体の活動は、全国各地で地道に続けられてきた。

こうした流れを背景に法改正も行われた。2017年6月に改正された文化芸術基本法の基本理念には、「国民がその年齢、障害の有無、経済的な状況又は居住する地域にかかわらず等しく、文化芸術を鑑賞し、これに参加し、又はこれを創造することができるような環境の整備が図られなければならない」として、障がい者の芸術活動支援が明記された。さらに2018年6月には、文化芸術基本法と障害者基本法の基本的な理念にのっとり、文化芸術活動を通じた障がい者の個性と能力の発揮および社会参加の促進を図ることを目的として、「障害者による文化芸術活動の推進に関する法律（障害者文化芸術活動推進法）」が施行されるなど、障がい者の文化芸術活動と社会包摂をつなげる法整備も進んできた。これらの法律を背景に、社会包摂につながる障がい者による文化芸術活動の促進やそのサポートの取り組みがさらに進展している。

さぽーとセンター風車と「元気のでるアート！」

障がい者の芸術表現活動のサポートは、社会福祉法人など民間の福祉サービス事業所が施設の中で担っているのがほとんどである。大分県内でも各地の事業所が積極的に活動しているが、その牽引役といえる存在が、臼杵市の社会福祉法人みずほ厚生センターが運営する障がい者等福祉相談支援事業所「さぽーとセンター風車」だ。大分県では、この風車が中心となって2005年から障がい者が制作したアート作品の展覧会「元気のでるアート！」を県内各地で開催してきた歴史がある。

風車は、地域の障がい者とその家族を対象とし、関係機関とも連携しつつ、障がい者福祉に関する情報提供や助言を行う相談窓口である。相談窓口である風車が、障がい者アート展を開催する発端となったのは、相談支援専門員である吐合（はきあい）紀子がさまざまな相談を受けるなかで「障がい者の居場所づくり」の必要性を感じたことから始まった。障がい者は、平日には何らかの活動があるものの、週末は時間を持て余す。その時間を楽しく豊かに過ごすために文化芸術を活用できないかというのが発想のスタートだったそうだ。というのも、彼女はもともと美術教師で、前職は特別支援学校に勤めていた。そこですばらしい絵を描く障がい者に出会った経験から、風車で障がい者の芸術活動の後押しを試みたという。こうして、障がい者の作品発表の場である「元気のでるアート！」が始まった。

写真3-13　元気のでるアート！会場風景
出典：元気のでるアート！

「元気のでるアート！」（写真3-13）は、

風車を事務局として実行委員会を組織し、毎年、複数の作家の作品を展示する展覧会を県内各地で開催するものだ。2005年に3名の作家の作品展示からスタートし、15年目となる2019年は20名の作家の個性輝く作品が展示された。今では美術関係者など、福祉関係者以外にも知られる存在となっている。

規模が徐々に拡大するなか、サポート人材の育成が急務となっているようだ。施設の従事者や障がい者の家族に対する支援体制の充実が求められている。障がい者の芸術表現活動を推進するには、こうした従事者や関係者がノウハウを学ぶ場が必要だ。このため、そうしたサポート人材向けの研修会・勉強会を開催するとともに、意見交換を重ねることで横のつながりを構築する取り組みを地道に行っている。

そして、障がい者の社会参加をさらに促進する手段の一つとして、外部専門家や商業関係者とのネットワークを構築し、作品の商品化などの経済活動に結びつけることも視野に入れた活動を展開している。

ART STORAGE

福祉の視点に加えて、障がい者アートをビジネスの視点から普及しようと、民間企業がビジネスとして行う事業ブランドが「ART STORAGE」である。

デザイン会社代表の古庄（ふるしょう）優子は、2005年に「元気のでるアート！」のデザインの仕事を請け負ったことがきっかけで、障がい者アートに初めて触れた。その際、無心で制作する障がい者の一途な姿や、その純粋で独創的な作品に感銘を受けたという。そして自身の仕事を通じて、そうした作品を商業デザインなどで使用可能にするビジネスをみいだした。障がい者の作品をビジネスコンテンツとしてデータ化して発信し、有償で利用できるサービスを提供している。まさに「芸術作品の保管場所（ART STORAGE）」だ。

障がい者にとっては、作品を制作する過程が最重要で、社会とのつながりが希薄であったり、身体的な制約などから、自らの作品を発信する場を得られないケースも少なくない。作品が十分にビジネスに乗る可能性があっても、そもそも作者にそうした意図はない場合が多い。芸術性が高いにもかかわらず、社会の目に触れることなく埋もれていく作品に、デザインの視点からさらに価値を付加しつつ、作家に代わって発信し、ビジネスを通じて社会との仲介役になろうとしている。作者には、サービスで得た利用料収入から作品使用料（ロイヤリティ）が支払われる。このように、障がい者の収入増加に寄与することで、社会参加の支援にもつながるといえよう。

みんなのアーツ体験事業

2014年からBEPPU PROJECTのコーディネートにより、大分県が実施しているのが「みんなのアーツ体験事業」である。ダンサー、ミュージシャン、美術家などあらゆる分野のアーティストを障がい者施設、高齢者施設、児童養護施設に派遣する訪問教室（アウトリーチ）による体験型ワークショップである。多くの障がい者に文化芸術による表現の機会を提供しようというもので、これまで県内各地の延べ17か所で実施された。毎回、その施設の状況や課題・要望などに応じて、アーティストとプログラムがコーディネートされる。アーティストと、施設の利用者・スタッフが一緒に自由な表現活動を楽しむことで、互いを刺激しあい、それぞれが元来持つ表現力・創造力が引き出される。こうしたワークショップは、施設利用者の自由な表現活動と才能の開花という効果だけでなく、施設スタッフにとっても、新たな価値観の発見の場となったようだ。

障がい者の芸術活動支援に関する提言

大分県は、2018年開催の国民文化祭／全国障害者芸術・文化祭を視野に入れて、2015年に大分県障がい者の芸術活動支援懇談会を設置した。美術館関係者、福祉施設関係者、大学関係者、県外の障がい者アートの先進団体に加えて、みずほ厚生センターから吐合紀子、後述するラパロマから中野伸哉、BEPPU PROJECTから山出淳也を招き、今後の障がい者やその支援者に対するサポートのあり方などについて議論を重ねた。そこでの議論を踏まえて2016年3月に「障がい者の芸術活動支援に関する提言」が提出された。多くの障がい者が身近な地域で芸術活動を行うことができる環境を整えることと、芸術性の高い作品を評価・発掘して県内外へ広く紹介する仕組みを構築することに焦点をあてた内容である。支援の具体的なあり方として、支援者などの人材育成や、身近なところでの相談支援、障がい者の芸術鑑賞支援、展示機会の確保や商品化支援のほか、中間支援組織の設置が提言された。

大分県は、懇談会の議論や最終的な提言も踏まえ、展覧会の「Action!」や、障がい者の文化芸術活動の普及を支援する「こみっとあーと」などに取り組んだ。

Action!

全国には、障がい者アートの支援活動によって社会包摂に向けた取り組みを行う団体・個人が、さまざまなアプローチにより活動を展開している。そこで大分県は、障がい者の芸術表現活動を振興する取り組みとして、障がい者のアート作品をメインにした展覧会ではなく、視点を変えて、障がい者アートの普及・課題解決に取り組む団体や個人にスポットをあてた展覧会を、2015～18年度にかけて実施した。それが「1人ひとりのもつ可能性を活かす仕組みを考えるアート展 Action!」(写真3-14）だ。

展覧会は、主催者が県福祉保健部障害福祉課で、実際の企画は、「みんなのアーツ体験事業」のコーディネーターでもあるBEPPU PROJECTが担った。大分県立美術館を会場として、活動に従事する団体・個人にインタビューした記録がパネル展示された。その他に会期中、ワークショップや講演会、映画上映、パフォーマンスなどが催され、課題とビジョンを共有する場、考えと活動が生まれる場づくりとなった。各回の開催概要は次の通りである。

2015年度は主に、知的障がい者のアート活動を支える関係者へのインタビューを通じて、家族がどのように障がいと向き合ってきたのか、障がい者とアートが出会うことで何が生まれるのか、利用者の創造活動を支援することで施設がどのように変化したのか、そして、彼らは社会に向けて何を発信し、どのような世界をめざそうとしているのかを明らかにした。わが国における障がい者アートの草分け的存在「たんぽぽの家」、ロンドンオリンピック・パラリンピックの文化プログラム「Unlimited」などの活動を紹介した。

写真3-14　Action!　会場風景

2016年度は、身体や精神に障がいを抱えた人々のアートとの出会いと自身の変化について、当事者の声や、彼らの支援者へのインタビューを展示した。演劇やダンス公演、映画上映、憲法朗読会、著作権に関するセミナーなども実施している。

2017年度は、「障がい者アートとは？」「地域社会に開かれた新たな福祉施設とは？」「真の包摂型社会とはどのような姿なのか？」について考えるための参考事例を紹介した。会場には、暗闇の迷路や上下逆さの日本地図など、視点を変えることを促すいくつかの仕掛けが用意された。

そして2018年度は総集編として、国民文化祭と同時開催の全国障害者芸術・文化祭で開催された。「障がい者アートとは何か？」「障がいとは誰が規定するのか？」「障がいの有無を超えてすべての人がともに必要としあう社会のあり方とは？」といった、Action!の目的である「1人ひとりのもつ可能性を活かす仕組み」についてディスカッションが行われた。

会場には、これまでのインタビュー内容や活動が展示され、福祉とアートを考えるダンスワークショップも実施された。アート作品も多く展示されたが、その中にはラパロマの中野マーク周作の作品（写真3-15）もあった。ラパロマは、東京や海外で雑誌や企業の広告を長年手がけてきたイラストレーター・プロデューサーの中野伸哉が、国東（くにさき）市国見町に移住して開いたギャラリー兼工房だ。家族3名それぞれの作品が展示された店内の一角では、息子のマーク周作が黙々と作品を制作し続けている。彼の作風は、動物や怪獣のような生き物を表現した愛嬌のある、表情豊かな陶芸作品だ。いずれも非常に独創的で、作品の大きさに関係なく細部にまでこだわる。繊細でありながら、圧倒的な集中力で同じものを一日に数十個とつくり続けることもあるという。今では知名度も上がり、県内外のファンも多いと聞く。また、アートのワークショップの講師として招聘されるなど、アーティストとしての活動の場はさらに広

写真3-15　Action!　中野マーク周作 作品

がっているそうだ。マーク周作のアーティスト活動には、家族が、息子の才能をみいだし、それを活かすための環境を整えるだけでなく、彼の障がいを障がいではなくオリジナリティとして捉え、一人のアーティストとして接してきた様子がうかがえる。

中野マーク周作の作品とともにAction!会場内の壁一面に大きく飾られた中野伸哉の言葉は、障がいの有無に関係なく共生する社会、文化芸術の創造性と多様性がもたらす包摂的社会のあり方を考えさせられる非常に印象的な言葉だった。

「産まれた時代が今でなければ（筆者注：装飾が施された鏃や土器をつくることが重要だった縄文時代なら）息子はヒーローだったかもしれない」

こみっとあーと（障害者芸術文化活動普及支援事業）

厚生労働省はこれまで、全国障害者芸術・文化祭の開催や、障害者文化芸術活動推進法の制定のほか、さまざまな施策によって障がい者の文化芸術活動を推進している。

2014〜16年度には、芸術活動を行う障がい者やその家族、障がい者の芸術活動を支える団体への支援と、その成果の普及を企図して「障害者の芸術活動支援モデル事業」を展開し、全国12か所の実施団体を支援してきた。この事業では、実施団体が「障害者芸術活動支援センター」を設置し、障がい者の芸術活動などへの相談対応や、支援人材の育成、福祉以外の分野も含めた幅広いネットワークの形成、関係機関などを含めた協力委員会の設置、障がい者アートの支援団体による展覧会の開催、作品を制作する障がい者の調査・発掘などの事業を実施してきた。

さらに、こうしたモデル事業で培ったノウハウや成果を全国展開して普及させ、障がい者の芸術活動支援を推進すべく、2017年度より「障害者芸術文化活動普及支援事業」を開始した。この事業では、都道府県レベルに「支援センター」、地方ブロックレベルに「広域センター」、全国レベルで「連携事務局」という支援拠点を重層的に整備する。そのうえで、センター機能を担う全国各地の実施団体が活動を展開しつつ、センター間の連携・交流を図ることで、全国規模での推進とネットワーク形成をめざしている。

大分県内ではみずほ厚生センターが、2017年度からの2年間、実施団体を引き受け、支援センターとして「こみっとあーと」を事業展開した。こみっとあーとでは、県内を4ブロックに分けて、各エリアの中核福祉施設と連携して「こみっとあーとアトリエ」を設置。これを核に、相談対応や、支援者の人材育成、ネットワークづくり、人材の調査・発掘、展覧会を実施した。障がい者やその家族、施設スタッフ、講師が、アトリエの活動に参加することでネットワークが形成された。また、こうした取り組みの中から、多様な障がいに応じた創作活動ができる場所づくりや、徐々にではあるが、創作活動を支援する人材や展覧会などを企画運営する人材の育成も進みつつある。

国民文化祭後の新たな展開

こうして県内でさまざまな取り組みが加速するなか、2018年に全国障害者芸術・文化祭が国民文化祭と一体開催された。すでに述べたAction!に加えて、県内外の障がい者アート作品を展示する「障がい者アートの祭典」が、県立美術館を会場に大規模に催された。会期中に開かれた「障がい者アートフォーラム」には、全国で障がい者アート活動の支援にたずさわる人々が結集し、先進事例の紹介・共有やディスカッションを行った。さらに、規模の大小はあれ、県内全市町村で、障がい者の文化芸術活動に関する展示などが催されたのも、今回の大きな成果であった。

大分県は、懇談会提言を踏まえ、また全国障害者芸術・文化祭のレガシーとすべく、障がい者の芸術振興を担う中核組織として、2019年11月に大分県芸術文化スポーツ振興財団内に「おおいた障がい者芸術文化支援センター」を開設した。このセンターは、厚生労働省の障害者芸術文化活動普及支援事業の都道府県レベルの支援センターとしての役割を担うことを視野に入れたものだ。こうした事業に、自治体の文化財団が自ら積極的に取り組むのは、現時点では全国でも数少ないケースだという。2018年度まで、みずほ厚生センターを実施団体として展開してきた「こみっとあーと」プログラムも、今後は同支援センターが継承する。これによって、県立の美術館と総合文化センターとの有機的連携が図られると同時に、県が持つ県内自治体間のネットワークを通じて、活動がさらに進展することが期待される。

センター長に就任した吐合紀子は語る。

「国民文化祭で少しは障がい者アートの認知度は上がった。しかし、まだまだやるべきことは山積みです。福祉施設のみならず、あらゆる支援する立場の人の意識改革や人材育成はさらに必要であり、中間支援団体として、相談支援だけでなく意識醸成や育成に向けた研修も仕掛けていく。無論、障がい者へのアプローチも進めます。文化芸術に触れることで、全市町村各地に障がい者の“居場所”をつくりたい。また、こうしたプラットフォームの活動を通じて、アーティストも発掘していきたい。それが楽しみでもあります。また、この組織が、大分県の財団の中に組織されたことは大きい。今後、財団の他部署との連携も深めることで、障がい者が美術や舞台芸術といった幅広い芸術活動に関わることのできる条件も広がりました」

これまで大分県内における障がい者の文化芸術活動への支援は、活動に積極的な福祉団体などの主体的な取り組みによって進んできた。今後は自治体が、こうした民間の主体的活動に伴走することで、取り組みをさらに深化させるとともに、活動自体が広域化していく可能性がある。官民が連携して、それぞれの役割を担うことで、多面的に障がい者の文化芸術活動のための環境整備が進められることだろう。

故・中村裕博士が創設した「太陽の家」や車いすマラソンは、わが国における社会包摂の嚆矢(こうし)ともいうべき取り組みであった。博士の遺志が、障がい者の就業やスポーツから、文化芸術を通じた自己表現と社会参加まで広がることで、この大分の地が、社会包摂による「創造県おおいた」の実現に向けて、今後も走り続けることを期待したい。

5 クリエイティブ人材の育成

「創造県おおいた」をめざすうえでは、その推進を担う人材の育成が不可欠だ。地域課題の創造的解決を行うクリエイティブ人材を育てるうえで、大分県が行っている試みを紹介したい。クリエイター育成の「おおいたクリエイティブ実践カレッジ」（161ページ～）、障がい者芸術活動の支援人材育成（184ページ～）はすでに紹介したので、ここではその他の取り組みを概観する。

大分県「アートマネジメント講座」

クリエイティブ人材育成は、2018年に開催される国民文化祭の大きな目的であった。そこで大分県は、県内でアートプロジェクトを実践中または実践したいと考える人を対象に、事業実施に必要な企画構想力・資金調達力・組織経営能力を養う「アートマネジメント講座」を2016～18年度に開講した。講座の企画運営を担ったのはBEPPU PROJECT。ひと口に“アートマネジメント”といっても、この講座がめざすのは、美術館・ホールの専門家の養成ではなく、受講生が、これからの地域づくりの担い手としてクリエイティブに活躍する人材に育つことだった。講座は、座学を中心とした入門編と、自らアートプロジェクトの企画書を作成する実践編の二部で構成された。

入門編は2016～17年度にかけて二度、開講された。定員は30名で、参加者は全6回の講座に毎回参加するよう求められた。毎回、国内諸地域で活躍するアートマネジメントの専門家を講師に招き、彼らが実際に関わった先行事例を通して、アートプロジェクトの企画運営や広報に関するレクチャーを行った。山出淳也が講座のナビゲーター役を務め、講師に的確な質問を投げかけたり、別府での具体例を紹介する役割を担った。BEPPU PROJECTのスタッフが、予算書や帳簿の実物、チラシなどの広報媒体を持ち込んで教材に使うなど、きわめて実用的な内容も含む講座であった。

実践編は、入門編を修了した受講者のみを対象に、入門編の次年度になる2017～18年度に開講された。定員は15名程度を上限として、全4回の講座を実施。実践編では、受講生が「来年度中に自分が実行したいアートプロジェクト」をテーマに、企画書・進行表・予算書など具体的な資料作成を行い、それらに対して、講師の山出が講評を加えた。講師の指摘や質問と受講生の返答が飛び交い、緊張感のあるヘビーな展開だったという。

大分県立芸術文化短期大学「アートマネジメントプログラム」

アートマネジメント講座は、主に社会人を対象にした人材育成プログラムだったが、学生や子どもを対象にしたプログラムも紹介しておきたい。

大分県立芸術文化短期大学は2018年度より、座学とあわせ現場の体験を通じた実践的な学びの場である「アートマネジメントプログラム」を開講した。創造性を磨き、企画力・実践力を養う新しいプログラムである。地域社会で、美術・音楽などの表現領域を柔軟に横断するアートプロジェクトを展開できる人材の育成をめざす。受講生には、美術科・音楽科という芸術系の学生だけでなく、国際総合学科・情報コミュニケーション学科という人文系も含まれる。彼らは1年間をかけて、文化芸術事業に関する企画・制作・広報などの知識を、美術館などでの現場体験を通して実践的かつ体系的に学び、最終的には学科をまたぐ混成チームを組んで、自らが考えた展覧会や演奏会などを実際に企画運営する。

大分県立美術館「地域の色・自分の色」

大分県立美術館は、子どもが遊びながら創造性を育むための教育普及活動に取り組んでいる。手や身体をほぐしながら素材や空間を全身で感じる活動や、布・紙・土などの身近な素材の魅力を発見する活動、遊びを通してつくったり視たりすることに夢中になる活動など、さまざまな美術の体験を子どもたちに提供している。

例えば、姫島の小中学生を対象とした「地域の色・自分の色」は、子どもたちが野外で集めた鉱物や植物を原料に絵の具をつくり、それを用いて「自分の好きなもの」をテーマに絵を描く。こうした活動を通じて、子どもたちは身近な自然への関心を深め、故郷の魅力を再発見すると同時に、自らの手で絵を完成させる達成感がやる気を引き出したという。プログラムの成果として、子どもたちの授業態度や、理科につながる発想や疑問など、さまざまな面で成長や変化がみられ、成績が向上する効果があったとして、2017年に読売教育賞最優秀賞（美術教育部門）を受賞した。

こうした活動が、子どもたちが創造的な活動のおもしろさに気づくきっかけとなり、次世代のクリエイティブ人材の育成につながることを期待したい。

第4章

「創造県おおいた」の将来展望

1 転換するわが国の文化政策

ここまで、文化芸術の創造性をさまざまな地域課題の解決に活かす「創造県おおいた」の取り組みを紹介してきた。一方、そのかたわらで、わが国の文化政策もまた、創造都市的な方向へと大きな転換を遂げつつあった。ここでは、わが国文化法制の根幹をなす文化芸術基本法の改正をはじめとする文化法制・計画の変化について解説する。そのうえで、文化芸術の本質的価値と社会的・経済的価値の意味合いを考察するとともに、文化芸術に対する公的支援の意義について整理を試みる。

わが国文化政策における創造都市の重視

政府は2014年3月、東京オリンピック・パラリンピックが開催される2020年までを文化振興の計画的強化期間と位置づけた「文化芸術立国中期プラン」を策定した。このプランで、文化芸術と、教育・福祉・地域振興・観光振興・産業振興・文化外交など他分野との連関を踏まえた領域横断的な施策の実施を強調し、創造都市推進の方針を打ち出した。

一方、大分県では、すでに2005年には別府で、創造都市をめざすNPOのチャレンジが始まっている。2010年には、別府の取り組みを県都大分でも推進しようという経済界の調査提言活動が緒についた。県立美術館が開館し、JRの観光誘客キャンペーンにあわせて県内各地で芸術祭が花開く2015年に向けた、多種多様な実践が進んでいたのだ。

しかも、前年に芸術文化ゾーンを活用した新たな展開研究会が行った検討は、文化×観光分野を中心に別府・大分で先行した創造都市の実践を踏まえて、こうした取り組みの意義や効果を考え、その理論化・戦略化を狙った。観光振興だけでなく、産業振興・社会包摂・人材育成などの幅広い政策領域へと拡大し、地理的にも県都周辺から県内全域へと広げるものであった。まさに一点突破、全面展開の戦略といえる。

研究会では、大分県内の実践的取り組みや、大分経済同友会の先進事例視察の成果を踏まえて「創造県おおいた」のコンセプトを構築した。その際、国内外の文化政策動向に通暁する県外の学識者も交えて議論を行い、「創造県おおいた」のビジョンが国の文化政策の最新展開を一歩先んじて実行し、全国モデルをめざすことを意識して検討を重ねた。この結果、2015年に新長期総合計画が策定され「創造県おおいた」が政策の柱になるとともに、大分県版クリエイティブ産業の創出や、全国障害者芸術・文化祭をみすえた障がい者の文化芸術活動支援、県民・学生・子どもを対象とした人材育成といった政策が実現・拡充されることになった。企画立案から実行までが、たいへんスピーディーに展開したといえる。

文化芸術基本法をはじめとする新たな文化立法

国サイドでは、文化芸術立国中期プラン以降も「文化芸術の振興に関する基本的な方針（第4次）」（2015年）や「文化芸術立国の実現を加速する文化政策（答申）」（2016年）が出された。これらの答申で示された理念が法律に明記されたのが、2017年6月の「文化芸術振興基本法」改正である。2001年に成立したこの法律は、わが国文化政策の根幹をなす基本法だが、16年ぶりに改正がなされ、名称も「文化芸術基本法」に改められた。

新法は前文で「文化芸術の礎たる表現の自由の重要性を深く認識」するという、日本国憲法第21条の理念を、改めて声高に謳った。

創造都市の側面からの改正は次の通りである。

まず、文化芸術の固有の意義と価値を尊重しつつ、文化芸術そのものの振興にとどまらず、観光・まちづくり・国際交流・福祉・教育・産業その他の関連分野における施策を基本法の範囲に取り込んだこと。そして、文化芸術により生み出されるさまざまな価値を、文化芸術の継承・発展・創造に活用することを示した。さまざまな分野の施策との有機的連携というコンセプトは、文化芸術基本法の基本理念（第2条）に新たに盛り込まれた。基本理念にはまた、文化政策推進にあたり、若年世代への文化芸術教育の重要性に鑑み、学校・文化芸術団体・家庭・地域における活動の相互連携も規定された。

基本理念の中では、文化による社会包摂の拡充もなされた。改正前は「文化芸術の振興に当たっては、文化芸術を創造し、享受することが人々の生まれながらの権利であることに鑑み、国民がその居住する地域にかかわらず等しく、文化芸術を鑑賞し、これに参加し、又はこれを創造することができるような環境の整備が図られなければならない」と定められていた。これが新法では「国民がその年齢、障害の有無、経済的な状況又は居住する地域にかかわらず等しく」と改められた。旧法で、地域間格差の是正のみ例示されていた文化権を、新法では、年齢・障がい・経済面の格差是正に拡充したわけだ。

新法は第7条で、政府は、文化芸術に関する施策の総合的かつ計画的な推進を図るため、「文化芸術推進基本計画」を定めなければならないとしている。さらに第7条の2では、都道府県・市町村も、国の基本計画を参酌(さんしゃく)して、その地方の実情に即した「地方文化芸術推進基本計画」を定めるよう努めるものとしている。要するに、地方自治体による基本計画策定は義務ではなく、努力目標である。ちなみに「参酌」とは聞きなれない単語だが、「他のものを参考にして長所を取り入れる」といった程度の意味合いだ。

こうして国は、2018年3月に文化芸術推進基本計画（第1期）を閣議決定した。計画期間は2018～22年度の5年間。計画では、文化芸術は国民全体と人類普遍の社会的財産として、創造的な経済活動の源泉や、持続的な経済発展や国際協力の円滑化の基盤であるとしたうえで、文化芸術の価値を「本質的価値」と「社会的・経済的価値」の二つに分類している。

文化芸術の本質的価値とは、次のようなものである。

①豊かな人間性を涵養(かんよう)し、創造力と感性を育むなど、人間が人間らしく生きるための糧となるものであること

②文化芸術は、国際化が進展するなかにあって、個人の自己認識の基点となり、文化的な伝統を尊重する心を育てるものであること

また、文化芸術の社会的・経済的価値とは、次のようなものである。

①他者と共感し合う心を通じて意思疎通を密なものとし、人間相互の理解を促進するなど、個々人が共に生きる地域社会の基盤を形成するものであること

②新たな需要や高い付加価値を生み出し、質の高い経済活動を実現するものであること

③科学技術の発展と情報化の進展が目覚ましい現代社会において、人間尊重の価値観にもとづく人類の真の発展に貢献するものであること

④文化の多様性を維持し、世界平和の礎となるものであること

そのうえで、国や自治体が、心豊かで多様性のある社会の実現、創造的で活力ある社会の構築のために、文化芸術が生み出す本質的価値、社会的・経済的価値を、文化芸術の継承・発展・創造に活用し、好循環させることが重要だとしている。

基本法にもとづく文化芸術推進基本計画に一歩先んじて、国は別途、2017年12月に「文化経済戦略」も策定している。文化と経済の関係を積極的に捉え直し、文化関連産業の発展や、文化活動の経済波及効果といった観点に着目した戦略である。文化政策と経済政策との連携を深めることで、文化の持つポテンシャルを開花させ、文化芸術の継承・発展をより確実なものとすることを目的とする。

さらに前章で述べた通り、2018年6月に障害者文化芸術活動推進法が成立した。文化財保護法も改正され、2019年4月に施行された。背景には、過疎化・少子高齢化などを受けて各地の文化財の滅失や散逸の防止が急務であるとの認識がある。そうしたなか、有形・無形の文化財をまちづくりに活かしつつ、文化財継承の担い手を確保し、地域社会が総がかりで取り組んでいくことのできる体制づくりを目的とする。

文化の価値再考

こうして、わが国の文化行政は、文化芸術の本質的価値に加えて、社会的・経済的価値を重視するようになった。このことは、広義の文化政策を、文化芸術の本質的価値の維持向上を図る政策（狭義の文化政策）と、文化芸術を社会的・経済的課題の解決に活かす政策（創造都市的な文化政策）に分けるうえでの体系的整理として理解しやすい。とはいえ、前者と後者は別物かと問われるとそうではなく、両者には深い関係性があるように思う。以下では、社会的・経済的価値を、社会的価値、経済的価値の二つに分けて考察したい（図表4-1）。

国の文化芸術推進基本計画は、本質的価値を「豊かな人間性を涵養し、創造力と感性を育む」「個人の自己認識の基点となり、文化的な伝統を尊重する心を育てる」

と表現し、個人の内面にフォーカスしている。一方、社会的価値については「他者と共感し合う心を通じて意思疎通を密なものとし、人間相互の理解を促進する」「人間尊重の価値観に基づく人類の真の発展に貢献する」「文化の多様性を維持し、世界平和の礎となる」など、社会やコミュニティに着目した表現となっている。

しかし、焦点が個人か集団かの違いはあるが、両者には共通点が多く、後者も本質的価値の性格を持つと思う。例えば、本質的価値の「豊かな人間性」と社会的価値の「人間尊重の価値観」は似通っている。また、本質的価値に「文化的な伝統を尊重する心」とあるが、伝統と社会は不可分だ。もちろん、二つの価値は完全に一体ではなく、グラデーションのように濃淡でつながっていると捉えたほうが適切かもしれない。「人間性」「意思疎通」「創造力・感性」「多様性」といった価値観は、個人と社会を貫く文化芸術の本質的価値といえる。

それでは、経済的価値と本質的価値の関係はどうなっているのだろうか。前者もまた、後者と密接につながっているが、その接続の仕方は社会的価値のそれとは異なると思う。文化の本質的価値と経済的価値を並べれば、重要なのは明らかに前者だ。文化的な財・サービスが経済的価値を持つのは、それが本質的な価値を有するからにすぎない。多くの人々が文化芸術に本質的価値を認め、それを所有・体験しようとするから、経済的価値が生じるのだ。それは、一般的な財・サービスに固有の価値があり、福祉や医療など社会包摂に関わる財・サービスにもそれ固有の価値があるのと同様である。

図表4-1　文化の本質的価値と社会的・経済的価値の関係

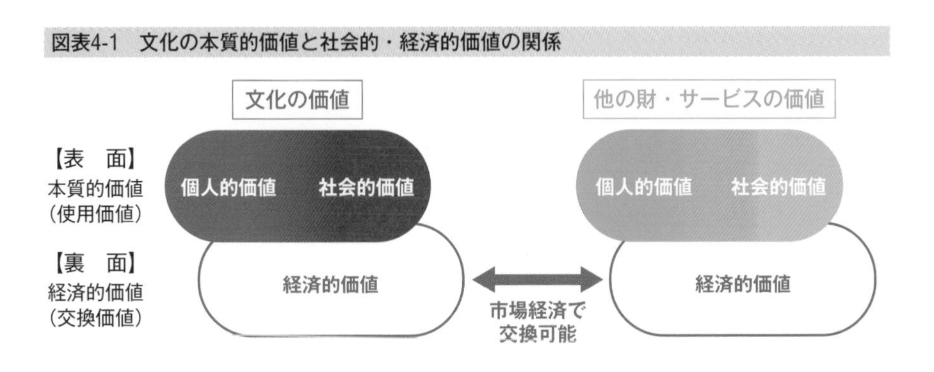

しかし、そうした価値の多くは、複数の人間がその価値観を共有する限りにおいて、互いの間で交換することが可能だ。そうした交換を効率的に行うために、市場経済は発達してきた。経済学の教えるところによれば、市場経済は、効率的な資源配分を実現するうえで他の制度に比べ優れた仕組みである。そして、わが国が市場経済を採用していることはいうまでもない。このため文化についても、それが財・サービスのかたちで取引可能ならば、市場を通じて需給調整を図るのがひとまず効率的といえる。事実、価値の定まった美術品は、サザビーズ、クリスティーズなどのオークションで売買されている。こうした美術品は、投機の対象として金融商品の性格も有し、一般の財・サービス以上に金融資本主義の“申し子”といったイメージも付いてまわる。このため美術品に関しては、所有者自身が本質的価値を感じていなくとも、蓄財や投機の手段として所有するという事態が生じうる。このようにして経済的価値は、社会的価値と異なるかたちで本質的価値と切り結ぶ。

文化に対する公的支援の必要性

このこと自体は市場経済の通例であって、一概に否定すべきものではない。とはいえ、市場も決して万能ではなく、すべてを市場に任せれば最適な状態が成立するとは限らない。文化芸術に限った話ではないが、経済学では政府の役割を、①資源配分（Allocation）の効率性、②所得分配（Distribution）の公平・公正、③マクロ経済の安定と成長の三つに体系づけている。①については、市場経済による資源の効率的配分がうまく機能しない現象を「市場の失敗」と呼んで、その是正のために政府の関与が容認される。②は、市場が完全に働く場合でも、個々人の間の所得格差が社会的価値観に照らして不公平・不公正とみなされるなら、パイを再分配すべきという考え方である。③は、マクロ経済全体で把握される国内総生産（GDP）などの安定と成長を図る方法を問題とする。

文化芸術分野であれば、例えば義務教育の芸術系科目は、すべての国民に文化芸術を享受する基礎的教養を育む機会を与えるという意味で、主に所得分配の公平・公正にフォーカスしている。美術館や劇場という公立文化施設も、地域住民に文化芸術を享受する機会を等しく与えるという点で、やはり所得分配の公平・公正に根拠を持つ。これらは、住民個々の所得格差の是正という点だけなく、地域ごとの人口・経済規模といった地域間格差にも配慮している。これに対して、創造都市的な政策は、文化芸術による社会的・経済的課題への対応を打ち出しており、「市場の失敗」の一類型である外部経済や公共財の方向へと拡大を遂げたといえよう。例えば、文化事業の実施を通じた地域の交流人口の拡大・多様化は、観光関連産業への外部効果をもたらす。さらに、クリエイティブ産業の振興は、産業の多様化・高付加価値化や、成長産業分野への投資促進を通じて、マクロ経済の安定と成長に貢献する。

創造都市は当初、個々の都市が採否を選択する、都市再生のあり方の一つであった。それが、2013年の創造都市ネットワーク日本の発足によって、都市間の連携・交流促進を通じた創造都市の積極的な推進が図られるようになった。そして2017年、文化芸術基本法の改正で、創造都市はわが国の文化政策の基本理念に埋め込まれた。創造都市は今日、国や自治体が推進する文化政策の根幹に位置づけられ、創造都市ネットワーク日本に加盟する諸都市は、そうした取り組みのトップを走るフロントランナーの役割が期待されている。

2 国民文化祭とそのレガシー

わが国の文化政策が転換期を迎えるなか、フロントランナーの一翼を担う大分県の現時点での到達点を、ここでご紹介したい。県立美術館が開館し、JRの観光誘客キャンペーンが県内で開催された2015年から3年が経過した2018年、大分県は国民文化祭を開催した。文化芸術事業に加えて、地域の食文化や観光も含めた文化（カルチャー）観光（ツーリズム）を推進し、リーディング事業を中心に多種多様なイベントを県内外の大勢の客に楽しんでもらえた。また、オープニングステージ『ヨロコビ・ムカエル？』のメッセージを読み解くことで、国民文化祭が残したレガシーは「多様性の称揚（しょうよう）」であると総括したい。

国民文化祭の大分開催

ここまで2015年以降の「創造県おおいた」の取り組みとして、クリエイティブな感性が、いかに地域の産業振興や社会包摂、人材育成に効果を及ぼしてきたかを述べた。あわせて、わが国の文化政策全般も、創造都市をめざす方向へと転換しつつあることを説明した。

そして、2015年夏の「おんせん県おおいたデスティネーションキャンペーン」から3年を経た2018年10～11月の51日間にかけて、「第33回国民文化祭・おおいた2018／第18回全国障害者芸術・文化祭おおいた大会」が開催された。二つの文化祭は同時開催になったとはいえ、予算の出どころが文化庁・厚生労働省と異なるため、正式名称は二つの文化祭名を併記したものになってしまう。しかし、長い名称を逐一記すのは煩瑣（はんさ）だし、あえて「国民」と「障がい者」を区別する必要もないので、以下では「国民文化祭」と総称したい。

大分大会のテーマは「おおいた大茶会」。大茶会といっても、茶道限定のイベントというわけではない。由来は、豊臣秀吉が1587年（天正15年）に京都の北野天満宮で催した「北野大茶会」にある。庶民から大名まで身分の分け隔てなく参加でき、関白秀吉や千利休が彼らを茶でもてなしたという。おおいた大茶会はこの故事にならい、老若男女や、障がいの有無を問わず、誰もが参加し楽しむことができる大会にしたいとの理念から命名された。

20年ぶりに二度目の国民文化祭、そして初開催となる全国障害者芸術・文化祭にあたり、三つの基本方針が定められた。第一に「街にあふれ、道にあふれる、県民総参加のお祭り」。子どもからお年寄りまで、障がいのある方もない方も、海外の方も、みんなで楽しめる文化祭をめざす。第二に「新しい出会い、新たな発見－伝統文化と現代アート、異分野コラボ－」。伝統文化と現代アートなど、さまざまな分野の文化芸術が出会い、新しい文化が生まれることをめざす。そして第三に「地域をつくり、人を育てる」。文化祭の取り組みを通じて地域が元気になり、大分の文化芸術をリードする人材が育つことをめざす。

もっとも「県民参加」「伝統と創造」「人材育成」といった大枠は、他県の国民文化祭と大なり小なり共通する。以下では、そうした公式テーマにとらわれず、筆者なりに実感した大分の国民文化祭の特色を素描したい。

カルチャーツーリズムの推進

まずは、全国障害者芸術・文化祭との一体開催をあげることができる。すでに述べたように、両文化祭の同一会期での開催は、2017年度の奈良大会から始まった。次年度の大分大会ではこの取り組みをさらに徹底し、全県的なイベント以外に、県内18市町村のすべてで障がい者芸術のイベントを開催したのである。ただし、全国障害者芸術・文化祭はすでに前章で紹介したので、それに代わってここでは、県内の各地域の取り組み、特にそれらの多様性と一貫性を担保するための仕掛けづくりを紹介したい。

県内の各市町村が主催する事業（市町村実行委員会事業）のアドバイザーを務めたBEPPU PROJECT代表理事の山出（やまいで）淳也は、地域特性を踏まえて県内を大きく五つのゾーン（図表4-2）に分け、ゾーンごとに地域テーマを設定したうえで、各ゾーンを代表するリーディング事業を定めることを提唱した。県都大分市と温泉観光都市の別府市・由布市を擁する中心部は、県外客を迎える玄関口（ゲートウェイ）ゆえ、「出会いの場」としてゾーニングされた。神仏習合の発祥地である国東（くにさき）半島に位置する豊後高田（ぶんごたかだ）市・杵築（きつき）市・宇佐市・国東市・姫島村・日出（ひじ）町は「祈りの谷」と命名された。豊後水道に面してリアス式海岸が続き、海の幸に恵まれた県南の佐伯市・臼杵市・津久見市は「豊かな浦」だ。大分と熊本を結ぶJR豊肥本線の沿線にある竹田市・豊後大野市は「耕す里」とされた。豊かな土地で育つ作物がやがて十分に実り熟していくように、多くの芸術家を育て、輩出した地域だからだ。そして県西部の中津市・日田市・九重町・玖珠町は、川が地域をつなぎ文化を築いてきた地域ゆえ「水の森」と名づけられた。

これまでの国民文化祭は、各分野の文化芸術団体の成果発表会の性格が色濃く、参加者は主に文化芸術関係者に限られていた。そのため、地域ごとの統一的イメージを打ち出しにくく、どのような事業がいつどこで催されているかがわかりくい。そこで大分大会では、地域ごとのイメージを明らかにして、県外への情報発信を試

図表4-2　国民文化祭の五つのゾーン

地域固有の風土や歴史の中で生まれた伝統芸能、祭、食など、大分県には数多くの文化的資源があります。「おおいた大茶会」では、より深く大分県の文化を体感していただけるよう、市町村の枠を超えたゾーン設定を行いました。ゾーンを設定するにあたり、県内各地の特性や文化をとらえ直したとき、人物・物流が分水嶺によってわけられているのではないかと考え、県内を流れる五つの水系を軸にゾーニングし、それぞれにテーマを設けました。

出典：大分県ウェブサイト
「第33回国民文化祭・おおいた2018 第18回全国障害者芸術・文化祭おおいた大会」〈概要〉

みた。そして県外から訪れた観光客にとっても見応えのあるリーディング事業を各ゾーンに配することで、彼らが県内広域を周遊観光したくなる仕掛けづくりに取り組んだのだ。

その際、鍵となるのは狭い意味での文化芸術事業だけではない。地元に昔から伝わる祭りや、伝統的な食文化も、観光客にとっては興味深い文化体験である。山出アドバイザーはしばしば、農業（Agriculture）と文化（Culture）の語源が同じであるという事実を強調した。前者は土を耕し、後者は人の心を耕すものだというのである。そこで大分では、国民文化祭を文化＋観光＋地域振興から構成される総合的文化祭と捉えなおし、県内各地におけるカルチャーツーリズムを推進した。他県の国民文化祭では、あまり例をみない取り組みといえる。

具体的には、旅行代理店と協働して多数のツアー商品を造成・販売したのだ。例えば、国民文化祭のために制作された全長10mの巨大オブジェ「寝ころび招き猫」と、20人の島民に対して100匹の猫がいるという離島をめぐる「ねこ旅」。国東半島の秘仏を探訪する「六郷満山1300年記念非公開文化財と神仏料理」。「大迫力！進水式とマグロ加工、世界一の木樽をみよう！」は、新造船の進水式というなかなか見学できない――しかも普通は文化芸術と無縁と考えられているイベントを、カルチャーツーリズムに仕立てあげた。ツアーの昼食は津久見市名物のマグロ尽くしだ。

以下では、県内各地のリーディング事業を中心にいくつかの事例を紹介したい。

芸術文化ゾーン――国民文化祭の大舞台

県都大分の中心市街地には、大分県立美術館とiichiko総合文化センターが立地している。ペデストリアンデッキでつながり一体化した両施設、すなわち芸術文化ゾーンは、国民文化祭で催されるさまざまな展覧会・公演のメイン会場として存分に活用された。

県立美術館は、東京国立博物館・京都国立近代美術館の名品展や、宇宙航空研究開発機構（JAXA）・海洋研究開発機構（JAMSTEC）の全面協力による宇宙と深海をテーマにした科学展、郷土作家の作品を大規模に紹介する展覧会などを主催。その他にも、障がい者アートやデザイン分野の企画展会場として用いられた。多種多様な分野の展覧会が同時並行で開催された美術館は会期中、玩具箱をひっくり返したようなにぎやかさにあふれていた。

総合文化センターは、国民文化祭の開会式・閉会式の会場となったほか、オペラ「アイーダ」やミュージカル「マイ・フェア・レディ」を主催した。さらに、オーケストラ・合唱、長唄・三味線、洋舞踏、日本舞踏、華道、茶道などさまざまな分野の文化芸術団体の発表の場ともなった。

大分市 —— まちじゅうが美術館・劇場空間に

大分市のリーディング事業は「回遊劇場～ひらく・であう・めぐる～」である。大分市美術館の菅章（すがあきら）館長がディレクションを担当し、市内中心部と中心市街地巡回バスルートのエリアを美術館や劇場に見立てた回遊型のアート展である。若手作家を中心に、まちなかの空き店舗やカフェに作品を展示したり、店舗の壁面やシャッターに壁画を描いてもらい、それらを回遊することで、これまで気づかなかった都市の風景を生き生きと体感してもらうことが目的である。数多ある会場の中でも、空き店舗の空間全体をアーティストがリノベーションした「回遊Café#204」(写真4-1)、辰野金吾が設計した歴史建築「大分銀行赤レンガ館」が、インフォメーションセンターを兼ねた主なイベント・展示空間になった。

別府市 —— 空前絶後、日本最大のアニッシュ・カプーア個展

別府市のリーディング事業は「アニッシュ・カプーア IN 別府」である。1組の作家にフォーカスした個展形式の芸術祭を毎年秋に催す「in BEPPU」の3回目となる。今回招聘したアニッシュ・カプーアは、ロンドンオリンピック・パラリンピックの記念塔や、ヴェルサイユ宮殿での個展開催で知られる世界的なアーティスト。会期中、別府公園には三つの

写真4-1　回遊劇場～ひらく・であう・めぐる～「回遊Café#204」

会場が設置された。

あらゆる光を吸収する世界で、もっとも黒い塗料で塗られたVoid Pavilion Vの建物内は、眼前の物体の凹凸さえわからないという感覚変容に鑑賞者を誘う。ギャラリーであるコンセプト・オブ・ハピネスには、血潮ともマグマともつかぬエネルギーを結晶化したような彫刻5点、絵画3点が展示された。そしてギャラリーを出ると、公園の中心部にカプーアの代表作Sky Mirror（写真4-2）がドンと鎮座しまします。その直径5mにおよぶステンレス製の凹面鏡には、別府の空が大きく映り込む。人間という小宇宙（ミクロコスモス）と、天空という大宇宙（マクロコスモス）、そして両者の狭間にある別府という街をつなぎあわせた万物照応を体験できる空間が別府公園に出現した。

中津市 ―― 商店街に出現した光の川

中津市のリーディング事業「なかつ水灯り2018」では、アーティストの高橋匡太（きょうた）が中心的な役割を担った。中津駅前の日ノ出町商店街を会場とした「ムーンリバー」（写真4-3）は、アーケードの屋根から約4千個の光るボトルが吊り下げられ、幻想的な光の川となった。ボトルの中には、市内の子どもたちが「みらいのともだち」に宛てて書いた手紙が詰められ、会期中、来場者が手紙を書くと子どもたちの手紙と交換することができた。

紅葉時期の深耶馬溪（しんやばけい）を舞台に、9日間限定で催された「耶馬溪ライトアップ」では、中津の景勝地「一目八景（ひとめはっけい）」の奇岩に地元の中学生が新たな名まえを与え、その

写真4-2　アニッシュ・カプーア IN 別府
アニッシュ・カプーア「Sky Mirror」

写真4-3　なかつ水灯り2018
高橋匡太「ムーンリバー」

ストーリーを踏まえたライトアップを行った。

高橋匡太が手がけた二つのプロジェクトは、歴史的景観と現代アートの異分野コラボであると同時に、県民総参加、若い人材の育成にもなっており、国民文化祭の三つのテーマをまとめて体現した作品といえよう。

日田市 —— 光と闇で水郷を彩る

日田（ひた）市リーディング事業「水郷ひた芸術文化祭2018」。その中心となったのは大巻伸嗣（おおまきしんじ）個展「SUIKYO」である。アーティストの大巻伸嗣は、水郷日田の歴史から着想を得て、閉業した料理屋を会場とした「座 盆地」、日田市複合文化施設AOSEを会場とした「Liminal Air Space-Time SUIKYO」の二作品を市内に展開した。これらはともに作家性の強い作品で、県民参加の性格は薄いのだが、作家を日田に招いたことをきっかけに立ち上がった巨大木版画プロジェクトが興味深い。市民が、何らかのかたちで自分も国民文化祭に参画したいと考え、自主的に始めた事業である。日田に残る伝説から着想を得た「日田の始まりの物語」をテーマにして、県建設業協会日田支部が提供した版木を日田林工高校の生徒が加工し、版画を彫る作業には延べ600人が参加した。

さらに10月27日には、一夜限りのスペシャルイベントとして「日田の山と川と光と音」が開催された。2017年の九州北部豪雨で被害を受けた日田の観光誘客・情報発信が目的の「日田市水害復興芸術文化事業」で、厳密には国民文化祭とは別枠だが、実質的には一体開催といえる。企画演出を手がけたのはRhizomatiks Architecture（ライゾマティクス・アーキテクチャー）。リオオリンピックの閉会式の演出などで世界中から注目を集めるクリエイティブ・エージェンシーRhizomatiksの建築部門だ。観客は事前に会場を知らされぬまま、バスで大山ダムへと案内された。日が落ちてダムが宵闇に沈むなか60器のサーチライトが縦横無尽に旋回して周囲の山々や川面を染めあげる。そこに、女性歌手Salyuの妙なる歌声がダム全体に響き渡る。とりわけ、天空に屹立した光の列柱が、再び大地へと向けられる瞬間からは、あたかも満天の星が大地に降り注ぐかのような感動を覚えた。

竹田市 —— 城下町の文藝復興（ルネサンス）

iichiko総合文化センターが開館した1998年の国民文化祭と異なり、今回は新たなハード整備をともなう事業は少なかったが、数少ない例外にあたるのが竹田市総合文化ホール「グランツたけた」である。竹田市では2012年の九州北部豪雨で文化会館が浸水して使えなくなったため、現在地で建て替え、国民文化祭に合わせてこけら落としを迎えたのだ。グランツたけたでは会期中、オープニングフェスタとしてトークイベントやコンサートが開かれた。市主導のこうした事業展開に加えて、民間主導のアートプロジェクトTAKETA ART CULTURE 2018も催されたが、こちらはすでに第2章で詳しく触れたので割愛する。

国東半島 —— 歴史と現代アート、さらには食文化の祭典

国東半島のリーディング事業は「六郷満山（ろくごうまんざん）開山1300年記念事業」である。六郷満山は、国東半島の中心にそびえる両子（ふたご）山の山稜の間に開かれた六つの郷（六郷）に築かれた寺院群（満山）を指す。伝説では718年の開山とされるため、1300周年にあたる国民文化祭に合わせて朱印めぐり、文化財特別公開、紅葉ライトアップなどのイベントが催された。「祈りの谷」に属する4市1町1村が中心となった事業である。

宇佐市の「神と仏の祭典」では、太鼓・神楽・雅楽などの伝統文化の公演だけでなく、アート集団チームラボが、宇佐神宮をインタラクティブな光のデジタルアート空間に変える「光の祭 Art by teamLab」を開催した。わずか12日間の会期にもかかわらず4.5万人が殺到し会場は大混雑。周辺道路も、初詣並みの渋滞が発生した。

写真4-4　きつき大茶会

食文化の新たな挑戦を行ったのが、杵築市の「きつき大茶会」（写真4-4）だ。「おおいた大茶会」はお茶限定イベントではないと先述したが、県内随一のお茶の産地である杵築市は、あえてお茶にこ

だわった。ただし、地元産の日本茶だけでなく、古今東西のお茶（喫茶）をテーマにしたマーケットとして開催し、ステージライブやワークショップも織り交ぜた個性的なイベントに仕上げた。県内の留学生の協力も得て、国際色あふれる内容となった。

ゲートウェイとしての国民文化祭

こうした現代アートの祭典はきわめてインパクトが強く、観客の記憶に生涯残ることだろう。しかし同時に重要なのは、観客がアート鑑賞に加えて、地域の町並みを散策することでその魅力を体感する機会を得たことにある。土地の歴史・食文化と現代アートという異分野が融合したカルチャーツーリズムこそ、今回の国民文化祭の大きなテーマであった。例えば、日田の芸術文化祭「SUIKYO」をのぞいたついでに、豆田の歴史的な町並みを散策し、ご当地グルメの日田やきそばに舌鼓を打つことで、カルチャーツーリズムを満喫することができる。このようにして、国民文化祭が県内各地に産み落とした数々の経験が、大分のレガシーとなっていくことを期待したい。

ヨロコビ・ムカエル？

以上のような国民文化祭を貫くテーマをひと口にまとめると「多様性の称揚」といえるのではないだろうか。国民文化祭のプログラムは164事業で、関連事業（教育委員会関連事業、応援事業）110事業を加えると、274事業におよぶ。出演者は2.5万人で、出展者は2.3万人。「そりゃあ多様だろうさ」という話だが、筆者の視点はそれとは少しだけ違う。一人ひとりの人間の中に、さまざまな個性が潜んでいるといったニュアンスであり、むしろ「複数性」と称したほうが誤解を招かないかもしれない。

それを象徴的に示したのが、『ヨロコビ・ムカエル？』だと思う。大分県佐伯市出身の芥川賞作家、小野正嗣が脚本を書き、大分市出身のダンサー・演出家・振付家の穴井豪が演出・振付を担当して実現した、国民文化祭のオープニングステージである。公式記録集から引用すれば、あらすじは次の通りだ。

「ヨロコビ・ムカエル？」は、おまつりの行列を待つ架空の小さな村の物語。言葉も通じない見知らぬ訪問者ヨロコビ（少女）とオジイ（老人）が突然村に現れ、村人たちはその異質な存在に戸惑います。さらに、仮面をつけたシェンシェイ（男）も現れ、ヨロコビ、オジイとコミュニケーションをとろうとします。異質な存在が向き合い、警戒と不安、困惑が巻き起こりますが、皆がそれぞれの立場で辛い経験や思いを乗り越え、全てを受容していきます。そして、歓び（ヨロコビ）を抱きながら、おまつりの日を迎える（ムカエル）までを描いています。

今回のステージは、身体表現を中心とした独特な演出方法、さらには、屋内・屋外会場を使用した多元的な舞台構成など、場面ごとに人間の複雑な気持ちを表現した芝居やダンスが行き交うとともに、ヴァイオリン、太鼓、合唱、ブレス・ボイス・パーカッション、バトン、神楽、タップ等の多彩な演技・演奏が観客を独特な世界観に引き込みました。そして、新しいものを拒まず、受け入れ、歓待するといった大分の県民性を表す舞台を、総勢300人以上の県民を中心とした出演者たちが見事に演じきりました。

この説明に若干補足をしたい。文中に屋内・屋外会場とあるが、屋内会場はiichiko総合文化センターの大ホール「グランシアタ」を指す。こちらは皇太子ご夫妻（当時）をお迎えし、国民文化祭関係者、抽選で当たった一般県民だけが出席できる会場だ。これに対して屋外会場は、総合文化センターと県立美術館の間の車道を歩行者天国（ホコテン）にした空間で、こちらは誰もが自由に入場できる。出演者たちは屋内外の双方でパフォーマンスを繰り広げ、主要登場人物にいたっては二つの舞台を行ったり来たり。記録集が「多元的な舞台構成」と評したように、ここにもまた国民文化祭のテーマたる多様性・複数性が頭をもたげている。ちなみに筆者がステージを鑑賞したのは、後者のホコテンであった。

このステージの評価は、筆者の周囲では賛否両論であった。繰り出される多彩なパフォーマンスが楽しかったという好意的な声もあれば、物語の筋書きが難解で理解できないという否定的な意見も聞かれた。他ならぬ筆者自身もストーリーを十分に理解することができず不満が残ったが、そこに異様な迫力を感じたのも事実だ。

そこで、オープニングステージ脚本の原型になった小野正嗣による同題の戯曲『ヨロコビ・ムカエル？』に目を通し、ようやく腑に落ちた。この戯曲は能狂言のように象徴的で抽象的なものだったのだ。一読して大分らしいとわかるところは一つもない。いや厳密にいえば、足を踏まれた村人が「おーいたっ！」と叫び、それを聞いた子どもたちが「おーいたっ！」と囃すシーンが、あるといえばある。さらに、大分の郷土料理「だんご汁」への言及も1か所だけみつけた。

小野が書き下ろした神秘劇に、大分県民による合唱、バトントワリング、太鼓、郷土芸能、神楽といった要素を加えて、歌舞伎やミュージカルのような派手な仕立てにしたのが、穴井豪の演出・振付であった。要するに、記録集の説明の前半は小野の仕事で、後半は穴井のそれであったのだ。穴井のおかげで、大勢の人が楽しめる華やかなステージに仕上がったとはいえる。しかし、その反面、小野が戯曲に託したメッセージは伝わりにくくなったようにも感じるのだ。

戯曲によれば、ヨロコビ以外の人物には、基本的に分身が存在するという。登場人物のかたわらに影のように立ち、本体に同調したり、ときに反発もする存在だ。そう、人間は独りではなく、分身＝影を持つ複数性の存在なのだ。戯曲を読み進めると、どうやら分身を持つのは生者であり、分身を持たぬヨロコビは死者なのだと徐々にわかってくる。しかも彼女は、故郷を追われ難民となったオジイと、その連れであるオバアの亡くなった娘なのだ。

村人が待ちこがれる祭りの行列も、決して聖なる神輿（みこし）を担ぐ着飾った人々の行列ばかりではない。そこには、ぼろぼろの汚れた衣装を身にまとう、故郷を失い疲れきった人々の群れも含まれている。しかし、彼らを迎え入れるまでもなく、もとから村にも同様の人々が住んでいた。「山のような荷物を背負った人。足を引きずる人。子供の手を引く人。子供をおぶったり抱えたりしている人。車椅子の人。車椅子の上に子供や荷物。寝台には複数の人が座っていたり横たわっていたりする。外国人とおぼしき人々。神や精霊の混じった異形の人々。人形もある。山車や神輿のようなものもある」。こう表現された人々は、聖なる行列が到来する前に村じゅうに登場しており、どう考えても最初から村の片隅に隠れていたように読めるのだ。

この戯曲に込められたメッセージは、巻末に収められた小野のエッセイ「ふるさとの『歓待』」をあわせ読むと、明快に伝わってくる。小野はそこで、異文化が幾層にも重ね書き(パランプセスト)されてきたクレオールの文化に言及し、はたまた、フランス留学時に居候した大学教授の家に、自分と入れ替わるようにスーダン難民の男性が身を寄せたエピソードを語っている。小野によれば、難民たちが得体の知れない存在だと感じられるのは、そのよそ者が実は、私たち自身の「親類」であり、「先祖」であるからだ。難民は、それまで途切れのない純粋なものだと信じて疑いもしなかった自分たちの系譜の中に、つねに異質なもの、他なるものが混じっていたという居心地の悪い真実を突きつけるという。小野は、フロイトの「無気味なもの（Das Unheimliche)」も援用しながら、そう述べている。

そして、小野は夢想する。ある土地に住む自分たちが、よそから来た人を歓待したいと思うのは、自分らの祖先が異郷からこの土地に移り住んだときに感じた不安や恐怖がDNAに組み込まれているからだと。自分自身の複数性への自覚が、他者への歓待と寛容につながるというわけだ。

小野は執筆のために県内各地を取材してまわったが、大分のあまりの多様性に、「大分らしさ」を簡単に抽出することができず悩んだそうだ。そのすえに彼は「大分らしさ」と呼べるものがあるとしたら、それは、たがいに異なる個々の土地が持つ個性や魅力のゆるやかな「つながり」であり、その「包容力」であると気づく。そのため、戯曲には大分の土地や文化・歴史を想起させることがらは一切出てこないが、それでもなお、これは大分という土地の支えがなければ決して書かれなかった作品であるという。

神仏習合の六郷満山文化の形成、南蛮のキリシタン文化の導入、八藩七領の江戸時代における多様な文化の創出。まさに県の文化振興基本方針に「大分県は異文化を積極的に摂取・融合し、固有の文化を創造する進取の精神に富む」と記された通りだ。こうした大分の多様な歴史を煮詰めた融合物(アマルガム)として『ヨロコビ・ムカエル？』は生まれた。

国民文化祭にみる複数性の展開

さて、長々と『ヨロコビ・ムカエル？』について論じたのは、小野正嗣個人の思いが、国民文化祭の多くのプログラムに反映されているように感じたからである。

例えば、竹田市のTAKETA ART CULTURE 2018で催されたグループ展「昼と夜」。キュレーターの花田伸一はこの展覧会タイトルの由来について、誰しも昼の顔と夜の顔は異なるように、町や作品もいろいろな面を孕(はら)むと語る。ものごとを一つの角度から切り取るのではなく、世界の多面的な様子を複眼的にみることで、多様なものが並び立つあり方を竹田の中に探りたいというのだ。このため参加作家の多くは、昼の展示とあわせて夜にトークや特別展示を開催することで、自身や竹田の昼と夜の顔を来訪者に提示しようとした。一個人の中にもさまざまな自分が潜むという多様性・複数性の宣言は、小野と共通している。

そういえば「昼と夜」の他にも、普段はうかがい知れぬ夜の風景を鑑賞者に差し出したプログラムが多かった。中津市では、高橋匡太がアーケードから吊るした約4千個のボトルが光の河「ムーンリバー」と化して、夜の駅前商店街を照らし出した。同じ高橋が手がけた「耶馬溪ライトアップ」は、紅葉の深耶馬溪を舞台に、地元の中学生の再発見にもとづく夜間ライトアップを行った。

日田市では、大山ダムを会場に、一夜限りの光と歌声の祭典(ページェント)が開催された。Rhizomatiks Architectureによる「日田の山と川と光と音」である。日田市で個展「SUIKYO」を実施した大巻伸嗣の作品「座 盆地」と「Liminal Air Space-Time SUIKYO」は展示時間こそ日中だが、二つの会場とも入口を抜けると、そこに広がるのは漆黒の空間である。しかし、そこで慌てず落ち着いて、少しずつ眼が暗順応するのを待つと、やがて球体や波動といった抽象的で不思議なオブジェが眼前に舞い始め、幾何学的なその造形が日田の伝説や風景と重なっていくことに気づかされる。

宇佐市では、チームラボが夜の宇佐神宮をLEDでライトアップする「光の祭 Art by teamLab」を実施した。チームラボのこのイベント自体は全国各地を巡回しているもので、決してこの場でしか実現できない作品ではない。それでもなお、普段であれば日中、初詣であっても暗い中をお参りする県民にとって、夜の境内が艶やかに、そして幾分妖しげに色づくさまは新鮮であった。

アニッシュ・カプーアの軌跡

国民文化祭のこれらのプログラムは、オープニングステージと示し合わせたわけではあるまい。しかし、期せずして多様性・複数性のメッセージが重なったようにみえるのはたいへんおもしろい。ただし、静と動、陰と陽、光と影、プラスとマイナスといった二項対立関係はある意味、単調な構図でもある。そこに過剰にこだわると、世界の多面的なありさまを複眼的にみたいという意図を、かえって裏切りかねないおそれがある。

そうした意味で興味深いのが、「アニッシュ・カプーア IN 別府」だ。天空の光を大地に集めたSky Mirrorと、あらゆる光を吸収する漆黒の空間Void Pavilion Vを、別府公園に持ち込んだ展示である。これは「光と闇」という二項図式の典型だろう。しかし今回の展覧会では、そこにもう一つ「コンセプト・オブ・ハピネス」という異物が挿入された。個人的には、構成の美しさを重視するなら、最初の二作品だけでよかったと感じる。しかしコンセプト・オブ・ハピネスは、その幸福な二項調和に、ある種の破調を組み込んだといえる。

コンセプト・オブ・ハピネスは、人や大地の内側からあふれ出てくるエネルギーを想像させる作品群を展示したギャラリーである。これについて、総合プロデューサーの山出淳也は「身体の内側や大地のマグマ活動を想像させる空間」と評し、カプーア本人は「身体そのものについて、そしてこの場を身体と捉え、“存在”について考察する展覧会」と述べている。展示された赤黒い彫刻群は肉塊や、皮膚を剝かれた人体にもみえて、正直なところ気持ち悪さを感じた鑑賞者が少なからずいたようだ。たしかに、Sky MirrorやVoid Pavilion Vの洗練とは対極にある粗野（ブルータル）な印象を受ける作品群ではある。しかし、これらの作品は、カプーアにとってまさに最新の作風だというのだ。従来の作品に飽き足らず、新たな表現を模索し続けるカプーアの葛藤の産物といえよう。

これらの彫刻を、肉塊や血潮を表象したものとみなせば、それは私たちの皮膚のすぐ下にあるものだ。大地の底のマグマや溶岩だと捉えれば、別府八湯の温泉が湧き出す泉源にある存在だ。抑圧されていた親しみ深いものが回帰するとき、人はそれを無気味に感じる。まさに、フロイトがいうところの「無気味なもの」だ。しかし、それこそが「幸福の概念（コンセプト・オブ・ハピネス）」だと語るカプーアは、『ヨロコビ・ムカエル？』が提示した「歓待」の思想と至近距離で共鳴している。このようにしてカプーアは、穏健な二項対立に第三項を挿み込むことで、多様性・複数性をこのうえなく称揚したのだ。

ちなみに、アニッシュ・カプーアは1954年にインドのムンバイで生まれた。父はパンジャーブの出身で、母はバグダード生まれのユダヤ人だという。彼は、イスラエルで電気工学を学んだ後、1973年に英国に渡って美術を学び、彫刻家として高い評価を得た。西洋現代アートの文脈で評価された彼だが、その根幹には仏教やインド哲学などの東洋的世界観があるという。文化的な複数性を幾重にも刻み込まれたアーティストなのだ。

国民文化祭当時のリーフレットを改めて読み返しながら、こうしたカプーアの出自からふと連想したのが、小野正嗣が2019年に矢継ぎ早に邦訳した二冊のエッセイのことだ。アミン・マアルーフの『アイデンティティが人を殺す』と『世界の混乱』である。マアルーフは中東出身の作家。1949年にレバノンに生まれ、アラビア語を母語として育つが、1976年にフランスに移り住み、今はフランス語で本を書いている。自分たち一族の誇りは、紀元2〜3世紀頃から、つねに変わらずアラブ人でありキリスト教徒であったことだと語る。「自分をフランス人と感じるか、それともレバノン人と感じるか」という周囲の問いには、「両方ですよ！」と返答するという。人間の自己認識（アイデンティティ）はさまざまな帰属から成り立つというのが、彼の主張だ。アイデンティティは宗教や人種、民族などのただ一つの本質を持つという考え方が、他者への恐怖と殺戮につながると警告する。そのうえで、私たちは皆、文化的に自分の先祖よりも自分の同時代人にはるかに近いとして、多文化共生の可能性を語るこれらのエッセイは、まさに『ヨロコビ・ムカエル？』の解説書（コンメンタール）と称してもよいだろう。

ちなみに、このような多様性・複数性の感覚は、実は混浴温泉世界や国東半島芸術祭に先取りされていたといえるかもしれない。

第1章で、混浴温泉世界のコンセプト・ステートメントを紹介した。「ここに住む人も旅する人も、男も女も、服を脱ぎ、湯につかり、国籍も宗教も関係なく、武器も持たずに丸裸で、それぞれの人生のある時を共有する」。総合ディレクター芹沢高志によるこの言葉は、次のように続いていく。「しかし、つかりつづければ頭がのぼせ、誰もそのままではいられない。入れ替わり湯から上がり、三々五々、ここを去っていく。人は必ずここを立ち去り、再び訪れる。ゆるやかな循環」。単一の価値観にのぼせあがることなく、少し冷静になって自らを見つめ返す時間が必要なのだ。そうした多様性・複数性の温感が、「ゆるやかな循環」という表現には込められていると思う。

また、第2章で述べたように、国東半島芸術祭のプレ事業は、2012年度は「異人」をテーマにしていた。次の2013年度は「地霊」、土地に宿る守護霊である。共同体の外から渡来した「異人」は、国東の地で年月を重ねることで、大地に宿る「地霊」へと姿を変えていったのだ。そうした「異人」と「地霊」の交換と交歓を通じて、本祭のテーマである「生命(LIFE)」が育まれ、輝きを放つのだ。

国民文化祭や、別府・国東の芸術祭のテーマをこのように捉え返すのは、いささか過激(ラディカル)にすぎるとの意見があるかもしれない。しかし、radicalの語源は本来、ラテン語のradix（根）である。すなわち、それは同時に大分にとってきわめて根源的(ラディカル)なテーマ設定だったと思うのだ。

3「創造県おおいた」のバージョンアップ

前節で紹介した国民文化祭は、「創造県おおいた」の現時点における到達点といえる。しかし、それは同時に出発点でもある。小藩分立に由来する大分県の文化多様性を、地域資源として捉え、多様性を源泉とする創造性を最大限に発揮していくことが重要である。SDGsやSociety 5.0といった国際的・全国的な方向性も視野に入れて、新たなビジョンを描くことがたいせつである。最後に、こうした「創造県おおいた」のバージョンアップとでもいうべき方向性を示したい。

大分がめざす将来像「大分星座」の提唱

前節では、国民文化祭における多様性・複数性の称揚こそ、「大分らしさ」の発露であると、いささか批評的に論じた。そうした発想も踏まえつつ、今後の大分の方向性について筆者なりにビジョンを描いてみたい。

大分県全体に占める大分市人口は4割（都市圏人口では6割）と高く、大分県は、九州で熊本県と並ぶ県都一極集中型の人口・経済構造となっている。九州最大の都市といえば、いうまでもなく福岡市だが、同じ政令指定都市の北九州市や、中核市の久留米市を擁する福岡県は、思ったほどには県都一極集中型でないのだ。

一方で大分県は、江戸時代の小藩分立を通じて、県内各地に多種多様な固有文化が残されていることも大きな特色である。この点は、同じ県都集中型でも、現在の県域が肥後藩とほぼ重なる熊本県と、大きく異なる特徴である。大分市への一極集中は、明治の廃藩置県にともない県庁所在地となったことに加え、1964年の新産業都市指定以降の企業誘致により、近現代に急速に進行したが、江戸時代以前にさかのぼる歴史文化的なアイデンティティはむしろ、県都以外の地域に根強く残っているといえよう。

こうした環境下では、経済効率性の視点のみでは大分都市圏はともかく、県内各地域の振興を図ることは難しく、文化・社会・経済それぞれの視点からのバランスの取れた地域戦略の策定と実行が求められる。大分県の魅力は、文化的な多様性にこそあり、この文化多様性は創造都市を推進するユネスコの理念とも重なっている。さらに、大分県ツーリズム戦略に「味力も満載」とかかげられたように、文化多様性は、大分の観光・産業面での競争力の源泉でもある。国東半島芸術祭において、各地の集落で来訪者を迎えた地元の人々の笑顔（定住面の効果）と、それに接したお客さんの感動（交流面の効果）をいかに持続可能(サステナブル)なものとするかが、大分県における地方創生の鍵といえる。

ちなみに、1人の女性が生涯に産むことが見込まれる子どもの数を合計特殊出生率と呼ぶ。人口を維持するにはこの水準（人口置換水準）が2.07であることが必要とされ、この数値を下回ると人口は減少していく。市町村ごとの合計特殊出生率を比較するには現状、2008～12年のベイズ推定値を用いるのが望ましい。この数値は全国で1.38で、都道府県別では東京都の1.11が最低である。この値は、ある世代の親の人数に対し、子ども世代の人数が半分しかいないという極端に低いレベルである。合計特殊出生率は全国的に、九州・沖縄が高く、沖縄県1.86、宮崎県1.66、鹿児島県1.62、熊本県1.61、佐賀県1.61、長崎県1.59、大分県1.55、福岡県1.43である。また、一つの県の中では概して、県庁所在地よりも周辺部のほうが高い傾向がある。大分県の場合、大分市が1.50なのに対して、中津市1.82、玖珠町1.79、日田市1.77となっている。すなわち、県内で県庁所在地へ、全国で東京への人口集中が進むほど、次世代の子どもの数は減っていく。

ただし、出生率の高い地域は子育て世代の絶対数が少ないため、出生者数も少ない結果となっている。このため、若者の「都市部から農村へ」という流れをうまく捉え、若者のUIJターン、地域定着に対する支援などを充実させることで、自然と文化にあふれる地域で生まれ育つ子どもたちの数を増やしていくことが鍵となる。誘致人材の中には、農業就業者だけでなく、竹田市や国東市の事例にあるようなクリエイターも含まれよう。一般的な第一次産業振興だけでは、他の都道府県との差別化は難しい。広義のクリエイティブ人材の誘致も交えて、大分の田園の魅力を多面的に醸成・発信していくことが重要である。

とはいえ、彼らもまた「今どきの若者」であり、都市型サービスへの関心・需要は相当程度あるとみられる。そうした意味で、県都大分は、県内（ひいては国内）でここでしか出会えないような高感度の商業・サービス、文化芸術体験、スポーツ観戦、高度医療などの高次で広域的な都市機能を重視していくことで、「創造県おおいたを象徴する定住・交流都市」として、県の表看板、代名詞になっていくことが求められる。ここで重要な視点は、県都の規模の量的拡大ではなく、魅力の質的向上にある。

もちろん、地方財政が厳しさを増すなか、県都大分、周辺地域ともに総花的な公共事業や公共サービスの拡大は難しく、そこには自ずと「選択と集中」の視点が求められる。しかしながらそれは、県都一極集中の政策的加速を意味するものではない。県都大分は、大分経済同友会がこれまで提言してきたように、公共交通を重視した拠点ネットワーク型の交通まちづくりをめざすことが引き続き求められる。それと同時に、県内の各地域も「ネットワーク・コミュニティ」や「小さな拠点」を活用して、地域コミュニティ機能の維持・強化を図っていく必要がある。すなわち、都市部と地域コミュニティの双方において、従来よりも筋肉質な地域構造を実現することが鍵となる。

そして、県都大分と各地域を結びつけ、さらには県外との交流を促すインフラとなるのが、東九州自動車道に代表される交通ネットワークと、情報通信技術（ICT）の進展を受けた情報ネットワークである。

以上のように、固有の文化に根ざした多様な地域が県内に多数存在する大分県は、それぞれの市町村、コミュニティが天空の綺羅星のように輝く社会をめざすべきである。そのためには、既存の地域資源に従来と異なる角度からスポットライトをあて、新たな魅力を発見・創造する試みが不可欠となる。県民一人ひとりが、そうした意味での広義の“アーティスト”、“デザイナー”になることが求められているのだ。

そして、それらの星々を結び、県全体を一つの星座のように形づくる星座線となり、物的・人的・知的な交流を促進するのが、交通・情報のネットワークである。すなわち、大分県が、文化・社会・経済の活力に満ちた豊かな地域として、一つの星座のように天空に煌めくことが地方創生の大分モデルである。

その中にあって、たしかに県都大分はひときわ強く輝く一等星かもしれない。しかしながら、星座は単独の恒星では成り立たない。大分県を構成するすべての市町村、地域コミュニティ、さらには県民一人ひとりが光り輝くことが肝要であり、そのためには「創造県おおいた」と地方創生を一体のものとして推進していく必要がある。大分経済同友会は2015年の「芸術文化の創造性を活かした地方創生大分モデルの提言」で、そうした大分型の地方創生がめざす将来像として「大分星座（the constellation OITA）」を提唱したところである。

未来をみすえた次なるビジョンを

こうしたビジョンは、今日もなお古びていないと考える。しかし、これを実現するにはポスト2020年に向けた新たな取り組み――「創造県おおいた」のバージョンアップとでも称すべきチャレンジが必要になってくる。

大分県は2010年に、県都大分の都市景観が一変する2015年を目標としてさまざまなプロジェクトを進めた。そして次に、2018〜20年にかけた国民文化祭、ラグビーワールドカップ、東京オリンピック・パラリンピックというメガイベントの連続をめざした戦略を描いた。ならば、次の中長期目標をどのようにかかげるべきか。

いうまでもなく、国際連合の「持続可能な開発目標（Sustainable Development Goals＝SDGs）」を視野に入れる必要がある。持続可能な世界を実現するため、2030年を目標とする17のゴールと169のターゲットをかかげ、地球上の「誰一人として取り残さない」ことを誓ったものだ。SDGsは発展途上国のみならず、先進国も取り組む普遍的（ユニバーサル）な目標であり、日本も積極的に取り組まねばならない。

わが国は、先端技術をあらゆる産業や社会生活に取り入れ、イノベーションから新たな価値が創造されることにより、誰もが快適で活力に満ちた質の高い生活を送ることのできる人間中心の社会を世界に先駆けて実現することで、SDGsの達成を図ろうとしている。これが「Society 5.0」という考え方である。狩猟社会のSociety 1.0、農耕社会のSociety 2.0、工業社会のSociety 3.0、情報社会のSociety 4.0に続く新たな社会の姿として提唱されたものだ。Society 5.0では、ビッグデータを踏まえたAIやロボットが今まで人間が行っていた作業や調整を代行・支援するため、日々の煩雑で不得手な作業などから解放され、誰もが快適で活力に満ちた質の高い生活を送ることができるようになる。これは、一人ひとりの人間が中心となる社会であり、決してAIやロボットに支配され、監視されるような未来ではない。

しかし、ただ漫然と待ち構えていれば、自動的にこうした社会が到来するというものではないだろう。SDGs達成に向けたあらゆる取り組みの根幹をなすのは、社会包摂・多文化共生の社会の実現だ。第3章で言及したように、大分県は2019年、国民文化祭／全国障害者芸術・文化祭のレガシーとして大分県芸術文化スポーツ振興財団内に「おおいた障がい者芸術文化支援センター」を開設した。県立美術館・総合文化センターを運営する組織が、障がい者の文化芸術活動支援にも一体的に取り組むこととしたのだ。県内で先行した障がい者雇用・スポーツとも手をたずさえて、「創造県おおいた」の取り組みを強力に推進する必要がある。

さらに、文化芸術基本法は基本理念で「国民がその年齢、障害の有無、経済的な状況又は居住する地域にかかわらず等しく」、文化芸術を鑑賞・参加・創造できる環境の整備をかかげた。障がい者を含め、あらゆる分野で生きづらさを抱える人々への幅広い社会包摂が求められている。国民文化祭で多様性・複数性を謳い上げたレガシーをさらに一歩先へと進めていくべきだ。

多文化共生という視点は、今後の外国人労働者の増加を踏まえると、これからのわが国で著しく重要性を増していくだろう。そのとき、立命館アジア太平洋大学（APU）の立地する別府市は一つのモデルとなりうる。APUは、学生総数約6千人の50％が国際学生（留学生）で、別府市全体でみても12万人の人口のうち外国人は約4千人と3％強の割合を占める。混浴温泉世界のマニフェストにいわく「ここに住む人も旅する人も、男も女も、服を脱ぎ、湯につかり、国籍も宗教も関係なく、武器も持たずに丸裸で、それぞれの人生のある時を共有する」と。2000年のAPU開学からまもなく20年がたとうとする今日、別府は年齢・性別・障がい・国籍の別のない多文化共生社会のとば口に立っている。こうした別府モデルの全県への展開を図っていくことが求められよう。

例えば別府市では、2019年3月に第1回「市民・学生大同窓会」が開催された。「一年に一度は別府に里帰りしよう！」をコンセプトに約1万人が参加したという。特に興味深かったのは、メインプログラムの「ONE BEPPU DREAM AWARD 2019」。別府の地域課題解決を通じて街の未来を担おうとする起業家予備軍が、地元企業約100社や一般投資家、クラウドファンディング企業に向けプレゼンを行った。最大1000万円規模の支援金をその場で調達できる可能性を秘めたイベントだ。市内に暮らす在学生も、別府を離れた卒業生も、さらには地域事業体や一般市民にいたるまでが、提案資格を有している。たった1日限りのイベントだったが、大いに盛り上がった。創造性（Creativity）がフルチャージされ、想像／妄想（Imagination）が全開になった、とてもとても騒々しい（Convivial）創造都市・別府が、会場に立ち上がっていたとの印象を受けた。

思うに、こうした場を常設の拠点施設にすることはできないだろうか。第3章で紹介したクリエイティブ・ハブの実現である。CREATIVE PLATFORM OITAのような文化芸術の創造性を活かした社会的・経済的課題への対応を、イノベーションや創業（スタートアップ）支援の取り組みとも融合を図り、高度化を進めていくのだ。そのためには、多様な人材が一堂に集い、交流できる場が必要である。そこは同時に、事業承継に悩む中小企業の経営者や、大分への移住を検討している人材が気軽に立ち寄り、相談できる場でもあってほしい。さらに、超長寿社会を迎えるわが国では、第四次産業革命の成果を全産業で活用して人手不足に対応するだけでなく、多様な働き方や、リカレント教育（学び直し）をしやすい経済社会の構築が求められている。こうした取り組みにも、ハブ施設が活用されるとよい。さまざまな官民連携のもとで、こうした機能をワンストップで発揮できるクリエイティブ・ハブを整備することを提案したい。

ちなみに、大分経済同友会によるこれまでの国内外クリエイティブ・ハブ視察の結果、明らかになったのだが、こうした施設の中心には、バーやキッチンといった交流・交歓を促す空間が必須のようだ。まさにワイガヤ、談論風発（Conviviality）の空間だ。そしてハブ施設は、スクラップ&ビルドでビルを新築するのではなく、中心市街地にある既存施設をリノベーションして有効活用を図ることを期待したい。地域の魅力や集客施設を一からつくるのもよいが、既存の地域資源に新たな切り口から付加価値を与えて地域ブランド化することがたいせつだからだ。

大分県は現在、福岡や東京に流出する若者のUターン推進を目論んでいる。こうした若年層、特に女性をつなぎとめるうえで、地域の文化的魅力を高めることは必須である。大分経済同友会は先ごろ、瀬戸内国際芸術祭2019を視察したが、若い女性と外国人の観光客がきわめて増えていることに驚いた。国の地方創生でも新たに、交流人口から一歩進んだ関係人口の拡大が大きなテーマとなっている。芸術祭の定期的開催を通じた地域ファンやリピーターの確保など、文化芸術の取り組みはそうした関係人口拡大にも貢献するものである。大分県は、別府や大分、竹田、国東半島をはじめとするこれまでの先進的取り組みをさらに発展させて、文化的レガシーとしてほしい。

さらに、第3章で論じたように、若者や女性、インバウンドを惹きつけるうえでは、食文化（ガストロノミー）が肝である。国連世界観光機関（UNWTO）は、SDGs推進の観点から「食文化観光（ガストロノミーツーリズム）」を提唱している。ラグビーワールドカップで多くの人々を迎え入れ大分の魅力を発信したレガシーとして、地域の食文化の磨き上げと、トップレベルのさらなる向上による高付加価値化を提案したい。そのためにも、地域の食文化を高め、マネジメントできる人材の育成が求められる。

大分県は、長期総合計画の柱に、文化芸術による「創造県おおいた」をかかげ、積極的な事業展開を図ってきた。本章では、この「創造県おおいた」の取り組みの拡充と高度化――バージョンアップを提案させていただいた。狭い意味での文化芸術にとらわれることなく、文化の領域を拡大することで、創造性を大分県の未来を築くためのエンジンとするのだ。こうして、わが国が抱える社会的・経済的な課題を大分が率先して解決し、大分ならではの地方創生モデルを、全国および海外に発信していくことが重要である。

おわりに

「創造県おおいた」の実現をめざした、おおよそ十年間にわたる調査・活動報告を終えることができた。しかし、報告内容はときにわが国の中世にさかのぼり、はたまた欧州諸都市への突貫ツアーにもお付き合いいただくなどで、読者の皆さんはさぞお疲れのことと拝察する。最後に、他地域にとっての教訓・提言を簡潔に語りたい。

クリエイティブへの気づき

まず、ひと言でいえば、クリエイティブの重要性に気づくことだ。「アートはわからん」とぼやく読者もいようが、地域の魅力を発掘するのは、狭義のアートには限らない。考えてみれば、BEPPU PROJECT代表理事の山出(やまいで)淳也が大分県に舞い戻るきっかけは、別府にすばらしいアーティストがいたからではない。ガイドによる路地裏散策というNPO活動に興味を覚えてのことであった。

筆者なりにもう少し事例を付け加えてみよう。例えば、湯布院(ゆふいん)温泉はかつて、団体観光旅行で繁栄する別府と異なり、歓楽街も名所旧跡もない鄙びた田舎の温泉地だった。「奥別府」や「別府の奥座敷」と呼ばれていたという。それが、大衆路線を進む別府とは意識的に別の道を歩むことで、自然と文化をたいせつにした湯布院スタイルを醸成していった。湯布院のまちづくりに貢献した人物として、中谷健太郎と溝口薫平(くんぺい)の名まえが知られている。「亀の井別荘」を経営する中谷はもともと、東宝撮影所に入って映画監督をめざしていた。「由布院 玉の湯」の溝口は以前、大分県日田市の市立博物館に勤めていた。二人とも、湯布院が持つ地域資源を一般人とは異なる視点からみいだす創造的な感性にたけていたのだと思う。

豊後高田(ぶんごたかだ)市の「昭和の町」も、昔ながらの商店が建ち並ぶ、どこにでもありそうな町並みであった。NHK大分放送局が豊後高田を舞台に制作したテレビドラマのタイトルを借りれば「そんじょそこら商店街」であって、「犬と猫しか通らない」と揶揄(やゆ)されてきた。それが、この街には「何もない」のではなく、「昭和が残っている」という逆転の発想に立って、豊後高田の町がいちばん元気だった昭和30年代への原点回帰を図ったのだ。

このように湯布院と豊後高田は、地域資源に新たな角度から切り込んでその魅力を発掘した。いや、新たに創造したと評したほうがふさわしいだろう。アーティストを外から呼ぼうとする前に、市民自らが“アーティスト”になってみることも重要である。ここでいう“アーティスト”とは、地域の資源や課題を創造的に考え、新たな視点からその魅力・可能性をみいだすことができる人といった意味合いだ。ヨーゼフ・ボイスの「人は誰でも芸術家である」という言葉も想起される。

専門性と雑食性を兼ね備える

文化政策には専門家が必要だ。しかし、その専門家は専門バカであってはいけない。文化芸術基本法の改正にともない、文化芸術の本質的価値とあわせて社会的・経済的価値の向上が大きな政策目的となるなか、文化芸術活動を観光・産業振興や社会包摂につなげていくことのできる柔軟性と知見が求められる。

アーツカウンシルの代表格といえるアーツカウンシル・イングランドでは、助成プログラム担当者を「リレーションシップ・マネージャー」と呼ぶ。このリレーションシップ・マネージャーには、文化芸術分野の深い専門性に加えて、財務・ビジネス・組織統治（ガバナンス）・多様性・デジタルなど幅広い分野に対する知見が求められるという。こうした人材像をアーツカウンシル・イングランドは「T字型人材」と称する。アルファベットのTの文字のタテ棒を専門性に、ヨコ棒をさまざまな分野に共通する課題やテーマに対応できる能力に見立てた表現だそうだ。専門家には同時に、こうした雑食性とでも呼ぶべき好奇心を求めたい。

また、専門性といっても、ひたすら調査研究に勤しんでいるだけで、ものごとが動くわけではない。リサーチ能力と同時に必要なのは、その結果をテコにした大胆なビジョンづくりだ。筆者は、大友宗麟（そうりん）時代の大分を「中世の創造都市」と表現した。また、大分県文化振興基本方針に、「大分は異文化を積極的に摂取・融合し、固有の文化を創造する進取の精神に富む」と書かれているのを援用して、大分県民のDNAには本来、創造性と多様性が埋め込まれていると評した。これらは、大分が創造都市をめざすための根拠になっている……しかし、いずれの命題も客観的に検証するのは不可能だろう。大分県文化振興基本方針の策定は2004年のことである。BEPPU PROJECTの創設の前年であって、創造都市のコンセプトはまだ県政に届いていない。ちなみに、現行の基本方針は創造都市の推進を謳っているが、その文言が基本指針に追加されたのは、県の新長期総合計画が「創造県おおいた」を標榜した後の2016年3月のことだ。もちろん、中世のわが国に創造都市という概念が存在したはずもない。すなわち、これらは筆者の「誤読」である可能性が高い。しかしそれは、クリエイティブな誤読である。伝統を汲みつつも新たな挑戦を行う場合には、これまで「正答」とされていた答えを疑ってみることが必要になる。誤読（Misreading）ならぬ誤導（Misleading）に陥ることを回避しつつも、それまでの視点とは異なる切り口から、地域文化を再解釈して、それに新たなネーミングを与えることが必要になる局面がある。例えば「トイレンナーレ」という戯れ言が言霊（ことだま）と化して、大分市のアートシーンを新たな方向へと導いていったように。そうした意味では、文化政策の専門家もまた、“アーティスト”であることが求められる。

価値観の共有と巻き込み

とはいえ、専門家がただ一人いたところで、ビジョンの実現は難しい。さまざまな分野、層（レイヤー）におけるネットワークの構築と、関係者間の価値観の共有がたいせつである。

例えば大分の場合、2010年当時における危機感の共有があった。大分駅前のPARCOが撤退を決めるなか、都心部のにぎわいづくりを行ううえで、従来の商業機能以外の新たな都市機能の導入が求められていた。それでも大分市は当時、人口微増が続いていたが、県内の他地域ではほとんどが人口減少・少子高齢化が問題化していた。そうしたなか、別府が先行していた「創造都市」への挑戦に気づき、国内外の先進事例調査も踏まえ、そこからの教訓を普遍化したうえで、“大分化（ナイズ）”する経済界の取り組みが興った。

しかし、こうした取り組みは経済界だけでも、また行政だけでも難しい。行政と経済界、そしてNPOや学校などが連携することで初めて可能性がみえてくる。こうして、行政・NPO・学校・経済界の中で、ゆるやかな人的ネットワークが広がっていった。ただし、単にネットワークが存在するだけでは、ものごとは進みにくい。ネットワーク内に主要な結節点(ハブ)が複数存在することが望ましい。それが大分県の場合は、大分経済同友会（産）、県（官）、県立芸術文化短期大学（学）、BEPPU PROJECT（民）などであった。

そうはいっても、たやすくネットワークを築けるわけではないという悲観的な見方も出そうだ。これは筆者自身というより、周囲の仲間をみていて思うのだが、他者との偶然の出会いであっても、それをきっかけにどんどん相手を巻き込んでいく姿勢が重要なのだと思う。「一期一会」という言葉がある。ロンドンオリンピック・パラリンピックやラグビーワールドカップ日本大会のキャッチフレーズでいえば、“Once in a Lifetime（一生に一度だ）”。生涯にただ一度の出会いと考えて誠意を尽くして歓待することの重要性を説いた言葉だが、ある意味、その真逆を行くことも大事だ。出会いは当初、偶然であったはずだが、後からみると必然に思えてしまう。「偶然を必然にする」ことが、ネットワーク構築の要諦といえる。

そして「百聞は一見にしかず」のことわざ通り、さまざまな出自を持つ人々が先進事例などを一緒に視察することで、認識や感動を共有することが重要だ。大分でも、大分経済同友会が主催した視察に、知事や短大学長、アートNPOの代表なども参加したことで、文化芸術のパワーやクリエイティブ産業に対する関係者の理解が一気に進んだ経緯があった。

オンリーワンの創造都市を

これらの教訓・提言を適宜ご参照いただき、皆さんが住む都市・地域ならではの新たな展開を図ってほしい。創造都市とは、他に類例のないオンリーワンの都市像をめざすことである。本書で紹介した大分県内の取り組みや、国内外の先進事例はあくまで“素材”にすぎない。それらに宿るクリエイティブな発想を噛みしめ、その発想を、それぞれの都市・地域が持つ資源の再発見・再解釈に活かしていただければ幸いである。

補論　アートプロジェクトの経営と評価

最後に、アートプロジェクトの経営のあり方、そして成果の評価の仕方を説明しよう。そのキーワードは、PDCAサイクル、ロジックモデル、社会的インパクト評価、発展的評価、バランス・スコアカードである。このパートは、プログラム評価という学問領域を踏まえた解説であり、これまでの章と比べて専門的な面が強いため、補論として位置づけた。

評価の目的とは何か

アートプロジェクトに限らず、事業の主催者が行政や民間から資金提供を受けている場合、所期の成果が生まれているかどうかを評価して説明する必要性が増している。しかし、納得感のある評価を行うには評価のことだけ考えていても無駄である。そこでまず、評価がなぜ必要かを整理しておきたい。結論を先取りすれば、評価の目的は大きく「学び・改善」と「説明責任（アカウンタビリティ）の確保」の二点にある。

プロジェクトを単発のイベント開催で終わらせるのではなく、継続的に運営していくには、組織としての「経営（Management）」が不可欠だ。アート作品自体の価値を評価するのはきわめて難しいが、アーティストに依頼して地域で作品やパフォーマンスを展開する組織や事業の経営のあり方、すなわちアートプロジェクトを評価することは可能であり、かつ必要といえる。

学び・改善

ただし、そこには注意すべき点もある。民間企業ならば、自社の経営が順調か否か、いかなる経営課題があるかを把握するうえで、財務諸表（損益計算書、貸借対照表など）が基本ツール、いわばOSになる。きわめて単純化していえば、民間企業の最終ゴールは「利益」である。しかし、社会的な課題解決・価値創造をめざす組織にとっては「利益＝経営目標」ではない。このため、行政機関やNPO法人などの非営利組織には、財務諸表以外のOSも必要になるのである。自らの使命（ミッション）、将来像（ビジョン）を明らかにして、そこに到達するための経路を設定し、自分たちが今どの位置にいるか、対処すべき問題は何かを定期的に検証して、軌道修正や問題への対処を図ることが重要である。こうした戦略的かつ前向きの検証・改善活動こそが評価の本質といえよう。

アカウンタビリティの確保

しかし、業務の改善のみが評価目的ならば、評価結果をフィードバックする先は、まず経営者であろう。ならば、結果を手間暇かけてレポート化する必要はないし、それを公開する義務もない。だが、組織経営に権限・責任を持つのは経営者一人とは限らず、組織内外には通常、顧客・従業員・取引先・資金提供者などの多様な利害関係者（ステークホルダー）が存在する。とりわけ資金提供者は、評価結果（組織の成果）を知りたがる“うるさ型”のステークホルダーといえよう。その際、資金提供者が個人の篤志家ならその人物の共感さえ得ればよいが、普通は資金提供者も組織であり、支援窓口の担当者には支援成果を上司に説明する責任がある。そのためには、明確な“根拠（Evidence）”にもとづく“わかりやすい”説明が不可欠になる。

評価から経営へ

以上の整理を踏まえて、評価とは、プロジェクトの企画や資金調達といった組織経営に必須のツールであると理解すべきだ。評価をそれ単独で捉えて目的・意義を矮小化した「評価のための評価」になるのを回避し、「経営のための評価」「経営に役立つ評価」をめざすことが重要である。短くまとめれば「評価から経営へ」がキーワードとなる。要するに、「評価」の方法を語る前に、「経営」のあり方そのものを問う必要があるのだ。そこで以下では、経営の基本となるマネジメントサイクルの考え方を説明したい。

プロジェクトを継続して運営する場合、いわゆるPDCAサイクルを回すことが求められる。PDCAとは「Plan（企画）→Do（実施）→Check（評価）→Action（改善）」の頭文字をつなげた言葉だ。事業を実行するうえでは、まず事前の企画・計画（P）が必須であり、その計画を踏まえて実施・運営（D）のステージに移行する。しかし、事業をやりっ放しにしてはいけない。事業の実績を踏まえて、それが当初想定した成果を実現したか否か、将来に向けた教訓・提言は何かを明らかにする評価（C）の段階がきわめて重要である。そして、評価結果から得た学びを、次期の事業計画や類似の事業の改善（A）に活かすことが、事業を継続的に運営していくうえでの鍵となる。

事業の企画段階では、地域の現状と課題に関する情報収集・リサーチを行う必要がある。さらに、その結果を踏まえ、自分たちが、いかなる社会課題の解決をめざすのか、またはいかなる社会価値を創造すべきかを検討したうえで、取り組むべき課題を抽出し、事業の目的を設定する。情報収集・リサーチと課題抽出・目的設定は、前者から後者へと単線的に進むとは限らない。事業者サイドに最初から、課題や目的に関する仮説があって、その当否を問うためにリサーチを行う場合もあれば、まずリサーチを行って課題・目的の大まかなイメージをつかんだうえで、再度詳しいリサーチをかける場合もある。両者のプロセスは行ったり来たりを繰り返しながら、最終的な結論にいたるというのが現実的な姿かもしれない。

ロジックモデル

こうしてアートプロジェクトの課題抽出と目的設定ができたところで、次に、その目的を実現するための戦略計画（Strategic Plan）を策定していくことになる。そのための手法としてはロジックモデル（Logic Model）が有用である。ロジックモデルは、インプット、活動、アウトプット、アウトカムの四つの要素から構成さ

図表補-1　ロジックモデル

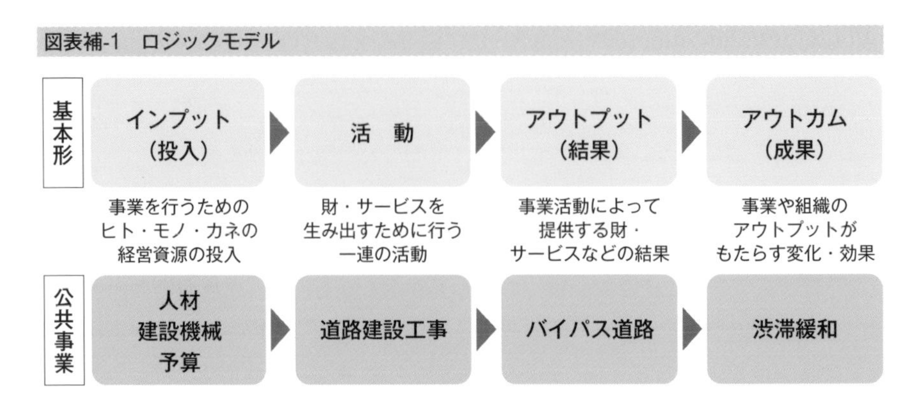

れる（図表補-1）。例えば、旧道の混雑が激しいため、バイパス道路を建設して渋滞を緩和するという公共工事を考えてみよう。真に重要なのは、道路を何km通したかというアウトプットではなく、道路整備によって実際に渋滞が緩和したかどうかというアウトカムであるのは明らかだろう。ちなみにロジックモデルでは、アウトカムを、事業実施にともなう直接アウトカムと、その効果が社会に波及して生じる中間アウトカム、最終アウトカムの三段階で捉えることが多い。

ただし、ロジックモデルに対しては批判的な意見も寄せられている。ロジックモデルは、何らかの事業が想定した成果を実現するまでのロジックがしっかりつながっているかを確認するツールである。具体的な事業から出発するため、最終的な目的に照らして当該事業のあり方が最適か否かを判断できず、事業の自己正当化に陥りやすいとの批判がある。この点については、最終的に達成すべき目的を出発点にして、いかなる事業を行うべきかをさかのぼって検討すること（バックキャスティング）を推奨したい。

次に、アウトカムの達成度合いを確認するための定量的な指標・目標を設定するのが難しいという指摘をしばしば耳にする。特に、事業実施にともなって生じる直接のアウトカムならまだしも、中間・最終アウトカムになるとイメージをつかみにくいというのだ。筆者としては、アウトカム指標のすべてを定量化する必要はないと考える。直接アウトカムとアウトプットを中心に定量化を試み、中間・最終アウトカムにまで無理やり定量指標を設定することは不要だろう。それでは、そもそも中間・最終アウトカム自体の設定も不要かといえば、そうではあるまい。自分たちが最終的にどのような社会の実現をめざすのか、その方向に進んでいくために計画中の事業が適切な内容になっているかどうかを、事業者やステークホルダーが確認・共有するうえで、定性的であったとしても、中長期のアウトカムをかかげることは有益だと思うからだ。

さらに、多くの事業者にはロジックモデル作成のスキルと時間的余裕がないという批判もある。しかし、評価専門家の伴走支援を得られなくても最低限、①この事業は何が目的なのか、②どういう結果になったらその目的に近づいた（達成した）といえるのかという問いに、事業者が明確に回答できるようにしておくことは不可欠だろう。事業の実施そのものが自己目的化する事態は避けるべきだし、そうした事業ではそもそも継続が覚束ない。

最後に、複雑で不確実な現実世界ではロジックモデルは機能しないという批判がある。現実の世界、特に現代社会は複雑で不確実性に満ちており、一度作成したロジックモデルを後生大事に守ろうとすると、現実に適応できず失敗を招くというわけだ。この批判に対するシンプルな回答は、事業環境などの前提条件が変化したり、事業プロセスが計画通りに進行しなければ、ロジックモデルを変えてもよいし、むしろ積極的に変えるべきだというものだ。特に、創造性や柔軟性を要する文化芸術の分野ではそうした発想が必要だろう。

プログラム評価の五階層

こうして策定されたロジックモデルが計画通り実行されたかどうかを検証するのが、評価（Evaluation）である。一言で説明すると「事実特定＋価値判断」だ。評価対象がもたらした成果について「よい／わるい」の価値判断を加えるのが評価であって、事実を特定するだけで価値判断をともなわない場合は、評価ではなく調査（Research）や測定（Monitoring）と呼ぶ。評価の語はごく日常的に用いられるが、「アートプロジェクトの評価」といった意味で用いる場合は、プログラムを評価対象としている。ここでいうプログラムは「社会的課題を解決するための何らかの社会的介入」を指しており、政策・施策・事業・プロジェクト・活動・イベントなど多様な介入行為を含む概念である。

プログラム評価の専門家であるピーター・H・ロッシによれば、評価には次のような五つの階層（図表補-2）があるという。

前述したマネジメントサイクルのPDCAと頭文字を並べると、評価（C）は事業実施（D）後に行う事後評価だと解しがちだ。しかし、プログラム評価の五階層に示されるように評価学のうえでは、事後評価を狭義の「評価」とするならば、広義の「評価」は企画（P）段階にも実施（D）段階にも存在することがわかる（図表補-3）。

ニーズ評価とセオリー評価は、評価という名称こそ付いているものの、実質的に

図表補-2　プログラム評価の五階層

	評価手法
プログラムの費用と効率の評価（効率性評価）	投入コストに比してもたらされた効果が妥当か否かの評価。プログラムを実施した場合の社会的便益を計算して、社会的費用（私的費用以外に生じる費用を考慮。例えば、環境への負荷）と比較する。代表的手法として、費用便益分析（Cost-Benefit Analysis）がある。
プログラムのアウトカム／インパクトの評価	プログラムが一定期間実施された後の効果に焦点をあてた評価。その効果が、本当に当該プログラムの実施によってもたらされたか否かを検証する評価手法であり、インパクト評価と呼ばれる。代表的なものとしてランダム化比較試験（Randomized Controlled Trial＝RCT）がある。ただし、インパクト評価には手間暇がかかるため、簡便な手法としてしばしば用いられるのが業績測定（Performance Measurement）である。プログラムの目的となる定量的な業績評価指標（Key Performance Indicator＝KPI）を定め、将来達成すべき目標値と達成時期を事前に決め、実績の推移を定期的にモニタリングしていく評価手法である。インパクト評価と異なり、KPIの変化がプログラムに起因するのか否かを検証できないという弱点を持つ。
プログラムのプロセスと実施の評価（プロセス評価）	プログラムの実施過程（プロセス）の評価。プログラムが当初に意図された通りに実施されているか、そうでない場合は実施過程で何が起こっているのかを検証する。
プログラムのデザインと理論の評価（セオリー評価）	プログラムを構成する論理（ロジック）が、プログラムが実現しようとする目的に対して適切に組み立てられているか否かを検証する。プログラムの資源、活動、結果から、実現すべき成果までの因果関係が正しく設定されているかという、プログラムの設計（デザイン）、理論（セオリー）を問う。
プログラムのためのニーズの評価（ニーズ評価）	社会的課題を取り巻くニーズが、プログラムの成果や活動の検討に適切に反映されているか否かを検証する。

出典：ピーター・H・ロッシ他『プログラム評価の理論と方法』に筆者加筆

図表補-3　マネジメントサイクル再考

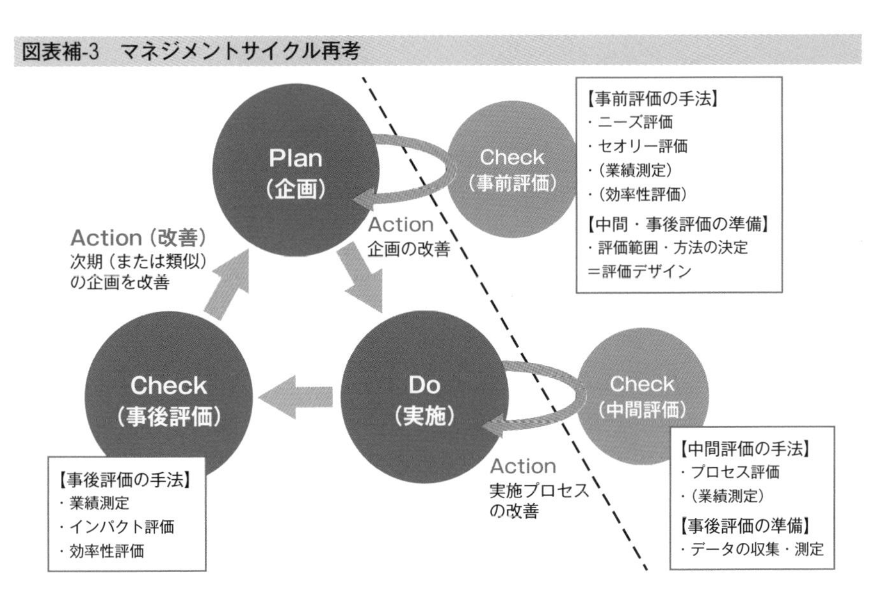

プログラムの企画立案そのものである。ニーズ評価とは、情報収集・リサーチと課題抽出・目的設定であり、セオリー評価はロジックモデル作成そのものである。

また、事業を実施する段階で行うべきプロセス評価は、プログラムが日々計画通りに運営されているかどうかの検証であり、事業を適切に管理・モニタリングしていれば当然なされているはずの仕事だ。

業績測定、インパクト評価、効率性評価は、プログラムの成果を定量的に把握する手法である。ただし、それらの評価が事後評価の場合でも、プログラムが完了するまで何もしなくて済むわけではない。企画（P）段階では、プログラムを計画しながら同時に、評価の範囲・手法を決めて、データの入手方法を考えないといけない（評価デザイン）。実施（D）の過程では、企画時の評価デザインを踏まえて、来場者アンケートの配布・回収など、データをしっかり収集する必要がある。この作業がちゃんとできていて初めて、事後の評価が可能になるのだ。

企画段階で事後評価のやり方を検討するためには、当然のことながら、このプログラムは最終的に何を目的としているのか、その目的を果たすうえでプログラムの内容は適切な設計になっているかどうかを考えねばならない。要するに、事前のセオリー評価（ロジックモデル）がたいへん重要なのだ。

社会的インパクト評価

近年、評価が再び注目を集める背景には、2008年のリーマンショック以降、非営利組織に活動資金を供給していた欧米の助成財団などの姿勢が変化し、資金提供先に成果の説明を詳しく求める流れが定着したことがあげられる。そして、こうした国際的潮流はわが国にも流入し、特に休眠預金等活用に関連して評価が重視されるようになった。

休眠預金とは、長期にわたって引き出しや預け入れの取引がない、いわば眠っている銀行預金のことである。最後の取引日や定期預金の最後の満期日から、銀行の場合で10年以上が経過した預金のうち、預金者本人と連絡が取れないものを指す。わが国の休眠預金の総額は毎年700億円以上とされる。休眠扱いになったからといっても所定の手続きを踏めば引き出しは可能だが、その手間暇のために結果的に眠りに就く預金が生まれている。英国や韓国では、こうした休眠預金を未来の社会への投資として、社会課題の解決に活用している。わが国でも同様の検討が進み、2016年12月に「民間公益活動を促進するための休眠預金等に係る資金の活用に関する法律（休眠預金等活用法）」が成立し、2019年から制度の本格運用が始まった。

この休眠預金等を活用してNPOや社会的企業が取り組む民間公益活動に対しては、事前に達成すべき成果を明示し、その成果の達成度合いを重視した社会的インパクト評価（Social Impact Measurement）を実施し、成果を可視化することが義務づけられた。社会的インパクトとは、短期・長期の変化を含め、当該事業や活動の結果として生じた社会的・環境的なアウトカムと定義される。アウトカムを測定・評価するのが、社会的インパクト評価である。とはいえ、社会的インパクト評価と名称こそ仰々しいが、評価手法に限っていえば特段目新しいところはない。評価学におけるプログラム評価の考え方に準じ、社会的インパクト評価でも適宜その手法を活用すればよいのだ。

社会的インパクト評価の典型的イメージは、ロジックモデルを作成したうえで、定量的な目標値の設定・管理（業績測定）を行うものだ。ただし、業績測定が唯一絶対の成果測定法というわけではなく、事業の規模や内容によっては効率性評価やインパクト評価も適用可能である。

発展的評価

社会的インパクト評価では、目標として当初設定した通りのアウトカムが想定通りに実現したかが重視される。計画性を非常に重んじた評価手法といえよう。しかし、先述のように複雑で不確実な現実世界ではロジックモデルは機能しない。一度作成したロジックモデルや目標値を過度に守ろうとすると、環境変化を見誤り、失敗を招くリスクが高いからだ。

こうした視点から、著名な評価コンサルタントのマイケル・クイン・パットンが提唱したのが、発展的評価（Developmental Evaluation）である。発展的評価は、ソーシャル・イノベーションなど、目的自体が変化し、時間軸も流動的で前進的な対象に向いた評価のやり方とされる。そこから得ようとすべきは、外部へのアカウンタビリティというよりも、イノベーションや変化から学習することであるという。現代社会では、プログラムが置かれた状況は日々めまぐるしく変化する。こうした環境下で実用的な評価を行うとすれば、おのずとこのような評価にならざるをえないだろう。

伝統的評価でも、事業環境の変化にともなう計画や評価デザインの見直しはありえた。しかし、従来それはあくまでイレギュラーな事態と想定されていたが、複雑で動的な現代社会では、むしろ絶え間なき変化こそが常態といえよう。発展的評価が求められるようになった背景にはおそらく、そうした事実認識がある。事業が置かれた環境が変遷・様変わり（develop）し、事前に想定できないさまざまな問題が勝手気ままに創発・生成（emerge）する。そうした創発性（Emergence）を回避すべきリスクと捉えるのでなく、イノベーションの契機として積極的に捉えるのが発展的評価の背景にある精神といえる。

発展的評価は、評価としての厳格さを保ちつつも、事業者が事業運営・組織経営にその結果を活かせる実用重視の評価をめざす。発展的評価は、大まかに整理して①複雑な現実世界への適応、②事業者に寄り添う伴走評価という二つの特色を持つ。

従来型の評価では、事業が終わってから初めて、計画通りの成果が出ているか否かを検証する場合が多い。しかし、現実の世界は複雑で、事業を実施している間にも、周囲の経済社会環境はつねに変化していくため、こうしたタイプの評価では事業の改善・革新の役に立たない。このため発展的評価では、事業をめぐる変化を適切に捉え、その事実や意味合いをリアルタイムで事業者にフィードバックし、彼らのイノベーションを促進することをめざす。

また、発展的評価では、定型的な評価データの収集だけではなく、事業に生じるさまざまな変化の芽を的確かつタイムリーに把握することが求められる。そのため評価者は、事業が実施される現場に赴き、経営者やスタッフをはじめステークホルダーとチームを組み、参加型の評価を実践する。したがって評価者には、伝統的な評価技法に加えて、ワークショップ運営などのファシリテーション技術が求められる。また、こうした取り組みにはしばしば、事業者と長期的に関係を継続することが必要になる。

二つの評価の関係性

アウトカム測定にフォーカスした社会的インパクト評価は、どちらかといえばアカウンタビリティ確保を重視した評価といえる。これに対して発展的評価は、学習・発展・適応を重視し、主にプロセスの改革にフォーカスした評価といえる。ただし、社会的インパクト評価も決してプロセス評価を排除しているわけでなく、発展的評価もプロセスのみならずアウトカムにも着目しており、二つの評価は両立しうる。休眠預金等活用も、成果測定に社会的インパクト評価の活用を謳いつつ、ソーシャル・イノベーションに貢献する革新的な民間公益活動の評価に際しては、社会情勢の変化などに応じて目標やアプローチを絶えず検証し見直す必要があるとして、発展的評価に着目している。計画性重視の社会的インパクト評価と、創発性重視の発展的評価のバランスを上手に取ることが重要なのだ（図表補-4）。

特にアートプロジェクトというものは——ストレートにいえばアーティストという存在は、創発性の塊である。アートとは新たな価値を不断に創造していくプロセスであり、ある種のイノベーションといえる。このため、事前に100％を計画することは困難だし、あえて強行すれば、予定調和的なありきたりの成果しか生まない。一方で、アートプロジェクトには会期や予算が決められている。それらを守ったうえで、最終的に実現を図るべきビジョンが存在している。

ここで、アーティストとスタッフの関係を、小説家や漫画家と、担当編集者のそ

図表補 4　社会的インパクト評価と発展的評価の比較

	事業環境	評価目的	評価のタイミング	評価者の立ち位置	評価手法
社会的インパクト評価	計画性	アカウンタビリティ確保	事後評価（アウトカム重視）	中立的評価	ロジックモデル＋業績測定（アウトカム測定）
発展的評価	創発性（Emergence）	学び・改善・イノベーション	中間評価（プロセス重視）	伴走評価	うまくいくのであればなんだってよい（手法ではなく考え方・姿勢）

（注）この表は、社会的インパクト評価と発展的評価の違いを際立たせるために、両者の特徴をあえて強調している。また、社会的インパクト評価を、社会的インパクト・マネジメントを実践するためのツールとする考え方に立てば、社会的インパクト評価は「ロジックモデル＋業績測定」に限らず、プロセス評価、インパクト評価、効率性評価、発展的評価なども包含する幅広い概念と捉えることもできる。

れになぞらえてみるとわかりやすいかもしれない。作家の意向に最大限寄り添い執筆を支援するのが編集者の仕事だが、その揚げ句、作家が雑誌の締切を破って原稿が落ちてしまっては元も子もない。作家に自由に創作してもらうためにこそ、編集者にはマネジメント能力が必要になるのだ。すなわち、社会的インパクト評価と発展的評価は、アートプロジェクトの戦略経営を図るうえで車の両輪といえよう。

バランス・スコアカード

BEPPU PROJECTが事務局を務める混浴温泉世界実行委員会の主催事業では、こうした社会的インパクト評価と発展的評価の双方の発想を組み込んだ評価システムを導入している。ただし、これらの評価が評価学をバックグラウンドとするのに対して、混浴温泉世界実行委員会事業に導入したバランス・スコアカード（Balanced Scorecard）は経営学に由来する手法である。民間企業は利益が経営目標で財務諸表がOSだと述べたが、利益という過去の実績だけみていても中長期的な成長が実現するとは限らない。例えば、速度計だけをみて、高度計や燃料計をみないパイロットが操縦する飛行機に、あなたは乗りたいと思うだろうか。そうした問いを発したロバート・S・キャプランとデビッド・P・ノートンが考案したのがバランス・スコアカードという、企業の業績評価・戦略経営支援システムである。

民間企業の業績評価では伝統的に、損益財政という「財務（Financial）の視点」が重視されていたが、バランス・スコアカードは「顧客（Customer）の視点」「業務プロセス（Internal Business Process）の視点」「学習と成長（Learning & Growth）の視点」もあわせて総合的に業績評価を行うことが重要だとした。企業の最終的な業績評価は財務面の実績でなされるとしても、財務内容の改善を実現するうえでは、職員の学習・成長、業務プロセスの改善、顧客満足度の向上が不可欠であり、これらの視点のバランスを図ることが重要であると考えたのだ（図表補-5）。

業績を多面的に評価するといっても、民間企業の場合はこのように「財務の視点」が最終ゴールとして想定されるが、組織の業績を総合的に捉えるバランス・スコアカードは、利益追求を目的としない公的機関、非営利組織の評価・経営にも向くとされた。

民間企業では、中長期的な利益の最大化が最終目標であるため、バランス・スコアカードの四つの視点の中でも財務の視点を重視する。これに対して、公的機関や非営利組織は、利益の追求を目的とはしていない。バランス・スコアカードの考案者であるキャプラン&ノートンも、非営利企業や政府公共機関の成功は、それらがいかに効率的かつ効果的に関係者のニーズを充足したかという視点から測定・評価すべきであり、顧客や関係者のために付帯的目標を設定すべきであるとしている。このため、公的機関、非営利組織の評価・経営には、組織のミッションやビジョンの達成に関わる五番目の視点を設けることが考えられる。この視点こそが、民間企業のバランス・スコアカードにおける財務の視点を代替する最終目標の位置を占めるのだ。

バランス・スコアカードのこうした考え方は、プログラム評価と親和的だと筆者は考える（図表補-6）。すでに述べたようにプログラム評価では、インプット～活動～アウトプット～アウトカムへといたるプログラム・セオリーの構築（セオリー評価）が重視される。このうち、インプット～活動～アウトプットをプロセス・セオリーと呼び、アウトプット～アウトカムをインパクト・セオリーと呼ぶ。

社会的インパクト評価は、セオリー評価の実施を大前提としたうえで、プロセス・セオリー、インパクト・セオリーのうち後者を重視した評価手法である。前者のプロセス・セオリーの評価（プロセス評価）は日々の経営管理の中でそれなりに

図表補-5　標準型バランス・スコアカード

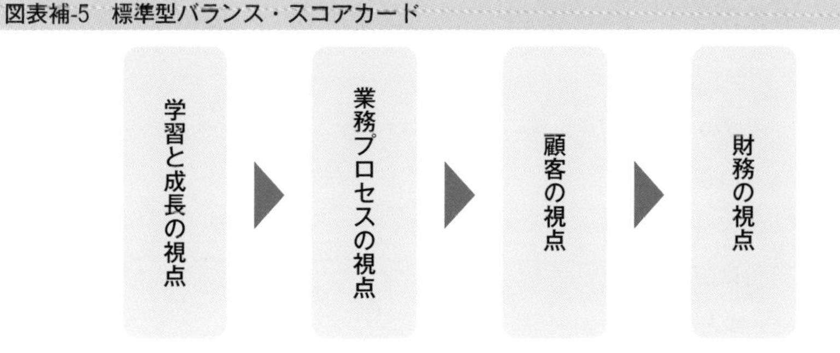

なされているというのが、社会的インパクト評価の暗黙の前提といえる。しかし、それはあくまで日常的に仕事をこなしているだけであって、経営プロセスの改善が効果的・効率的に行われているとは限らない。

このため、事業者が発展していく中では、いずれかの段階でプロセス評価の実施が求められる可能性が高い。ここに、バランス・スコアカードを事業の評価に用いる可能性が潜む。財務、顧客、業務プロセス、学習と成長の四つの視点から構成される標準的バランス・スコアカードは、まさにこのプロセス評価に該当する。民間企業の利用を想定した標準形では、アウトカムを評価するインパクト・セオリーのパートは不要だ。これに対して、非営利組織を対象としたバランス・スコアカードは、最終目標としてミッションやビジョンの達成に関わる第五の視点を持つ。こうした五番目の視点こそが、インパクト・セオリーに対応するといえる。

混浴温泉世界型バランス・スコアカード

混浴温泉世界実行委員会事業では、この第五の視点を「地方創生の視点」として

図表補-6　非営利組織向けバランス・スコアカードとプログラム評価の親和性

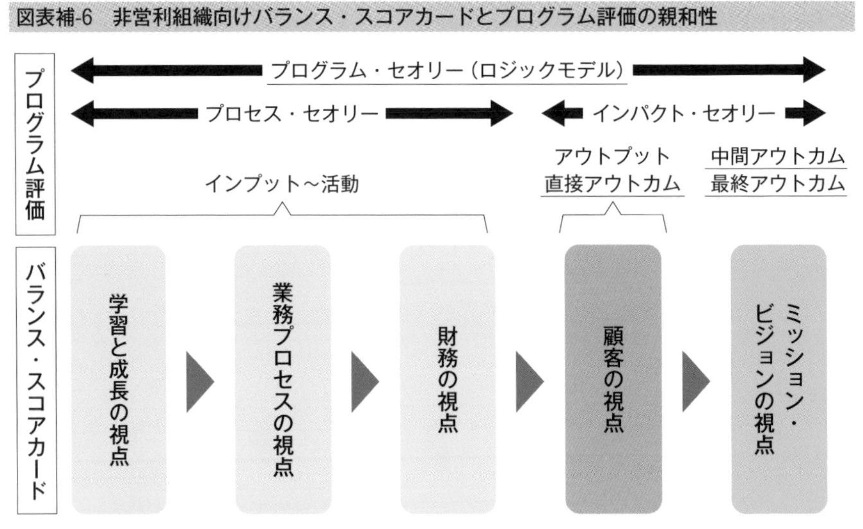

（注）下線を引いたプログラム・セオリー（ロジックモデル）、直接・中間・最終アウトカムは、社会的インパクト評価で特に重視される評価手法である。

いる。また標準的バランス・スコアカードの「学習と成長」「業務プロセス」「財務」「顧客」の四つの視点についても、より実態にあわせて「マネジメント」「財政」「ステークホルダー」「観客」とした。標準形の「学習と成長」「業務プロセス」を「マネジメント」に統合し、「ステークホルダー」を新たに設けたかたちである(図表補-7)。

混浴温泉世界型バランス・スコアカードは、実行委員会事業のビジョンと戦略マップを踏まえ、戦略目的ごとに「めざすべき具体的な姿」を定め、その達成度を測定する業績評価指標を選び、目標値を設定した。計画期間は、2016年度実績を起点として、東京オリンピック・パラリンピックにともなう国の文化プログラム重点実施期間である2020年度までとして、年度ごとに達成すべき目標値を設定する。この期間には大分県内で、2018年度の国民文化祭、2019年度のラグビーワールドカップなど、大型の文化スポーツ・イベントが相次ぐため、そうしたなかで実行委員会事業がどう成長していくかを示すことが重要である。

そのためには、代表理事がトップダウンでバランス・スコアカードを示すのではなく、スタッフ一人ひとりの意識の醸成・改革がたいせつである。スタッフ参加型でバランス・スコアカードをつくりあげ、実行委員会などの場を通じてステークホ

図表補-7　混浴温泉世界型バランス・スコアカード

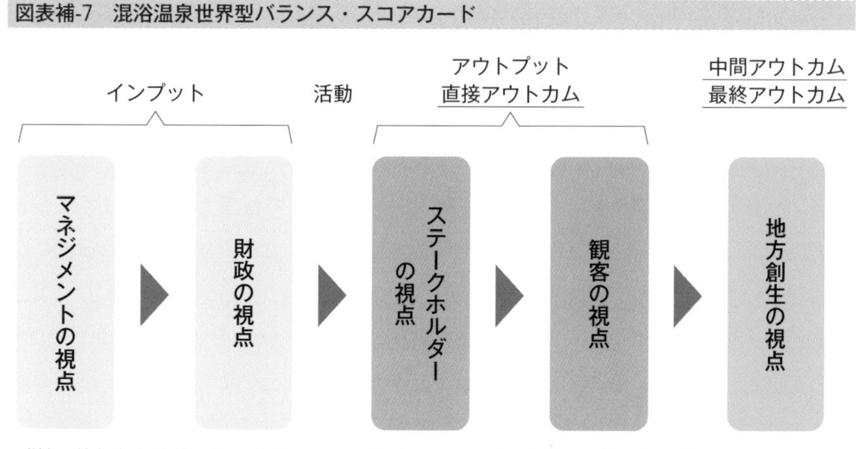

(注) 下線を引いた直接・中間・最終アウトカムは、社会的インパクト評価で特に重視される評価手法である。

ルダーとも共有していくことが求められる。すなわち、アートという創発性・革新性が鍵となる実行委員会事業を支えるバランス・スコアカードの策定を、発展的評価を用いて支援したのが今回の取り組みということになる。

評価者である筆者は、2011年に山出代表理事から要請を受け、混浴温泉世界実行委員会の実行委員に就任し、主にプログラム評価に関する知見を活かして、実行委員会事業の評価を行ってきた。

実行委員会はその定義上、事業の主催者だが、芸術祭の企画運営を実際に担うのは事務局のBEPPU PROJECTであり、実行委員の主な役割は、事業の企画運営へのアドバイスや、地域コンセンサスの形成である。また、実行委員会を構成する団体の一部は資金提供者（スポンサー）の立場でもある。

有識者の立場で参画する当方が行う評価は、実態的には第三者による外部評価だが、実行委員という肩書にこだわると純粋な外部評価とは評しにくい面があった。しかし、世上で行われる外部評価には、有識者委員が書面審査と説明・質疑のみで短時間で評価をくだすものが多い。こうしたスタイルの評価が、学び・改善やアカウンタビリティ確保に役立つとは実感できず、真に評価の名に値する仕事を行うには、評価対象と密接かつ真摯に向き合った評価の実践が求められると考えていた。

そうしたなか、昨今における参加型評価のトレンド、特に発展的評価の存在を知り、混浴温泉世界実行委員会事業において自らがめざしてきた評価が、まさにこうしたタイプの伴走評価であったことに気づいた。評価としての厳格さを保ちつつも、伴走先団体と一緒に悩みながら考えていく評価こそが「経営に役立つ評価」――発展的評価提唱者のマイケル・クイン・パットンの言葉を借りれば「実用重視型評価」であるとわかったのだ。このため2016年度からの評価では、意識的に発展的評価の考え方を取り入れて、事業評価の支援を行った。

なお、バランス・スコアカードは一度作成すれば2020年度まで不変でよいというものではない。特に、個展形式の芸術祭in BEPPUは、アーティストの提出する作品プランによって、事業の内容・構造が大きく変化する。このためバランス・スコアカードも、全体的なビジョン・戦略は不変としても、それに向けてめざすべき具体的な姿や、達成度を測定する業績評価指標は、in BEPPUの具体的内容や、実行委員会事業を取り巻く環境の変化を踏まえて柔軟に見直すべきである。そこで事務局と評価者は、新年度の事業計画が明らかになった段階で、バランス・スコアカード改訂の要否について協議を行い、その結果を実行委員会に報告して承認を得ることとしている。

主要参考文献

主要参考文献は原則として、編著者名、刊行年、著作タイトル（または論文タイトル）、出版社の順番に掲載した。翻訳書については、原著の刊行年を表示している。また、出版社の記載がない文献は商業出版されていない著作であるが、それらの多くはインターネットからダウンロードできる。文献によっては複数の章節で参照・引用しているが、初出時点で参考文献にかかげ、二回目以降に登場する章での再掲はしていない。

第1章 1

アーツ・コンソーシアム大分2019『平成30年度アーツ・コンソーシアム大分構築計画実績報告書 文化と評価ハンドブック』
アドビシステムズ2017「教室でのZ世代：未来を作る」
新井紀子2018『AI vs. 教科書が読めない子どもたち』東洋経済新報社
新井紀子2019『AIに負けない子どもを育てる』東洋経済新報社
井上智洋2016『人工知能と経済の未来　2030年雇用大崩壊』文藝春秋
井上智洋2019『純粋機械化経済 頭脳資本主義と日本の没落』日本経済新聞出版社
ジャン＝ガブリエル・ガナシア2017『虚妄のAI神話「シンギュラリティ」を葬り去る』早川書房
リンダ・グラットン、アンドリュー・スコット2016『LIFE SHIFT』東洋経済新報社
経済産業省 産業構造審議会新産業構造部会2016『新産業構造ビジョン〜第4次産業革命をリードする日本の戦略〜中間整理』
厚生労働省「働き方の未来2035：一人ひとりが輝くために」懇談会2016『働き方の未来2035：一人ひとりが輝くために懇談会報告書』
首相官邸 人生100年時代構想会議2018『人づくり革命 基本構想』
諏訪正樹2018『身体が生み出すクリエイティブ』筑摩書房
総務省 AIネットワーク化検討会議2016『AIネットワーク化の影響とリスク―智連社会（WINS）の実現に向けた課題―』
出口治明2018「追伸 平成へ」2018年7月7日付読売新聞
内閣府 人工知能と人間社会に関する懇談会2017『人工知能と人間社会に関する懇談会 報告書』
西垣通2016『ビッグデータと人工知能 可能性と罠を見極める』中央公論新社
野村総合研究所2015「日本の労働人口の49％が人工知能やロボット等で代替可能に〜601種の職業ごとに、コンピューター技術による代替確率を試算〜」
増田寛也、冨山和彦2015『地方消滅 創生戦略篇』中央公論新社
マーティン・フォード2009『テクノロジーが雇用の75％を奪う』朝日新聞出版
マーティン・フォード2015『ロボットの脅威 人の仕事がなくなる日』日本経済新聞出版社
エリック・ブリニョルフソン、アンドリュー・マカフィー2011『機械との競争』日経BP社
エリック・ブリニョルフソン、アンドリュー・マカフィー2014『ザ・セカンド・マシン・エイジ』日経BP社
ブルーノ・ムナーリ1977『ファンタジア』みすず書房
山口周2017『世界のエリートはなぜ「美意識」を鍛えるのか？ 経営における「アート」と「サイエンス」』光文社
吉川洋2016『人口と日本経済 長寿、イノベーション、経済成長』中央公論新社
クロード・レヴィ＝ストロース1962『野生の思考』みすず書房

第1章 2

あいちトリエンナーレ実行委員会監修2010『あいちトリエンナーレ2010公式ガイドブック アートの街

の歩き方』美術出版社
あいちトリエンナーレ実行委員会2011『あいちトリエンナーレ2010開催報告書』
あいちトリエンナーレ実行委員会、五十嵐太郎監修2013『あいちトリエンナーレ2013公式ガイドブック』美術出版社
あいちトリエンナーレ実行委員会2014『あいちトリエンナーレ2013開催報告書』
あいちトリエンナーレ実行委員会2016『あいちトリエンナーレ2016公式ガイドブック』美術出版社
あいちトリエンナーレ実行委員会2017『あいちトリエンナーレ2016開催報告書』
いちはらアート×ミックス実行委員会2017『ICHIHARA ART×MIX 2017事業報告書』
大分経済同友会2010『芸術と文化を活かした街づくり 瀬戸内・高松視察研修 報告書』
大分経済同友会2013『大分経済同友会 大地の芸術祭 越後妻有アートトリエンナーレ2012 視察報告書～創造都市で社会的課題解決～』
観光庁2012『宿泊旅行統計調査報告（平成23年1～12月）』
観光庁2019『宿泊旅行統計調査報告（平成30年1～12月）』
北アルプス国際芸術祭実行委員会2018『北アルプス国際芸術祭2017～信濃大町 食とアートの回廊～最終開催報告書』
北川フラム、瀬戸内国際芸術祭実行委員会監修2014『瀬戸内国際芸術祭2013』美術出版社
北川フラム、瀬戸内国際芸術祭実行委員会監修2019『瀬戸内国際芸術祭2019公式ガイドブック アートのある島々を、ゆっくりめぐろう』美術出版社
京都国際現代芸術祭組織委員会監修2015『PARASOPHIA：京都国際現代芸術祭2015開催報告書』
佐々木雅幸2001『創造都市への挑戦 産業と文化の息づく街へ』岩波書店
佐々木雅幸、総合研究開発機構2007『創造都市への展望 —— 都市の文化政策とまちづくり』学芸出版社
札幌国際芸術祭実行委員会2017『札幌国際芸術祭2017鑑賞ガイド』
札幌国際芸術祭実行委員会2018『札幌国際芸術祭2017開催報告書』
札幌国際芸術祭実行委員会2018『札幌国際芸術祭2017事業評価報告書』
札幌国際芸術祭2014事業評価検証会2016『札幌国際芸術祭2014事業評価検証会報告書』
瀬戸内国際芸術祭実行委員会2010『瀬戸内国際芸術祭2010総括報告』
瀬戸内国際芸術祭実行委員会2014『瀬戸内国際芸術祭2013総括報告』
瀬戸内国際芸術祭実行委員会2017『瀬戸内国際芸術祭2016総括報告』
創造都市さっぽろ・国際芸術祭実行委員会2015『札幌国際芸術祭2014開催報告書』
大地の芸術祭実行委員会2013『大地の芸術祭 越後妻有アートトリエンナーレ2012 総括報告書』
大地の芸術祭実行委員会2016『大地の芸術祭 越後妻有アートトリエンナーレ2015 総括報告書』
大地の芸術祭実行委員会2019『大地の芸術祭 越後妻有アートトリエンナーレ2018 総括報告書』
中房総国際芸術祭いちはらアート×ミックス実行委員会2014『中房総国際芸術祭いちはらアート×ミックス総括報告書』
日本政策投資銀行2010『現代アートと地域活性化 ～クリエイティブシティ別府の可能性～』
日本政策投資銀行2011『文化芸術創造クラスターの形成に向けて ～美術館からひろがる創造都市～』
福武總一郎、北川フラム2016『直島から瀬戸内国際芸術祭へ —— 美術が地域を変えた』現代企画室
リチャード・フロリダ2012『新クリエイティブ資本論　才能が経済と都市の主役となる』ダイヤモンド社
水と土の芸術祭2018実行委員会2019『水と土の芸術祭2018事業実施報告書』
横浜トリエンナーレ組織委員会2009『横浜トリエンナーレ2008報告書』
横浜トリエンナーレ組織委員会2012『ヨコハマトリエンナーレ2011 記録集』
横浜トリエンナーレ組織委員会監修2014『ヨコハマトリエンナーレ2014 華氏451の芸術：世界の中心には忘却の海がある』平凡社
横浜トリエンナーレ組織委員会2015『ヨコハマトリエンナーレ2014「華氏451の芸術：世界の中心には忘却の海がある」記録集』
横浜トリエンナーレ組織委員会2018『ヨコハマトリエンナーレ2017「島と星座とガラパゴス」記録集』

六本木アートナイト実行委員会2017『六本木アートナイト事業評価検討会2016報告書』
六本木アートナイト実行委員会2019『六本木アートナイト事業評価報告書2018』

第1章 3

別府現代芸術フェスティバル「混浴温泉世界」実行委員会2009『別府現代芸術フェスティバル2009「混浴温泉世界」事業報告書』
別府現代芸術フェスティバル「混浴温泉世界」実行委員会2011『ベップ・アート・マンス 2010事業報告書』
別府現代芸術フェスティバル「混浴温泉世界」実行委員会2012『ベップ・アート・マンス 2011事業報告書』
別府現代芸術フェスティバル「混浴温泉世界」実行委員会2012『旅手帖beppu』
別府現代芸術フェスティバル「混浴温泉世界」実行委員会2013『別府現代芸術フェスティバル2012「混浴温泉世界」・「ベップ・アート・マンス 2012」事業報告書』
別府現代芸術フェスティバル「混浴温泉世界」実行委員会2014『ベップ・アート・マンス 2013事業報告書』
別府現代芸術フェスティバル「混浴温泉世界」実行委員会2015『ベップ・アート・マンス 2014事業報告書』
別府現代芸術フェスティバル「混浴温泉世界」実行委員会2016『別府現代芸術フェスティバル2015「混浴温泉世界」・「ベップ・アート・マンス 2015」事業報告書』
別府現代芸術フェスティバル「混浴温泉世界」実行委員会2017『別府現代芸術フェスティバル「混浴温泉世界」実行委員会 平成28年度 事業報告書』
混浴温泉世界実行委員会2018『混浴温泉世界実行委員会 平成29年度 事業報告書』
混浴温泉世界実行委員会2019『混浴温泉世界実行委員会 平成30年度 事業報告書』
三浦宏樹2012「混浴温泉世界でまちづくり —— 創造都市を目指す別府の試み」(『地域開発2012.12 Vol.579』日本地域開発センター)
山出淳也2018『BEPPU PROJECT 2005-2018』BEPPU PROJECT

第1章 4

大分経済同友会2010「提言 県都大分の交通体系について」
大分経済同友会2011『大分経済同友会 フランス・ドイツ経済事情視察報告書 〜交通とアートのまちづくりを考える〜』
大分経済同友会2013『大分経済同友会 欧州アート・交通まちづくり視察報告書 〜創造都市に大分の未来を見る〜』
大分経済同友会2014『大分経済同友会 スペイン・フランス・アートとまちづくり視察報告書 〜アート県 大分を目指して〜』
国際交流基金2004『文化による都市の再生 〜欧州の事例から』
佐々木雅幸総監修2019『創造社会の都市と農村 —— SDGsへの文化政策』水曜社
フランソワ・ドゥラロジエール2010『ラ・マシン カルネ・デ・クロッキー 写真とデザイン画集』玄光社
鳥海基樹2014「マルセイユ 斜陽都市を欧州文化首都に押し上げる都市デザイン」(『季刊まちづくり41』学芸出版社)
アンドレ・ブルトン1928『ナジャ』岩波書店
文化庁2014「文化芸術立国中期プラン 2020年に日本が、「世界の文化芸術の交流のハブ」となる〜」
吉本光宏監修、国際交流基金編2006『アート戦略都市 —— EU・日本のクリエイティブシティ』鹿島出版会
Guggenheim Museum Bilbao 2011"Study of the Economic Impact of the Activities of the Guggenheim Museum Bilbao－Estimation for 2011"

第1章 5

大分経済同友会2011「提言 県立美術館整備の方向性 〜クリエイティブな美術館&都市づくりに向けて〜」

大分経済同友会2011「提言 県立美術館整備の方向性Ⅱ ～創造都市実現のための処方箋～」
大分県芸術文化ゾーン創造委員会2013「大分県芸術文化ゾーン創造委員会検討結果報告書（最終答申）」
大分県美術館構想検討委員会2010「県立美術館基本構想答申」

第2章 1

アーツ・コンソーシアム大分2017『平成28年度アーツ・コンソーシアム大分構築計画実績報告書 ～創造県おおいたの推進体制構築に向けて～』
アーツ・コンソーシアム大分2018『平成29年度アーツ・コンソーシアム大分構築計画実績報告書 ～クリエイティブな文化と評価へ～』
大分経済同友会2015『大分経済同友会TAKETA ART CULTURE 2014視察報告書』
佐々木雅幸、川井田祥子、萩原雅也編著2014『創造農村 ―― 過疎をクリエイティブに生きる戦略』学芸出版社

第2章 2

大分経済同友会2012「国東アートプロジェクトの感想 大分経済同友会 会報誌向け原稿」
国東半島芸術祭実行委員会監修2014『国東半島芸術祭 公式ガイドブック』美術出版社
国東半島芸術祭実行委員会2015『国東半島芸術祭総括報告』
山出淳也、国東半島芸術祭実行委員会2015『国東半島芸術祭記録集』美術出版社

第2章 3

おおいたトイレンナーレ実行委員会2016『おおいたトイレンナーレ2015開催報告書』

第2章 4

東京書籍2018『高等学校地理歴史科用文部科学省検定済教科書 地理B』東京書籍

第2章 5

BEPPU PROJECT、冨松智陽（編集室rain）、中園昌志編2015『ARTrip 大分』

第3章 1

イヴァン・イリイチ1973『コンヴィヴィアリティのための道具』筑摩書房
大分経済同友会2014「提言 クリエイティブ大分を目指して～長期ヴィジョンと、2015年に向けた戦略の必要性～」
大分県2004「大分県文化振興基本方針－感動を今、そして未来へ－」
大分県2015『大分県長期総合計画 安心・活力・発展プラン2015 ともに築こう大分の未来』
大分県 芸術文化ゾーンを活用した新たな展開研究会2015『「そうぞう県おおいた」の実現に向けて』
太下義之2015「オリンピック文化プログラムに関する研究および「地域版アーツカウンシル」の提言」
太下義之2017『アーツカウンシル ―― アームズ・レングスの現実を超えて』水曜社
東成学園2018『イングランド及びスコットランドにおける文化芸術活動に対する助成システム等に関する実態調査報告書』

第3章 2

大分経済同友会2016『大分経済同友会 欧州視察報告書 ～大分のクリエイティブな地方創生に向けて～』
大分県産業創造機構2019『創造おおいた No.217』
太下義之2009「英国の「クリエイティブ産業」政策に関する研究」
国連貿易開発会議（UNCTAD）2010『クリエイティブ経済』ナカニシヤ出版
CREATIVE PLATFORM OITA 2018「創業100周年を機に臼杵産有機原料にこだわった新ブランド

を開発『後藤製菓』」
CREATIVE PLATFORM OITA 2019「入所者や職員が落ち着ける空間を共創。児童養護施設『森の木』」
Department for Digital, Culture, Media and Sport (DCMS) 1998 "Creative Industries Mapping Documents 1998"
DCMS 2001 "Creative Industries Mapping Documents 2001"
DCMS 2010 "Creative Industries Economic Estimates – December 2010 (Experimental Statistics)"
DCMS 2013 "Classifying and Measuring the Creative Industries"
DCMS 2014 "Creative Industries Economic Estimates – January 2014"

第3章 3

江原絢子、石川尚子編著2009『日本の食文化―その伝承と食の教育』アイケイコーポレーション
大分経済同友会2017『鶴岡・山形視察報告書 ～食とアートの創造力を探る旅～』
大分経済同友会2017「提言 食文化とアートを活かした市民と産業の成長戦略 ～未来創造都市の実現に向けて～」
大分経済同友会2019『大分経済同友会 欧州視察報告書 ～食文化へ拡がる創造都市の裾野～』
大分市、おおいたインフォメーションハウス2019『豊後料理GUIDE BOOK 2019』
太下義之2017「バスク自治州ビルバオの食文化 ～文化的アイデンティティを再構築する創造都市～」
カーサ ブルータス2015『Casa BRUTUS ガウディと井上雄彦』マガジンハウス
日本政策投資銀行、日本交通公社2019『DBJ・JTBF アジア・欧米豪訪日外国人旅行者の意向調査(2018年度版)』
農林水産省2014『海外における食文化の戦略的調査報告書』
BEPPU PROJECT編2018『豊後料理創作事典』
文化庁 文化審議会2016「文化芸術立国の実現を加速する文化政策(答申)－「新・文化庁」を目指す機能強化と2020年以降への遺産(レガシー)創出に向けた緊急提言」

第3章 4

大分県2014『ART MEETS WELFARE 福祉とアートの出会い』
大分県障がい者の芸術活動支援懇談会2016「障がい者の芸術活動支援に関する提言」
大分国際車いすマラソン事務局「大分国際車いすマラソン 公式サイト」
恵愛会大分中村病院「社会医療法人恵愛会大分中村病院 公式サイト」
厚生労働省・文化庁2018「障害者による文化芸術活動の推進に関する法律」
厚生労働省・文化庁2019「障害者による文化芸術活動の推進に関する基本的な計画」
佐々木雅幸、水内俊雄編著2009『創造都市と社会包摂 文化多様性・市民知・まちづくり』水曜社
太陽の家「社会福祉法人太陽の家 公式ホームページ」
平成29年度障害者芸術文化活動普及支援事業連携事務局2018『平成29年度障害者芸術文化活動普及支援事業 報告書』
BEPPU PROJECT 2018『1人ひとりの可能性を活かす仕組みを考えるアート展 Action!』
みずほ厚生センター こみっとあーと2018『平成29年度こみっとあーと報告書』
みずほ厚生センター こみっとあーと2018『日常のアート ようこそ！ボクラの世界へ』

第4章 1

内閣官房・文化庁2017「文化経済戦略」
文化庁2015「文化芸術の振興に関する基本的な方針－文化芸術資源で未来をつくる－(第4次基本方針)」
文化庁2017「文化芸術基本法」
文化庁2018「文化芸術推進基本計画－文化芸術の「多様な価値」を活かして、未来をつくる－(第1期)」
文化庁2018「文化財保護法及び地方教育行政の組織及び運営に関する法律の一部を改正する法律」

第4章 2

大分県他2019『第33回国民文化祭・おおいた2018／第18回全国障害者芸術・文化祭おおいた大会 公式記録』
小野正嗣2018『ヨロコビ・ムカエル？』白水社
混浴温泉世界実行委員会2018「アニッシュ・カプーア IN 別府 リーフレット」
田尾圭一郎他（美術出版社）編2018『おおいたジオカルチャー』美術出版社
アミン・マアルーフ1998『アイデンティティが人を殺す』筑摩書房
アミン・マアルーフ2009『世界の混乱』筑摩書房

第4章 3

大分経済同友会2015「芸術文化の創造性を活かした地方創生大分モデルの提言」

おわりに

木谷文弘2004『由布院の小さな奇跡』新潮社

補論

ロバート・S・キャプラン、デビッド・P・ノートン1996『バランス・スコアカード［新訳版］戦略経営への変革』生産性出版
GSG国内諮問委員会2016『社会的インパクト評価ツールセット』
社会的インパクト・マネジメント・イニシアチブ2017「社会的インパクト志向原則」
社会的インパクト・マネジメント・イニシアチブ2018「社会的インパクト・マネジメント・フレームワーク」
社会的インパクト・マネジメント・イニシアチブ2018「社会的インパクト・マネジメント・ガイドライン」
内閣府2016『社会的インパクト評価の推進に向けて－社会的課題解決に向けた社会的インパクト評価の基本的概念と今後の対応策について』
マイケル・クイン・パットン1997『実用重視の事業評価入門』清水弘文堂書房
源由理子編著2016『参加型評価 改善と変革のための評価の実践』晃洋書房
ピーター・H・ロッシ、マーク・W・リプセイ、ハワード・E・フリーマン2004『プログラム評価の理論と方法　システマティックな対人サービス・政策評価の実践ガイド』日本評論社

＜執筆者一覧＞

【編者】

日本政策投資銀行

【執筆】

三浦宏樹

（大分経済同友会 調査部長、大分県芸術文化スポーツ振興財団 参与）
東京都出身。日本開発銀行（現・日本政策投資銀行）入行。経済企画庁出向、政策金融評価部、四国支店企画調査課長、日本経済研究所出向、大分事務所長などを経て現職。文化経済学会〈日本〉会員、日本評価学会認定評価士。日本ファンドレイジング協会准認定ファンドレイザー。

佐野真紀子

（日本政策投資銀行 大分事務所 副調査役）
大分県佐伯市出身。入行以来、大分県内の経済動向を定点観測し、設備投資計画の調査をはじめ、さまざまな情報を発信。特にレポート「現代アートと地域活性化」の執筆以降、文化芸術によるまちづくりをテーマに国内外事例の調査研究を続け、大分の活性化へ反映させている。県内自治体の地域・観光振興に関する外部委員も多数務める。大分経済同友会会員。

小手川武史

（日本政策投資銀行 経営企画部所属 副調査役）
大分県臼杵市出身。日本経済研究所地域本部において各種の地域活性化サポート業務を担当。その後、日本政策投資銀行サステナビリティ企画部、経営企画部広報担当を経て、現在は内閣官房日本経済再生総合事務局に出向中。

【編集協力】

福山公博

（日本政策投資銀行 大分事務所長）

久間敬介

（日本経済研究所 取締役常務執行役員）